D0511478

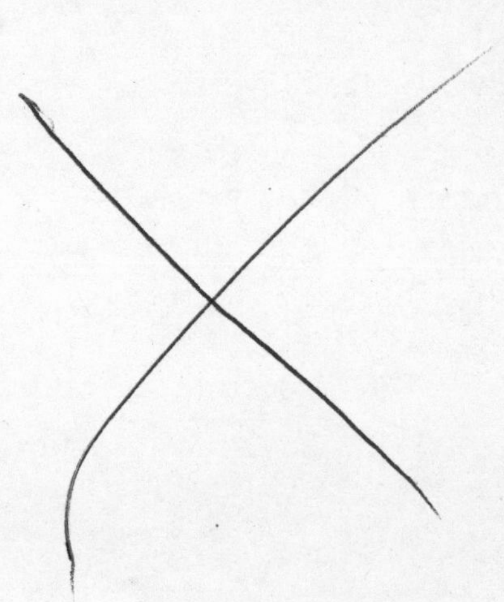

Partenaires malgré eux

Un fils à retrouver

MARIE FERRARELLA

Partenaires malgré eux

BLACK *ROSE*

éditions HARLEQUIN

Collection : BLACK ROSE

Titre original : CAVANAUGH RULES

Traduction française de ISABEL ROVAREY

HARLEQUIN®
est une marque déposée par le Groupe Harlequin

BLACK ROSE®
est une marque déposée par Harlequin S.A.

Photos de couverture
Couple : © GRAPHIC OBSESSION / JURGEN MAGG / CULTURA / ROYALTY FREE
Paysage : © JULIE EGGERS / CORBIS

Réalisation graphique couverture : L. SLAWIG (Harlequin SA)

83-85, boulevard Vincent-Auriol, 75646 PARIS CEDEX 13.

Service Lectrices — Tél. : 01 45 82 47 47
www.harlequin.fr

ISBN 978-2-2802-8064-8 — ISSN 1950-2753

1

L'inspectrice Kendra Cavelli se souvenait d'avoir lu quelque part que la vie n'était qu'une longue suite de renoncements, point de vue qui lui avait paru singulièrement pessimiste à l'époque, mais elle était beaucoup plus jeune alors, et pleine d'espoir.

Non qu'elle soit en aucune manière âgée — sauf à comparer ses vingt-six années d'existence à la durée de vie d'une mouche drosophile, évidemment — mais elle se sentait bien plus mûre que l'âge mentionné sur son acte de naissance.

Et puis, d'ailleurs, qui sait ? La date qui y figurait n'était peut-être pas aussi exacte qu'elle l'avait toujours cru. Une chose était certaine : son nom ne l'était pas, lui.

Elle avait passé vingt-six ans à se croire une Cavelli pour apprendre un beau jour que ce n'était pas le cas, qu'elle et ses frères et sœurs étaient tous des Cavanaugh parce que c'était de cette famille qu'était en réalité issu son père. En raison d'une erreur commise à la maternité par une puéricultrice aveuglée par le chagrin le jour où son père et le véritable bébé Cavelli étaient nés, les deux nouveau-nés avaient été accidentellement intervertis peu après leur naissance.

L'ancien chef de la police, Andrew Cavanaugh, avait mené son enquête lorsque l'affaire avait été dévoilée, et il était apparu que la puéricultrice en question, Jane Allen, venait ce jour-là d'apprendre le décès de son fiancé, le première classe Wade Johnson, tué au combat à l'autre bout de la planète. Egarée par la douleur, Jane avait continué à accomplir ses tâches quotidiennes dans le brouillard, l'esprit complètement ailleurs.

C'était ainsi que le père de Kendra — et sa descendance avec lui — s'était vu dépossédé de son identité. Il avait été accueilli comme le dernier-né de la famille Cavelli tandis que le vrai Sean Cavelli était reconnu par Seamus Cavanaugh et sa femme.

Et, aujourd'hui, plusieurs mois après ce que ses frères et sœurs et elle appelaient « la grande révélation », elle avait encore du mal à se positionner. Elle se sentait prise au piège entre le passé qu'elle avait cru immuable et ce présent totalement nouveau qui s'imposait à elle.

Peut-être aurait-elle eu moins de difficultés à s'adapter à cette nouvelle situation, songea Kendra en traversant le deuxième étage du commissariat central d'Aurora, si elle n'était venue s'ajouter à la perte brutale de son propre fiancé puis, maintenant, à la défection de son coéquipier.

Le premier avait bien failli l'anéantir lorsqu'il avait choisi de se suicider ; quant au second, il était tout récemment parti en retraite — alors que rien ne l'y obligeait. Résultat : sur le plan personnel comme sur le plan professionnel, elle se retrouvait seule pour tout gérer, sur tous les fronts.

Sans doute ni l'un ni l'autre n'avaient-ils eu une seule pensée pour elle lorsqu'ils avaient arrêté leur décision. Pas Jason, en tout cas, parce que, sinon, il serait encore de ce monde. Et ils seraient mari et femme aujourd'hui.

Au lieu de quoi, elle se retrouvait immensément seule, même si son cercle familial immédiat, composé de son père, Sean, et de ses frères et sœurs, atteignait tout de même le nombre non négligeable de sept personnes — huit, elle comprise. Au stade où elle en était, Kendra ne savait même pas si elle devait encore englober les membres de la famille auxquels, objectivement, elle n'était désormais plus apparentée.

Quant à la « famille » dont elle se retrouvait subitement faire partie, elle n'avait pas encore réussi à en établir le décompte exact. Ce qui était certain, c'était que, réunie au grand complet, elle aurait probablement rempli la moitié d'un stade. Et que bon nombre de ses membres officiaient au sein de la police d'Aurora, à laquelle elle était fière d'appartenir, elle aussi.

Cela au moins n'avait pas changé.

Du moins l'espérait-elle, corrigea Kendra, songeant à la convocation que lui avait signifiée le chef des inspecteurs, Brian Cavanaugh, qui, comme l'ancien chef de la police, était l'un de ses nouveaux oncles.

Entrant dans son secrétariat, elle s'avança vers l'accueil qui était placé juste devant la porte de son bureau.

L'accès au saint des saints était gardé par une femme d'apparence très capable, entre trente-cinq et quarante ans. Elle leva un regard interrogateur vers Kendra, attendant que celle-ci dise quelque chose.

— Inspecteur Kendra Cavel — Cavan…, bredouilla-t-elle, n'ayant pas encore décidé quel nom utiliser désormais.

C'était un pas plus difficile à franchir qu'il n'y paraissait. Thomas et Bridget avaient, eux, d'ores et déjà opté pour Cavanaugh, comme leur père, mais Kendra craignait de se montrer déloyale vis-à-vis de la famille au sein de laquelle elle avait été élevée si elle renonçait au nom qui avait été le sien pendant plus d'un quart de siècle.

Mettant de côté ces pensées perturbantes, elle reprit :

— J'ai rendez-vous avec le chef Cavanaugh.

Le lieutenant Reta Richards, l'assistante personnelle du chef depuis plus de dix ans, lui sourit en hochant la tête d'un air entendu, comme si elle comprenait le dilemme auquel Kendra était confrontée et compatissait.

— Il est en ligne pour l'instant, mais il m'a demandé de

vous dire qu'il vous recevrait sitôt qu'il aurait terminé. Si vous voulez bien vous asseoir…, ajouta-t-elle en désignant les sièges alignés contre le mur, en face du bureau. Il ne devrait pas en avoir pour longtemps.

La remerciant d'un bref signe de tête, Kendra se dirigea vers l'endroit indiqué et s'assit.

Alors, seulement, elle remarqua qu'elle n'était pas seule dans l'antichambre du bureau du chef des inspecteurs. L'un des autres sièges était occupé par un homme de haute taille, les cheveux bruns, singulièrement beau. En dépit de sa stature d'athlète, il semblait remplir tout l'espace par sa seule présence.

Croisant le regard de Kendra, il lui décocha un sourire engageant. Le genre de sourire qui donnait l'impression d'un homme bien dans sa peau, qui avait le contact facile.

Elle connaissait bien ce genre d'homme. Convaincus de leur propre valeur, totalement dépourvus de sérieux, ne pensant qu'à s'amuser et à prendre du bon temps. Sa rencontre avec Jason l'en avait heureusement préservée.

Du moins était-ce ce qu'elle avait cru alors…

Mais ses fiançailles avec le pompier disparu lui avaient en réalité ouvert les portes d'un monde de chagrin et de souffrance.

Après avoir répondu au salut silencieux de l'homme par un bref hochement de tête, elle garda le regard fixé sur la porte du bureau.

Elle était partagée entre l'envie de la voir s'ouvrir tout de suite, ce qui lui épargnerait d'avoir à parler de la pluie et du beau temps avec un inconnu qui, selon toute vraisemblance, ne recherchait sans doute qu'un auditoire complaisant, et l'espoir que Brian Cavanaugh allait prendre tout son temps parce qu'elle ne savait pas du tout pourquoi il voulait la voir.

Le problème, c'était qu'elle détestait attendre. Son père

avait toujours dit d'elle, en manière de litote affectueuse, qu'elle « n'était pas la plus patiente de ses enfants ».

Elle avait toutes les peines du monde à ne pas s'agiter sur son siège. Son voisin, lui, demeurait tranquillement assis, immobile, comme si rien au monde ne pouvait le déranger. Et, lorsqu'il lui adressa un nouveau sourire éblouissant, cela ne fit qu'accroître d'un cran sa nervosité, sans qu'elle puisse s'expliquer pourquoi.

Au final, Kendra n'eut pas longtemps à attendre. Moins de cinq minutes plus tard, un voyant s'allumait sur le standard de Reta, qui leva la tête.

— Le chef est prêt à vous recevoir maintenant.

Du fait qu'ils étaient deux et que le lieutenant n'avait pas spécifié à qui elle s'adressait, Kendra s'entendit demander :

— A recevoir qui ?

— Eh bien, vous deux, répondit aimablement Reta.

L'homme, à sa droite, s'était déjà levé. Seigneur, il était vraiment grand, songea Kendra en se redressant à son tour. Il la dépassait de plus de vingt centimètres alors qu'elle devait atteindre un bon mètre soixante-huit avec ses semelles compensées.

Sans raison précise, un mauvais pressentiment s'empara d'elle.

Elle n'aimait pas la façon dont se présentaient les choses.

Kendra entra la première, sans trop savoir si elle avait été la plus rapide ou si l'homme avait voulu faire montre de galanterie. Ce qui n'avait que peu d'importance, se dit-elle. L'important, c'était la raison pour laquelle elle était ici.

Policier de la vieille école, Brian Cavanaugh se leva dès son entrée et se pencha par-dessus son bureau pour la saluer d'une chaleureuse poignée de main, comme s'ils se connaissaient depuis toujours.

Oh ! bien sûr, elle avait entendu parler de lui, et c'était lui aussi qui lui avait remis son insigne lors de la cérémonie qui avait célébré sa promotion au rang d'inspectrice, peu après ses fiançailles. Mais elle n'avait réellement fait sa connaissance qu'après la « grande révélation ». Il s'était ensuivi une kyrielle d'invitations — certaines lancées pour des occasions bien spécifiques, d'autres sans motif particulier — à des réunions familiales, en général chez l'ancien chef de la police, Andrew Cavanaugh, mais parfois chez d'autres membres du clan.

Tout le monde n'assistait pas systématiquement à chacun de ces rassemblements, mais elle avait croisé le chef des inspecteurs à plusieurs occasions. Elle lui avait toujours vu le sourire qu'il arborait en ce moment même. Cela signifiait-il qu'elle pouvait se détendre ?

Ou s'efforçait-il d'adoucir le coup qui allait tomber ?

Elle était méfiante de nature et, si ce trait de caractère se révélait souvent utile dans l'exercice de son métier, c'était tout l'inverse dans la vie privée.

— Comment ça va, Kendra ? demanda le chef tandis qu'il indiquait d'un geste l'une des chaises situées en face de son bureau.

Il devait parler du travail, supposa-t-elle. Depuis le départ en retraite de son partenaire, deux semaines plus tôt, elle alternait entre nostalgie et colère ; ses airs bougons lui manquaient, et elle lui en voulait d'être parti aussi précipitamment. Et peu importait qu'à près de soixante-dix ans l'inspecteur Joe Walsh ait bien mérité sa retraite. Le veuf l'avait conduite à croire qu'il ne cesserait jamais de travailler et, forte de cette conviction, elle s'était peu à peu laissée aller à considérer qu'elle pouvait tabler sur la certitude réconfortante qu'elle verrait chaque matin la mine de chien battu de son partenaire en face de son bureau.

— Je m'en sors, répondit-elle d'une voix affable qui ne confirmait ni n'infirmait sa déclaration.

Elle n'avait pas l'intention de baisser sa garde tant qu'elle n'en saurait pas davantage.

— Et, vous, inspecteur Abilene ? demanda Brian en regardant l'homme qui, à peine assis, avait étendu ses longues jambes devant lui.

De l'angle sous lequel elle le voyait, elles paraissaient interminables.

— Pareil, répondit l'inspecteur avec un mouvement du menton en direction de Kendra pour souligner qu'il faisait écho à son affirmation.

Brian sourit, et le malaise qu'éprouvait Kendra s'accentua.

L'une des raisons pour lesquelles elle détestait les départs, c'était qu'ils s'accompagnaient inévitablement de changements. Elle n'avait jamais aimé le changement. Il faisait partie intrinsèque de la vie, certes, mais cela ne lui rendait pas la chose plus facile pour autant.

Et elle avait été servie, dernièrement, de ce point de vue : il y en avait eu tellement qu'elle n'arrivait même pas à en tenir le compte.

Brian laissa entendre un petit rire qui lui valut un regard interrogateur de la part des deux inspecteurs qui lui faisaient face.

— Je vais trop vite en besogne, déclara-t-il. Tout d'abord, procédons aux présentations. Inspecteur Matthew Abilene, je vous présente l'inspecteur Kendra…

Il marqua une pause, se rendant compte qu'il n'avait pas encore été informé de sa décision officielle. Chacun des Cavelli, comme les quatre enfants de l'ex-partenaire qu'il avait épousée, Lila, et les trois enfants de la famille cachée de son défunt frère, Mike, avait eu le choix : garder leur patronyme ou devenir officiellement des Cavanaugh si tel était leur souhait.

Jusque-là, le nom de famille de Cavanaugh avait remporté la mise.

— Avez-vous pris une décision concernant votre nom ? s'enquit-il sans s'embarrasser de circonlocutions.

Le chef faisant preuve de prévenance au lieu de se montrer pressant, Kendra lui retourna un sourire reconnaissant.

— J'y réfléchis encore, monsieur.

Il hocha la tête, compréhensif.

— Bien sûr. C'est un sacré pas à franchir, convint-il. Faites-moi savoir quand vous aurez pris votre décision.

En s'exprimant ainsi, il donnait à entendre que la question ne lui était pas indifférente, mais qu'il se refusait à la bousculer.

— Quoi qu'il en soit, continua-t-il vivement, je me suis aperçu que vous aviez tous les deux perdu vos partenaires récemment. Le vôtre, Kendra, a quitté le service afin de prendre une retraite bien méritée. Quant au vôtre…

Il se tourna vers Matt.

— Il a demandé sa mutation pour suivre son amie, partie vivre à un endroit où il pleut tout le temps, acheva Matt.

Jetant un coup d'œil à Kendra, il ajouta :

— Ils ont déménagé à Seattle.

Les yeux de Kendra se rétrécirent tandis qu'elle contemplait le beau visage de son voisin. N'était-ce pas de la condescendance qu'elle décelait, dans le ton de sa voix ? Comme si elle ne savait pas que Seattle était surnommée la ville de la pluie ! Ce n'était pas parce qu'il avait un physique d'acteur de cinéma qu'il pouvait se permettre de la prendre de haut.

— J'avais compris, répondit-elle sèchement.

— Perspicace, murmura Matt.

Etait-ce un simple commentaire en passant ou un sarcasme ? se demanda Kendra. Comme elle penchait plutôt pour la seconde hypothèse, elle jugea qu'il était temps de lui rabattre un peu son caquet.

— Ça, c'est vrai, souligna Brian avec force. Et c'est pourquoi j'ai décidé de vous faire travailler en équipe.

Kendra fronça les sourcils. Elle l'avait senti venir, mais entendre énoncer la nouvelle à haute voix lui causa néanmoins un choc. Elle ne voulait pas de cette association. Bien sûr, elle avait conscience de ne pas pouvoir choisir son nouveau partenaire, mais ce type-là était aux antipodes de ce qu'elle pouvait souhaiter. Un homme aussi séduisant ne pouvait qu'être synonyme d'ennuis. Elle le sentait au plus profond de son être.

— Vous êtes de la brigade des homicides ? s'entendit-elle demander avec raideur à l'autre inspecteur.

Parce que, si c'était le cas, lui et son partenaire parti pour Seattle devaient avoir le don de se rendre invisibles. Elle ne se souvenait pas de l'avoir déjà vu dans le secteur et, pour crispant que promettait d'être Abilene, il n'était pas le genre d'homme qui passait inaperçu. A une certaine époque, avant sa terrible désillusion, elle aurait même pu éprouver une certaine attirance pour un homme comme lui. Mais ces temps étaient révolus. Quoi qu'il en soit, elle l'aurait remarqué — si elle l'avait côtoyé au sein de la brigade.

— Brigade des affaires majeures.

Les affaires majeures ? Ça n'avait pas de sens. Pourquoi le chef lui assignait-il pour équipier un inspecteur issu d'une autre division ? Kendra se tourna vers l'homme qu'elle était censée considérer comme son oncle.

— Mais alors pourquoi…

Anticipant la fin de sa phrase, Brian leur épargna d'autres questions en répondant :

— J'ai décidé de transférer l'inspecteur Abilene des affaires majeures à la brigade des homicides.

— Ah bon ? Pourquoi ? questionna Matt, surpris.

Pas une ombre n'entachait son dossier. Ses états de service étaient exemplaires. Il aurait été au courant si son capitaine avait eu le moindre grief contre lui.

— C'est une mesure provisoire, lui assura Brian d'une voix égale. C'est plutôt calme en ce moment, aux affaires majeures, même avec le départ de Seth. Alors je me suis dit qu'en attendant que les affaires reprennent un cerveau comme le vôtre pourrait être utilement mis à contribution à la brigade des homicides.

Il se tourna aussitôt vers Kendra pour ajouter :

— Ce qui ne constitue en rien une critique du travail que vous accomplissez. C'est simplement que, maintenant que Joe est parti en retraite, il vous faut un nouveau partenaire.

Cela, elle le savait. Et le chef s'efforçait de toute évidence de l'aider, bien qu'elle n'ait rien demandé. Les seules circonstances dans lesquelles les inspecteurs travaillaient en solo, c'était lorsque leur équipier était appelé à témoigner au tribunal, en congé de maladie ou en vacances. Sinon, en cas de départ ou de mutation d'un inspecteur, le poste laissé vacant était toujours pourvu dans les meilleurs délais.

La place de Joe était encore chaude, songea tristement Kendra. Elle s'était dit qu'elle avait au moins une quinzaine de jours devant elle avant de devoir s'habituer à un nouveau partenaire. Peut-être même plus…

Au temps pour ses espoirs chimériques.

Elle n'ignorait pas la procédure, bien entendu, mais ça ne signifiait pas que cela lui plaisait. D'autant que le sentiment qu'elle venait de se voir assigner pour partenaire un frimeur qui se servait de ses atouts physiques pour en imposer ne la quittait pas. Certes, ce n'était qu'une intuition, mais ses intuitions la trompaient rarement.

Kendra se décida : elle allait se renseigner sur Abilene. Ou, mieux, charger Tom de le faire. Son frère aîné avait le don de soutirer des informations sans heurter les susceptibilités, talent que, malheureusement, elle ne possédait pas encore. Du moins lorsqu'elle était directement concernée, ce qui, en l'occurrence, était le cas.

Elle glissa un regard de biais à l'homme qui était assis à côté d'elle. L'arrangement avait l'air de lui convenir.

Du moins n'avait-il émis aucune protestation. Mais il y avait des tas de façons de marquer son déplaisir, autres que verbales. L'expression impénétrable d'Abilene ne trahissait rien, même si, l'espace d'un instant, son regard lui parut la transpercer jusqu'au plus profond de son âme.

Il fallait vraiment qu'elle demande à Tom de se renseigner, décida-t-elle fermement.

Pour l'heure, il y avait un point qu'elle entendait éclaircir.

— Est-ce que c'est définitif, monsieur ?

Oncle ou pas, elle avait bien conscience que leur lien de parenté n'entrait pas en ligne de compte dans cette affaire et elle ne voulait pas donner l'impression de remettre en question la décision de son supérieur. Mais elle avait absolument besoin de savoir à quoi s'en tenir. Ainsi que le disait le proverbe, un homme averti…

Brian sourit et regarda les deux inspecteurs qui lui faisaient face, l'une, sur sa réserve, rigide et vigilante, l'autre, apparemment très détendu, impassible. Quelque chose lui soufflait que l'association de ces deux personnalités pouvait se révéler très positive. Même si ça ne leur sautait pas aux yeux pour l'instant, il était persuadé d'avoir vu juste en formant ce tandem.

— Nous verrons, répondit-il.

Reportant son attention sur Abilene, il laissa à l'homme l'opportunité de formuler une protestation, même s'il était pratiquement certain qu'elle ne viendrait pas. Non qu'Abilene soit un bon petit soldat dépourvu d'initiative personnelle, mais il avait la faculté d'encaisser les coups et de prendre les choses comme elles venaient. Sans pour autant se laisser marcher sur les pieds. Oui, ce serait une salutaire fusion des styles.

— Donc, si vous n'avez pas d'objection, inspecteur Abilene, vous pouvez apporter vos affaires à la brigade des homicides dès à présent.

Abilene hocha la tête. Son expression demeura indéchiffrable tandis qu'il promenait rapidement son regard sur Kendra, comme s'il la jaugeait. Si verdict il y avait eu dans un sens ou dans l'autre, il n'en laissa rien paraître.

— Je m'en occupe tout de suite, monsieur.

Début de l'aventure, songea Brian.

Comme un mécanicien à l'oreille aiguisée, Brian aimait entendre le son d'un moteur qui tournait rond. Et quelque chose lui disait que ce duo-là allait fonctionner. Il fallait seulement laisser à Kendra le temps de s'acclimater. Mais cela en vaudrait la peine.

— Eh bien, si vous n'avez pas de questions, déclara-t-il, une note finale dans la voix, je ne vous retiens pas plus longtemps.

Et, comme les deux inspecteurs se levaient, il ajouta dans un sourire :

— Faites en sorte que je sois fier de ma nouvelle équipe.

— Oui, monsieur, répondit Kendra avec un sourire contraint.

— Je ferai de mon mieux, monsieur, promit Matt.

Comme il se détournait pour partir, il intercepta le regard noir de sa nouvelle équipière.

Elle était extrêmement attirante, mais elle n'en avait pas conscience. Il n'avait encore jamais eu de partenaire féminine. Ça promettait d'être intéressant. Très intéressant.

Kendra le précéda hors du bureau et s'éloigna rapidement sans prendre la peine de faire semblant de vouloir échanger quelques mots.

Matt se contenta d'allonger le pas et combla la distance qui les séparait en quelques enjambées.

Il la rattrapa avant qu'ils n'aient atteint l'ascenseur, mais elle poursuivit sa route comme s'il n'était pas là. Comme si elle était enfermée dans un monde intérieur.

— Alors, comment dois-je vous appeler ? demanda Matt en tendant le bras par-dessus sa tête pour appuyer sur le bouton.

Obligée de lui répondre, Kendra se dit que le meilleur parti à prendre était de le remettre d'entrée de jeu à sa place. Si elle se trompait sur son compte, il serait toujours temps d'arrondir les angles par la suite.

Kendra leva les yeux pour le regarder bien en face — elle allait devoir investir dans de plus hauts talons, décida-t-elle avant de se raviser presque aussitôt. Maintenir une certaine distance entre elle et lui pouvait s'avérer utile. Etre trop proche de lui risquait d'émousser la combativité dont elle allait avoir besoin. Car impossible de se voiler la face : l'homme était beau à couper le souffle, et une trop grande proximité risquait de lui faire oublier ses résolutions.

— Bonne dans son travail. Excellente, même.

Abilene sembla un instant réfléchir à sa réponse avant de hocher la tête.

— O.K., mais c'est un peu long. Que diriez-vous de « Bonne » tout court ?

L'ascenseur arriva, et elle pivota sur ses talons pour s'engouffrer dans la cabine, maudissant intérieurement Joe de l'avoir laissée pour s'adonner à une vie consacrée essentiellement à la pêche à la mouche.

2

Lorsque Abilene quitta l'ascenseur à sa suite, Kendra se retourna pour dévisager son nouveau — et, avec un peu de chance, très temporaire — partenaire. Pourquoi la suivait-il ?

— Vous ne montez pas à votre étage récupérer vos affaires ? le questionna-t-elle.

Il désigna du menton les locaux de la section des homicides, derrière lui.

— Je me suis dit que j'allais d'abord voir où se trouvait mon bureau.

— Pour quoi faire ? rétorqua-t-elle. S'il n'est pas à la hauteur de vos attentes, vous comptez rester là où vous êtes ?

Abilene sourit, visiblement amusé.

— Serait-ce une note d'espoir que j'entends résonner dans votre voix ?

Il l'étudia un moment, fouillant son regard.

— Vous n'aimez pas le changement, n'est-ce pas ?

S'il était bien une chose dont elle n'avait pas besoin en plus de tout le reste, c'était d'être analysée…, songea Kendra.

— Ce que j'aime ou n'aime pas ne vous regarde pas, l'informa-t-elle.

— Dans certains cas, si. Et, si je veux voir où est mon bureau, c'est pour ne pas me promener, les bras chargés d'affaires, sans savoir où les poser.

Il la contempla, l'air sincère.

— Est-ce que j'ai votre accord ?

Plutôt que de lui répondre, elle se borna à soupirer et lui fit signe de la suivre. Traversant la salle, elle s'arrêta en son milieu.

— Voilà votre place, déclara-t-elle en désignant un bureau au plateau nu, accolé face au sien.

Le contraste était saisissant entre les deux bureaux. L'un était un territoire vierge, exempt du moindre bout de papier, alors que l'autre était l'image même d'un style beaucoup plus encombré — un vrai capharnaüm. Un ordinateur était installé à l'extrémité du plateau, la tablette coulissante supportant le clavier ouverte au lieu d'être rangée sous le plateau. Le reste du bureau disparaissait sous une multitude de dossiers et de feuillets éparpillés, entremêlés les uns aux autres. Pas un centimètre carré du bureau n'était visible.

Abilene s'abstint de tout commentaire, mais l'incurvation de ses lèvres parlait d'elle-même. Du moins Kendra y lut-elle de la désapprobation.

Elle prit ombrage de ce qu'elle percevait comme une critique muette de la part de son nouvel équipier. Périodiquement, elle procédait à un grand ménage et libérait de l'espace, s'efforçant d'organiser ses papiers selon une méthode de classement, mais, au bout de quelque temps, les piles finissaient toujours par s'amalgamer, s'interpénétrer, reformant l'inévitable amas chaotique qu'elle avait présentement sous les yeux.

— J'ai un système de rangement qui m'est propre, argua-t-elle, sur la défensive, en réponse à l'amusement qu'elle lisait dans le vert limpide des yeux d'Abilene.

— Je n'en doute pas.

A une oreille non exercée, l'intonation suave d'Abilene aurait pu paraître absolument inoffensive et pleine de bienveillance. Pourquoi, alors, lui donnait-elle envie de lui arracher les yeux ou, à tout le moins, de le défier à un concours de tir ?

D'un air absent, Abilene ouvrit le tiroir du haut de son nouveau bureau, puis, tour à tour, tous les autres.

Il referma le dernier.

— Votre ancien partenaire a tout nettoyé de fond en comble. Il n'a rien laissé derrière lui.

— Pas même une lueur d'espoir, grommela Kendra entre ses dents.

A l'expression amusée de son nouveau partenaire, elle comprit qu'il l'avait entendue.

Super. En plus du reste, Apollon a l'ouïe aussi fine qu'une chauve-souris.

Reculant d'un pas, Abilene repoussa son siège sous le bureau.

— Je vais chercher mes affaires, maintenant.

— Je grille d'impatience, ironisa Kendra avec un sourire morne.

Matt marqua une pause, ses yeux glissant le long de la silhouette de sa nouvelle collègue à la langue acérée. L'éducation erratique qui avait été la sienne l'avait rendu plutôt nomade dans sa façon de vivre et dans ses relations. Ce qui l'avait doté d'une bonne dose de fatalisme et de la capacité à surfer sur la vague et à prendre les choses comme elles venaient, bonnes ou mauvaises, en se disant que tout était passager et que les choses finiraient bien par changer.

— Vous savez, dit-il, je ne suis pas un collègue si difficile à vivre. Je ne prétends pas être le meilleur, mais, franchement, vous auriez pu tomber plus mal. Alors, vous pourriez peut-être enterrer la hache de guerre, Bonne, et réserver votre verdict.

Kendra s'étonna qu'il ne s'étende pas à n'en plus finir sur ses innombrables mérites. Les hommes dans son genre, qui exhalaient la sensualité au moindre de leurs mouvements, étaient généralement imbus de leur personne et pourvus d'un ego tellement démesuré que le franchissement d'une porte étroite constituait pour eux une gageure toujours renouvelée.

Peut-être avait-elle mal jugé Abilene, mais elle n'avait pas envie d'épiloguer sur la question. Elle ne se sentait pas d'humeur assez magnanime pour cela.

— Le jury n'a pas fini de délibérer, répondit-elle.

Matt songea qu'il ne tirerait rien de plus d'elle pour le moment. Et peut-être était-ce mieux ainsi parce qu'il devenait de plus en plus évident qu'elle l'attirait, ce qui risquait de compliquer les choses. Et tout ce qui l'intéressait pour l'heure, c'était d'obtenir une trêve, au moins le temps qu'il prenne ses marques.

Il lui décocha un sourire.

— Entendu… C'est de bonne guerre.

Tournant les talons, il s'apprêta à partir. La totalité de ses affaires pouvait être emballée et transportée en un seul trajet. Contrairement à sa nouvelle équipière, une fois une affaire close, il ne gardait pas le dossier sous sa forme physique. Il l'enregistrait sur une clé USB qu'il conservait soigneusement. Cela prenait beaucoup moins de place et permettait d'avoir un bureau net. Il travaillait mieux ainsi.

Matt avait fait très exactement trois pas lorsqu'il s'entendit apostropher :

— Hé, Abilene !

Il se retourna pour se retrouver nez à nez avec un homme d'un certain âge, à la tête couronnée d'une épaisse chevelure argent et à la taille plus épaisse encore. Au lieu de cacher sa bedaine sous les plis complices d'une veste, l'homme avait laissé cette dernière sur le dossier de sa chaise. Les manches de sa chemise légèrement froissée en étaient roulées, et il arborait une cravate dont il avait dû desserrer le nœud à la hâte, comme si la laisser dans sa position initiale risquait de l'étrangler.

— Abilene ? répéta l'homme, une inflexion interrogative dans la voix, cette fois.

A en juger par son attitude, l'homme devait être son nouveau chef direct, songea Matt. Il revint vivement sur ses pas.

— Oui, monsieur, répondit-il avec aisance, tendant la main à l'homme qui l'avait intercepté et qui était à peine moins grand que lui, bien que ses épaules voûtées le fassent paraître plus petit qu'il n'était.

Après une demi-seconde d'hésitation, l'homme saisit la main tendue d'Abilene. Sa poignée de main était plus vigoureuse qu'il ne s'y attendait.

— Je suis le lieutenant Holmes, déclara l'homme. Vous arrivez à point nommé.

Abilene pencha la tête sur le côté.

— Comment cela ?

— J'ai une affaire pour vous et Cavelli — vous vous appelez toujours Cavelli, n'est-ce pas ? demanda Holmes en jetant un bref coup d'œil à Kendra et en se détournant avant qu'elle ait eu le temps de répondre.

Matt indiqua du pouce le couloir.

— J'allais monter chercher mes affaires.

— Vos affaires peuvent attendre. Elles ne vont pas s'en aller. Contrairement à vous.

Arrachant la page du carnet sur lequel il avait noté les informations qui venaient de lui être transmises, le lieutenant fourra le feuillet dans la main de Kendra.

— Le commissaire du district a découvert un corps. Mais ce n'était pas celui auquel il s'attendait.

Coulant un regard en coin à Abilene, il ajouta :

— Bienvenue à la brigade des homicides.

Kendra consulta brièvement le papier que lui avait donné Holmes puis releva les yeux.

— Parce que le commissaire s'attendait à trouver un corps ?

— Pas exactement, clarifia Holmes. Mais le type qui vivait dans cet appartement n'avait pas donné de nouvelles depuis trois jours, donc son patron a envoyé quelqu'un chez lui. Comme personne ne répondait, l'employé dépêché sur place a appelé la police…

— Et ils ont trouvé un corps dans l'appartement, mais ce n'était pas celui de l'homme qui y habitait, devina Kendra.

Holmes hocha la tête.

— Je veux que vous découvriez son identité et que vous tâchiez de retrouver le type qui occupait cet appartement. Apparemment, il n'a toujours pas refait surface.

— D'accord, chef, promit Abilene en emboîtant le pas à Kendra qui, déjà, s'éloignait. On y va.

— Voilà ce qui s'appelle se mettre rapidement dans le bain, commenta Kendra en accélérant l'allure.

Mais il en fallait davantage pour distancer Abilene. L'homme avait des jambes qui n'auraient pas déparé une autruche, songea-t-elle sombrement.

— Je suis là pour ça, non ? souligna-t-il innocemment tandis qu'ils débouchaient dans le couloir.

Après un moment, il ajouta :

— Ecoutez, je n'essaie pas d'empiéter sur votre territoire, si c'est ce que vous craignez. D'après ce que j'ai pu en juger, il y a largement de quoi faire pour tous ici. Il ne s'agit pas d'une compétition.

Et voilà qu'il recommençait à l'analyser ! Kendra lui jeta un regard assassin tout en tirant la porte de l'escalier. Elle détestait être analysée.

— Personne n'a dit que c'en était une.

Abilene s'arrêta net.

— Hé, on ne prend pas l'ascenseur ?

— Personne ne vous en empêche, riposta Kendra par-dessus son épaule.

Tel le lourd battant d'un caveau, la porte de l'escalier se referma avec fracas derrière elle.

Le calme, enfin.

Les talons de Kendra cliquetèrent sur le métal de l'escalier tandis qu'elle dévalait les marches à toute allure. Elle n'avait pas encore atteint le bas de la première volée qu'elle entendit la porte grincer sur ses gonds au-dessus de sa tête. Elle n'eut pas besoin de se retourner pour savoir qu'Abilene la suivait… et la rattrapait rapidement.

Ne pourrait-elle donc jamais disposer d'une seconde de tranquillité ? Elle avait besoin de mettre de l'ordre dans ses idées, et ce n'était pas en l'ayant continuellement pendu à ses basques qu'elle y parviendrait.

Ils atteignirent le rez-de-chaussée presque ensemble. Elle posait la main sur la poignée lorsqu'il passa le bras par-dessus sa tête et poussa le battant.

Kendra ravala une exclamation irritée. Elle avait l'impression de se retrouver prisonnière des bras puissants de cet homme. Il semblait envahir tout l'espace autour d'elle, songea-t-elle, agacée. Et aspirer tout l'air de la cage d'escalier. Pourquoi, sinon, aurait-elle eu tellement chaud tout à coup ?

— Je sais ouvrir une porte toute seule, Abilene, l'informa-t-elle d'un ton cinglant.

Elle déboucha à l'extérieur et en profita pour inspirer une grande bouffée d'air. La sensation de chaleur commença à refluer.

— Personne ne dit le contraire, Bonne, répliqua-t-il. Je voulais juste me rendre utile. Cette porte est sacrément lourde.

Ce n'était pas faux, mais elle aurait préféré mourir plutôt que d'abonder dans son sens. Elle n'avait pas besoin qu'Apollon se prenne en plus pour son chevalier en armure.

Grommelant sous cape, Kendra s'avança au pas de charge dans le parking. Elle se dirigea droit vers sa vieille

Crown Victoria. La voiture numéro 23… Celle-là même qu'elle avait partagée avec Joe avant que le traître ne se laisse tenter par les sirènes de l'oisiveté.

— J'ai l'adresse, je conduis, décréta-t-elle d'un ton sans appel.

Les larges épaules de son collègue se soulevèrent imperceptiblement avant de retomber comme si la question ne revêtait pas la moindre espèce d'importance à ses yeux.

— Pas de problème, accorda-t-il. J'aime bien être passager.

Ouvrant la portière, il replia sa haute silhouette pour s'asseoir puis boucla sa ceinture.

— Je n'ai jamais aimé conduire quand il y a beaucoup de circulation.

Kendra fronça les sourcils en mettant le moteur en marche. Jusque-là, Abilene semblait faire son possible pour se rendre agréable. Mais elle n'avait pas l'intention de se laisser endormir par un illusoire sentiment de sécurité. Joe lui avait tendu plusieurs pièges, au début, avant qu'ils ne finissent par trouver leur rythme de croisière. Comme il avait été son premier partenaire après l'obtention de son grade d'inspecteur, elle ne disposait pas d'élément de comparaison et présumait donc que tous les équipiers masculins la mettraient au défi de prouver ses capacités.

Et, après deux ans passés au sein de la brigade des homicides, elle trouvait un peu fort d'être renvoyée à la case départ comme une novice. Mais c'était le prix à payer lorsqu'on était une femme — et que, de surcroît, on était apparenté à la hiérarchie. Son père étant le directeur du laboratoire de police scientifique, elle était habituée aux accusations de favoritisme. Mais, maintenant que son lien de parenté avec les Cavanaugh était connu de tous, quelque chose lui soufflait qu'elle ne connaîtrait plus un instant de tranquillité. Plus jamais.

Le petit immeuble locatif de quatre étages où le lieutenant Holmes les avait envoyés était situé dans un secteur d'Aurora qui, sans être un quartier chic, était plutôt favorisé. Garant la Crown Victoria banalisée sur la place de parking réservée aux livraisons, Kendra s'assura que le gyrophare était bien visible avant qu'ils ne pénètrent dans le bâtiment pour rejoindre le quatrième étage où se situait la scène de crime.

— Pas d'escalier, cette fois ? interrogea Abilene, amusé, en la voyant appuyer sur le bouton d'appel de l'ascenseur.

— Non, je me suis dit qu'il valait mieux que vous économisiez vos forces pour le cas où il serait nécessaire de porter ou déplacer des objets lourds, rétorqua-t-elle du tac au tac.

— Très délicat de votre part, riposta-t-il tandis que la cabine s'envolait vers les étages.

— Je fais ce que je peux.

— Oui… Moi aussi, dit-il en lui jetant un regard appuyé.

Un frémissement la parcourut, qu'elle s'empressa de refouler. Elle accéléra le pas.

L'appartement concerné n'était pas difficile à trouver. L'entrée en était masquée par une foule de curieux. Des habitants de l'immeuble et des voisins du quartier informés par le bouche à oreille étaient rassemblés par petits groupes dans le couloir, telles des abeilles tournant autour d'une ruche.

Probablement attirés par le ruban jaune et noir déroulé devant la porte, ne put s'empêcher de penser Kendra.

Le commissaire, lorsqu'ils parvinrent à le localiser, semblait jeune, plutôt inexpérimenté et, par voie de conséquence, passablement désemparé. Il ne cessait de répéter nerveusement que c'était son premier « cadavre » et que c'était loin d'être aussi « cool » qu'il se l'était imaginé. Il semblait sincèrement déçu.

Mentalement, Kendra traita l'homme de quelques noms d'oiseau, qu'elle se garda bien de formuler tout haut. Jetant un coup d'œil à Abilene, elle devina à son expression que certains des mots qui lui étaient venus en tête avaient peut-être bien effleuré son esprit à lui aussi.

Peut-être n'étaient-ils pas si différents, finalement, pensa-t-elle.

Revenant à l'affaire qui les occupait, Kendra se dirigea droit vers le corps. Etendue, face contre terre, au milieu du séjour, la victime était recouverte d'une couverture provenant de l'unique chambre de l'appartement. Rien n'en dépassait, mais une large flaque de sang brunâtre s'étalait sur le sol, témoignage muet de la mort violente qui avait eu lieu dans l'appartement. Personne, jamais, n'avait survécu à la perte d'une telle quantité de sang.

S'accroupissant près du corps, Kendra souleva un coin de la couverture et regarda la victime, une jeune femme d'une vingtaine d'années. Comme toujours dans ces circonstances, son cœur se serra en même temps qu'un élan de pitié la submergeait. La victime gisait à plat ventre sur le tapis. Un coup porté avec sauvagerie à l'arrière du crâne semblait être la cause de la mort.

Laissant retomber la couverture sur le corps sans vie de la jeune femme, Kendra se redressa lentement, ignorant la main tendue d'Abilene.

— Notre tueur connaissait la victime, commenta-t-elle, plus pour elle-même que pour son coéquipier.

Elle ne parvenait pas encore à lui parler, du moins pas comme à un partenaire. Elle le voyait plus comme un observateur extérieur. *Y aller progressivement, petit à petit*, se dit-elle.

— Et, apparemment, il a éprouvé suffisamment de remords pour la couvrir de façon à ne plus la voir après avoir mis fin à ses jours.

— Il… ou elle, intervint Abilene.

— Comment ? interrogea Kendra, stoppée dans son élan.

— Il ou elle, répéta Abilene. Il pourrait s'agir d'une femme. Soulever cette statue et l'abattre sur le crâne de la victime ne demandait pas beaucoup de force.

Abilene désigna du menton un buste de Shakespeare de piètre qualité qui reposait sur le sol, non loin du cadavre.

Kendra contempla le buste en faux bronze. Shakespeare, rien que ça.

On ne savait jamais à qui on avait affaire, n'est-ce pas ?

Spontanément, elle aurait pensé qu'une personne qui s'était laissé tenter par un tel achat était quelqu'un de posé, de cultivé. Au temps pour les profileurs…

— Non, en effet, accorda-t-elle.

Se dirigeant vers le buste, elle s'accroupit pour l'étudier de plus près. C'était bien l'arme du crime. On voyait un filet de sang dans un coin. Le tueur s'était de toute évidence approché de la victime par-derrière et l'avait frappée pendant qu'elle avait le dos tourné.

Une querelle d'amoureux ? Ou un meurtre calculé, prémédité ?

Dommage que ce buste ne puisse pas parler.

Près de quatre cents ans après sa mort, le barde avait encore le pouvoir de tuer, songea Kendra non sans une pointe de cynisme. A ceci près que, cette fois, personne ne se lèverait après le tomber du rideau.

Réprimant un soupir, elle se releva.

Juste au moment où elle se retournait pour regarder la forme inerte masquée par la couverture safran, l'un des techniciens de scène de crime s'avança pour emballer le buste dans un sachet en plastique.

— Que disiez-vous à propos du fait que le tueur connaissait la victime ? questionna Abilene.

L'espace d'une seconde exempte de tension, elle avait oublié jusqu'à son existence. Dommage que cette seconde n'ait pas duré un peu plus longtemps…

En entendant la remarque d'Abilene, elle tourna vivement

la tête et darda sur lui un regard inquisiteur, discernant dans la question une critique cachée de son processus de raisonnement.

Allait-il remettre en question tout ce qu'elle disait ? Déjà ?

Kendra considéra l'homme que ses sœurs auraient qualifié de « véritable canon », s'efforçant de voir au-delà de la façade sans défaut. Elle attendit qu'il ouvre les hostilités.

— Vous regardez beaucoup de séries policières, à la télévision ? demanda-t-il.

— Je n'en éprouve pas la nécessité…

Même si elle le faisait quand même, admit-elle intérieurement. Les intrigues imaginées par les scénaristes attisaient sa curiosité. Mais il n'avait pas besoin de le savoir. Elle hésita à poursuivre, puis se lança.

— Mon père dirige le laboratoire de police scientifique.

— Eh bien ! Nul doute qu'avec ça, Bonne, vous devez bien connaître votre sujet, répliqua-t-il en riant.

Kendra se crispa.

— J'aimerais vraiment que vous cessiez de m'appeler comme ça.

Une lueur de réel amusement brilla dans ses yeux.

— Ne me dites pas que vous préféreriez que je vous appelle Mauvaise ?

C'était clairement une plaisanterie et peut-être, dans d'autres circonstances — avant que la vie ne lui ait broyé le cœur —, l'aurait-elle simplement prise comme telle. Mais les choses étaient ce qu'elles étaient ; on ne pouvait pas remonter le temps.

Ce qui ne l'empêcha pas de noter que l'homme avait un sourire à faire fondre la plus avisée des femmes.

Elle exceptée, bien entendu.

Elle n'en regretta pas moins que le chef lui ait choisi ce partenaire. Travailler en solo — même avec une charge de travail plus importante — aurait mieux valu pour elle sur le long terme.

— Ce que je préférerais surtout, c'est que mon ancien partenaire n'ait pas déclaré forfait.

A sa grande surprise, il s'inclina en avant et murmura :

— C'est la vie, Bonne. Il faut savoir être beau joueur. Quand elle vous donne des citrons, il faut faire de la limonade.

Elle soutint son regard pendant un long moment. Jusqu'à ce qu'elle se sente sur le point de s'abîmer dans leurs profondeurs émeraude. Elle s'empressa de rétropédaler.

— Je n'aime pas la limonade.

Il rit en secouant la tête.

— Je ne sais pas pourquoi, mais je m'en doutais, murmura-t-il avant de pivoter sur lui-même pour contempler la scène de crime.

3

— Hé, Abilene, qu'est-ce que…

Kendra s'interrompit brusquement. Elle l'avait cru juste derrière elle, mais, lorsqu'elle se retourna, elle ne vit que les techniciens de la police scientifique dans la pièce.

— Super.

Grommelant quelques mots choisis, elle se mit en quête de l'inspecteur.

Elle le trouva dans la chambre. Debout devant le placard étroit dont la porte coulissante recouverte d'un miroir était ouverte, il regardait à l'intérieur.

Jetant un coup d'œil par-dessus son épaule, Kendra ne vit pas ce qui avait attiré son attention. Quelque chose lui échappait-il ou était-il de ces gens qui regardent dans le vide pendant qu'ils réfléchissent ?

— A quoi pensez-vous ? finit-elle par demander.

Si elle l'avait surpris en approchant en silence, il n'en montra rien. Se retournant, il la regarda.

— C'est vous l'experte.

Cela signifiait-il qu'il répugnait à formuler une opinion ou qu'il reconnaissait sa compétence ? Elle ne cernait pas cet homme, et c'était ennuyeux. Plus que cela, cela la contrariait véritablement.

Nom d'un chien, tout chez lui l'agaçait et ils n'en étaient qu'à leur première journée de collaboration provisoire. Dans quel état serait-elle au bout d'un mois de cette épreuve ? Elle préférait ne pas y penser.

Kendra se rendait compte qu'il lui faudrait du temps pour apprendre à décrypter les signaux et les expressions de cet homme, mais son impatience s'était accrue au cours de l'année difficile qu'elle venait de vivre et elle avait plus de mal que jamais à attendre. L'accident de Jason et le suicide qui en avait résulté la poussaient à vouloir saisir le moment présent, résoudre les crimes pour l'avant-veille. Il était difficile de retrouver un rythme de travail normal quand elle brûlait d'envie de courir plutôt que de marcher ou, pis encore, de lambiner.

Abilene la contemplait toujours. Attendant sa réponse — ou donnant l'impression de l'attendre. Elle la lui procura.

Lançant un coup d'œil en direction du séjour, elle déclara :

— Eh bien, il semblerait que Ryan Burnett et son amie se soient disputés — pour un motif encore inconnu — et que, dans un accès de colère, il l'ait frappée avec ce buste. Quand il a pris conscience de ce qu'il avait fait — et compris qu'elle était morte —, il a pris peur et s'est enfui.

— En prenant le temps de faire ses valises ? questionna Abilene.

Il désigna les cintres vides dans le placard. Dans un coin de la petite chambre meublée avec goût se trouvait un bureau laqué. Plusieurs tiroirs en étaient ouverts et, à en juger par le désordre qui régnait à l'intérieur, il était évident qu'on y avait cherché quelque chose à la hâte.

Kendra haussa les épaules, adaptant sa théorie à la scène de crime.

— Peut-être Ryan a-t-il décidé de s'en aller définitivement. Et il lui fallait un peu plus qu'une simple brosse à dents s'il entendait prendre un nouveau départ quelque part.

— Mais ça dénote un esprit clair, protesta Abilene. Ça ne cadre pas avec ce qui est censé être un crime passionnel, souligna-t-il.

Kendra n'y voyait pas d'incompatibilité notoire.

— Ce type est comptable. Par nature, il doit avoir un esprit organisé.

Elle regarda le lit. Il n'y avait ni couette ni couverture sur la parure coordonnée bleu outremer, ce qui venait confirmer sa théorie initiale selon laquelle la couverture utilisée pour couvrir le corps venait de cette pièce.

Cela la conforta dans son idée que Ryan n'avait pas eu l'intention de tuer la jeune femme. Pour une raison ou pour une autre, les choses avaient dû dégénérer. Mais qu'est-ce qui avait déclenché la dispute ? Et quel en était l'objet ? Les réponses à ces questions pourraient sans doute tout expliquer.

Avisant l'un des deux officiers de police qui avaient signalé l'homicide, elle se dirigea vers lui et lui demanda :

— Est-ce que nous avons un indice concernant l'identité de la victime ?

L'officier hocha la tête et désigna du menton le portefeuille qu'il avait trouvé dans le sac à main posé sur une chaise.

— Elle s'appelle Summer Miller, annonça-t-il en montrant son permis de conduire.

Kendra se pencha pour étudier la petite photo d'identité. Elle avait vu un autre portrait, plus grand, de Summer Miller dans la chambre, posé sur le bureau. Elle se tenait au côté d'un jeune homme souriant, dont le bras était tendrement refermé autour de ses épaules. Ils étaient l'image même du bonheur, comme s'il n'y avait pas la moindre ombre au tableau entre eux.

Les choses avaient apparemment changé depuis, songea sombrement Kendra, présumant que le jeune homme de la photo était le comptable qui s'était volatilisé, Ryan Burnett.

— Eh bien, au moins disposons-nous du nom de son amie désormais, observa-t-elle calmement en refermant le portefeuille.

Notant une pile de sacs en plastique destinés à la collecte des preuves matérielles, elle en prit un et glissa le portefeuille à l'intérieur. Elle scella le sachet en fermant le rabat et le rangea dans sa poche. Elle entendait l'apporter en personne à son père… Elle avait certaines questions à lui poser.

Elle se tourna vers Abilene.

— Prêt à faire le tour des voisins de l'étage, histoire de savoir si quelqu'un a entendu quelque chose ?

— Je vous suis, répondit-il en l'invitant d'un geste à passer la première. Mais…

Kendra franchit le seuil et jeta un coup d'œil par-dessus son épaule.

— Mais ?

— Ne devrions-nous pas informer ses proches avant de commencer à écumer le voisinage et d'exhiber partout sa photo ?

— Puisque nous sommes ici, autant battre le fer tant qu'il est chaud et voir ce que nous pouvons glaner.

Kendra n'aimait pas perdre de temps et elle doutait franchement que la nouvelle de la mort de la jeune femme — et son nom — se répande comme une traînée de poudre dans l'heure qui allait suivre.

— Rien ne va changer… Elle n'en sera pas moins victime d'un homicide dans une heure. Il sera bien temps d'aller briser le cœur de sa famille à ce moment-là, assura-t-elle en poussant un soupir résigné.

C'était l'aspect de son travail qui lui était le plus difficile. Annoncer la mort d'un proche à une famille, puis voir l'étincelle s'éteindre dans le regard d'un parent ou d'une épouse… De son point de vue, un groupe de spécialistes aurait dû être formé à s'occuper exclusivement de cela — et à dispenser une aide personnalisée le cas échéant.

— Vous avez sans doute raison, murmura Abilene d'une voix grave.

Elle savait qu'il ne le pensait pas, mais elle le prit

comme une petite victoire. En réponse, elle marqua une pause pour lui adresser un petit sourire satisfait.

Le sourire qu'il lui retourna lui fit plus chaud au cœur qu'elle ne l'aurait souhaité.

Ils firent le tour des appartements de l'étage. Tous les curieux qui encombraient le couloir à leur arrivée avaient mystérieusement disparu lorsqu'ils sortirent, repartis vaquer à leurs occupations et préférant sans doute ne pas se frotter à la police.

Quelques personnes seulement — trois, pour être précis — répondirent à leur coup de sonnette.

La première était une jeune femme avec un nouveau-né dans les bras. Le bébé paraissait avoir moins d'un mois. La maman les avait presque physiquement entraînés à sa suite dans l'appartement, visiblement trop heureuse de pouvoir discuter avec des adultes, même si ces adultes étaient là pour la questionner à propos d'un meurtre.

Il était clair que, même si elle adorait son enfant, elle mourait d'envie de reprendre le travail ou, du moins, de communiquer avec des êtres humains capables d'autre chose que de pleurer, de téter goulûment un biberon et de dormir. Se mouvant comme une somnambule, elle avoua n'avoir rien entendu d'inhabituel ce jour-là : pas de cris, pas de haussements de voix, pas de bruits de chute.

Ils la remercièrent et la quittèrent aussitôt qu'ils le purent.

Deux portes plus loin, un veilleur de nuit finit par leur ouvrir après qu'Abilene eut renoncé à sonner pour cogner — avec force — sur le battant. Les vêtements fripés et l'œil hagard, l'homme paraissait plutôt mécontent d'avoir été réveillé. Il ne leur fut pas d'une plus grande utilité que la jeune maman, secouant la tête en réponse à leurs questions.

— Non, je n'ai rien entendu. J'avais pris un somnifère…

c'est le seul moyen pour moi de trouver le sommeil. Ce n'est pas naturel de se forcer à dormir pendant la journée, se plaignit-il.

— Peut-être devriez-vous essayer de chercher un autre job, suggéra Kendra avec tact.

Sa remarque fit naître presque instantanément une lueur incendiaire dans le regard sombre de l'homme.

— Parce que vous croyez que je n'ai pas essayé ? J'étais ingénieur dans l'aérospatiale avant que toutes ces entreprises commencent à mettre la clé sous la porte ou à se délocaliser ailleurs. Tout ce que j'ai pu trouver, c'est ce fichu boulot de veilleur de nuit.

Il lui jeta un regard accusateur.

— Maintenant, à cause de vous, je ne vais sûrement pas pouvoir me rendormir.

Elle s'apprêtait à formuler quelques mots de réconfort et d'excuse lorsqu'elle nota qu'Abilene s'avançait à côté d'elle. L'instant suivant, il se plaçait entre elle et l'homme.

— Doucement, mon vieux, conseilla-t-il d'une voix posée. Vous arriverez certainement mieux à vous rendormir si vous vous calmez.

A son expression incertaine, il était évident que le veilleur de nuit avait remarqué la haute stature de l'inspecteur. Il hocha la tête et recula d'un pas à l'intérieur de l'appartement. L'instant suivant, il refermait la porte.

L'espace d'une seconde, Kendra n'en crut pas ses oreilles. Elle se retourna, résolue à dire à Abilene son fait et à souligner qu'il n'avait pas à intervenir à sa place ni à jouer les gardes du corps teigneux, mais elle se ravisa. Peut-être Abilene, à sa façon maladroite et un peu lourdaude, avait-il simplement voulu se rendre utile, peut-être même avait-il voulu la protéger.

Comme cette dernière idée lui traversait l'esprit, un frisson la parcourut qu'elle eut toutes les peines du monde à dissiper. Elle travaillait trop, sans doute. Pourtant, ce n'était pas le moment de ralentir le rythme.

Deux portes plus loin, de nouveau, quelqu'un leur ouvrit. Contrairement aux deux autres locataires, l'homme ne dormait pas debout et ne manifestait aucune agressivité. Tyler Blake, un acteur « présentement » sans emploi selon ses propres termes, se révéla amical et tout disposé à répondre à leurs questions sans paraître rechercher pour autant de la compagnie.

Et, différence notable également avec les deux précédents voisins, Blake admit avoir entendu du bruit à un certain moment de la journée.

— On aurait dit une dispute entre deux personnes, mais j'ai pensé que quelqu'un avait réglé trop fort le son de la télévision, admit-il tristement. Je n'y ai pas vraiment prêté attention, puis le calme est revenu. Désolé.

Il ponctua sa phrase d'un sourire contrit à l'adresse de Kendra.

Une autre question vint à l'esprit de celle-ci.

— Dites-moi, étiez-vous en bons termes avec M. Burnett ?

L'acteur au chômage haussa les épaules.

— Nous échangions quelques mots en attendant l'ascenseur ou devant les boîtes aux lettres. Vous savez, simplement « Belle journée, aujourd'hui », ce genre de banalités. Nous n'avons jamais abordé de sujet personnel, clarifia-t-il.

— Connaissiez-vous son amie ? interrogea sans prévenir Abilene.

Jusqu'alors, il était resté plutôt en retrait, la laissant mener l'entretien à sa guise, écoutant en silence.

Blake parut surpris par la question.

— Vous voulez savoir si je lui ai déjà parlé ou si je la connaissais simplement de vue ?

— A vous de nous le dire, répondit Abilene, laissant l'acteur formuler librement sa réponse.

— Eh bien, je les ai vus sortir de leur appartement plusieurs fois, mais je n'ai jamais eu de conversation avec elle, si c'est ce que vous voulez dire.

Un petit rire modeste s'échappa de ses lèvres.

— Mais, pour être franc, je ne sais pas si je pourrais la reconnaître parmi d'autres jeunes femmes.

— Eh bien, heureusement pour vous, vous n'aurez pas à le faire, déclara Abilene. La petite amie de Burnett a été retrouvée morte dans son appartement ce matin.

Les yeux de Blake s'écarquillèrent sous l'effet du choc. Arrondis par la surprise et noirs comme des cailloux de marbre, ils donnaient l'impression d'être sur le point de quitter leurs orbites et de rouler sur le sol.

— Quoi ? Il l'a tuée ? s'exclama-t-il d'une voix vibrante, incrédule.

— Pour l'instant, c'est l'hypothèse que nous privilégions, lui apprit Abilene. A moins que… vous ne soyez en possession d'une information qui infirme cette thèse…

Il laissa le temps à l'homme d'assimiler ce qu'il lui demandait.

Blake parut alors réellement surpris.

— Moi ? Non. Non, assura-t-il en réprimant un frisson. C'est seulement que… tout ça est tellement sinistre. Quand je les voyais ensemble, ils avaient l'air plutôt heureux — je suppose.

— Vous supposez, répéta Abilene sans lâcher l'acteur des yeux.

Blake se redressa de toute sa hauteur, le dos parfaitement droit, mais il était toujours largement dominé par la haute silhouette d'Abilene.

— Eh bien… oui. Je ne passais pas mon temps à les observer. J'ai ma vie. J'ai une petite amie, moi aussi, ajouta-t-il fièrement. C'est ma fiancée, en fait. Et elle n'aime pas que je regarde les autres femmes.

Il sourit.

— Je vois ce que vous voulez dire, dit Abilene en partant d'un rire entendu. Les femmes peuvent faire une crise de jalousie simplement parce que vous êtes vous-même alors qu'il n'y a pas de mal à simplement regarder.

— Si quelque chose d'autre vous revient, intervint Kendra en sortant une carte de sa poche pour couper court à ce qui prenait la tournure d'une conversation entre hommes, appelez ce numéro.

Elle tapota le numéro de téléphone indiqué au-dessous de son nom.

— Demandez l'inspecteur Cavelli.

— Alors c'est le nom que vous choisissez, finalement, Bonne ? Cavelli ? s'enquit Abilene tandis qu'ils s'éloignaient après avoir pris congé de l'acteur.

Pourquoi sa question lui hérissait-elle tellement le poil ? Après tout, elle était légitime. Mais, venant d'Abilene, cela l'agaçait.

Toute sa personne l'agaçait.

Sans doute se montrait-elle injuste — mais ça ne changeait rien à sa réaction.

— C'est le nom qui figure sur ma carte, dit-elle.

Ils s'arrêtèrent une dernière fois sur la scène de crime, où les techniciens de la police scientifique rangeaient leur matériel. Ils en avaient terminé.

— Je ne voulais pas l'induire en erreur. Cet acteur est le seul témoin à peu près lucide que nous ayons pour l'instant.

— Ou, du moins, c'est l'apparence qu'il se donne, commenta Abilene tandis qu'ils se dirigeaient vers l'ascenseur.

Comme elle tournait vivement la tête, il ajouta :

— Quoi ? C'est un comédien au chômage — les acteurs ont besoin d'un public comme les gens normaux ont besoin d'air.

— Vous parlez d'expérience, on dirait…

— D'une certaine façon, admit Abilene. Je suis sorti avec une actrice à un moment.

Il se mit à rire.

— Difficile d'y couper quand on vit dans cet Etat.

— Sorti avec une actrice, répéta Kendra.

« Des dizaines d'actrices » devait sans doute être plus proche de la vérité, songea Kendra. Il avait le charme pour ça. A condition que l'on aime ce genre d'homme, ne put-elle s'empêcher d'ajouter.

— Quelle chance elle a eue, commenta-t-elle sèchement.

— Nous avons eu de la chance tous les deux, déclara-t-il avant d'ajouter dans un sourire : Ça a été très bref et très agréable.

Un je-ne-sais-quoi, dans sa voix, attira l'attention de Kendra et, même si elle refusait de l'admettre, ce je-ne-sais-quoi éveilla sa curiosité en même temps qu'un tas d'autres choses sur lesquelles elle jugea plus prudent de ne pas s'appesantir.

— C'est une condition sine qua non, avec vous ? Bref et agréable ? répéta-t-elle lorsqu'il jeta un coup d'œil dans sa direction.

Ses lèvres s'incurvèrent diaboliquement.

— Pour ne rien vous cacher, oui.

Elle ne s'était pas trompée sur son compte, se dit-elle en se glissant derrière le volant de la Crown Victoria. Abilene était un séducteur, qui jouait de son charme et de son physique exceptionnel pour satisfaire ses appétits quand l'envie l'en prenait. Et elle aurait parié qu'elle le prenait souvent.

— Où va-t-on maintenant ? s'enquit-il en bouclant sa ceinture.

— On rentre au poste pour voir ce que nous pouvons trouver sur Summer Miller.

Elle mit le contact.

— Au fait, c'était quoi cette intervention ? Avec l'acteur ? précisa-t-elle.

— Eh bien, ça s'appelle recueillir des informations, comme le fait tout inspecteur de police qui se respecte. Pourquoi ? demanda-t-il. Je ne devais pas parler ? Suis-je censé n'être que votre renfort silencieux et musclé ?

Elle doutait réellement que cet homme connaisse le sens du mot « silencieux ». Pour l'instant, tant qu'elle ne s'était pas habituée à lui, tout ce qu'elle souhaitait, c'était qu'il reste en retrait au lieu de se mettre en avant en prenant la direction des entretiens avec les témoins. Partager le travail ne lui posait aucun problème… si la personne avec qui elle le faisait avait du respect pour elle. Mais Abilene ne lui envoyait pas ce genre de signaux. Ou alors sur une fréquence qu'elle ne captait pas.

— Je pensais simplement que, comme c'était votre première affaire, vous vous borneriez à observer, expliqua-t-elle.

— C'est mon premier homicide, pas ma première affaire, corrigea-t-il.

Il n'était pas un novice béat d'admiration devant elle. Si c'était cela qu'elle voulait, il lui fallait faire équipe avec l'un des nouveaux inspecteurs fraîchement promus à ce grade, pas avec lui.

— L'échange avec l'acteur m'a inspiré des questions. Désolé, étais-je censé les passer en revue avec vous au préalable, avant de les lui poser ?

Ce n'était pas à proprement parler une remarque agressive, du moins pas sur le ton sur lequel elle était formulée. Mais Kendra sentait bien qu'il la poussait dans ses retranchements. Il fallait établir des règles et un code de conduite, et tout de suite. Ou peut-être voyait-elle un sens caché là où il n'y en avait pas… Elle n'était plus très sûre de rien depuis quelque temps.

Peut-être avait-elle simplement besoin de décompresser

un peu. De se détendre. Elle se demanda ce que faisaient ses sœurs, ce soir. Bridget était généralement occupée avec son fiancé, désormais, mais il restait Kari.

Peut-être lui téléphonerait-elle en quittant le travail — après avoir appelé Thomas pour lui demander de fouiller dans le passé de son nouveau partenaire. Elle se sentirait plus à l'aise lorsqu'elle saurait avec qui elle travaillait. Entre enquêteur doué et enquêteur trop zélé, la limite était parfois bien mince. Il ne serait pas inutile de savoir exactement à qui elle avait affaire.

— Vous ne m'avez pas répondu, souligna Abilene.

Kendra cligna des yeux, s'apercevant qu'elle avait perdu le fil de la conversation. Agacée, elle serra les dents.

Il réprima un soupir.

— Etais-je censé avoir votre aval avant de lui poser des questions ?

Cette fois, son intonation était plus sèche.

Ce serait bien, oui.

Elle se rendait bien compte qu'il était sarcastique. A sa place, elle aurait sans doute réagi de la même façon.

D'accord, elle se montrait trop susceptible. Mais c'était parce qu'elle n'aimait pas le changement ni cette manière qu'il avait de la regarder et qui faisait courir un frisson le long de son échine.

Kendra fit de son mieux pour s'exprimer d'un ton uni.

— Non, bien sûr. Le fait que vous posiez des questions m'a seulement surprise, c'est tout.

Matt décida de lui accorder le bénéfice du doute. Haussant les épaules, il se détendit. Peut-être cette femme n'était-elle pas une enquiquineuse de première. Elle se comportait comme si c'était le cas. Mais peut-être avait-elle ses raisons — des raisons qu'il entendait bien mettre au jour… si elles existaient.

— Ecoutez, dit-il aimablement. Vous avez besoin d'un

temps d'adaptation. Je le comprends. Mais, si nous voulons que ça fonctionne, il faut que nous jouions cartes sur table.

— C'est-à-dire ? s'enquit-elle, de nouveau sur la défensive.

— Que nous parlions franchement et que nous disions ce qui nous gêne chez l'autre, par exemple.

Elle sentait son regard braqué sur elle, et cela lui donna envie de se recroqueviller et de disparaître sous terre. Pour la trêve en faveur de laquelle il plaidait, ce n'était pas gagné… Elle se raccrochait toujours à l'espoir que cette collaboration ne serait que temporaire.

Elle bifurqua à droite à l'angle de rue suivant.

— J'ai une meilleure idée.

— O.K. Je suis tout ouïe.

Enfonçant la pédale d'accélérateur, elle franchit rapidement le feu juste au moment où il passait au rouge. Le moins de temps elle passerait dans la promiscuité d'une voiture au côté de cet homme, le mieux ce serait. Elle se sentait devenir claustrophobe seule avec lui dans cet habitacle exigu.

— Pourquoi ne pas simplement nous occuper de trouver qui a tué Summer Miller et où Ryan Burnett se cache ?

Il eut un petit rire.

— Vous voulez dire nous en tenir strictement à notre enquête ?

Kendra continua à regarder la chaussée droit devant elle.

— Je veux dire, nous en tenir strictement à notre enquête.

Abilene retint la repartie sarcastique qui lui montait aux lèvres.

— Je vais sûrement vous surprendre, mais c'est précisément ce à quoi je m'employais quand vous m'avez demandé ce que je faisais.

Kendra poussa un long soupir. Peut-être la clé pour sortir vivante de cette aventure était-elle d'échanger aussi peu que possible — et de s'en tenir à des lieux bien ventilés ?

— O.K., un point pour vous. Alors continuez comme ça, Abilene.

Un large sourire fendit le visage de son partenaire.

— Il ne me viendrait pas à l'idée de procéder autrement.

Kendra se demanda combien de temps elle devrait attendre avant de pouvoir officiellement demander à changer d'équipier sans que le chef trouve sa requête inappropriée.

4

Au bout d'un peu plus d'une heure de recherches sur internet par le biais de différents réseaux sociaux, Kendra découvrit que Summer Miller n'avait pas de famille proche dans l'Etat.

Le seul parent qu'elle lui trouva était une cousine du nom de Sandra Hill, qui vivait à Springfield, dans l'Illinois.

Mais cette unique piste se révéla être une impasse. Lorsqu'elle appela le numéro de téléphone, la voix d'un serveur vocal lui annonça que le numéro composé n'était plus en service.

Reposant le combiné sur son socle, Kendra poussa un soupir et secoua la tête.

Abilene leva la tête de la liste de numéros de téléphone en relation avec l'affaire qu'il venait de recueillir.

— Quelque chose qui ne va pas ?

— Oh ! simplement un numéro qui n'est plus attribué.

Son froncement de sourcils s'accentua tandis qu'elle scrutait sur l'écran le dernier site qu'elle venait d'afficher.

— Espérons que ce ne soit pas le premier d'une longue série, commenta-t-elle.

En réponse au haussement de sourcils interrogateur d'Abilene — la pensée extravagante qu'il avait des sourcils incroyablement bien dessinés pour un homme l'effleura, venue de nulle part —, Kendra nota :

— La ligne de la cousine de la victime n'est plus attribuée, et je n'arrive pas à trouver quelqu'un à prévenir.

Quoique soulagée de ne pas avoir à annoncer la nouvelle de la mort prématurée de la jeune femme à un proche éploré, elle était triste à l'idée qu'il n'y aurait personne pour s'occuper des obsèques de Summer Miller.

— Peut-être y a-t-il une camarade d'université ou une meilleure amie qui pourrait nous renseigner sur d'éventuels parents, suggéra Abilene. Il faudrait aller vérifier à l'endroit où elle habitait. Vous avez toujours son permis de conduire, non ?

Elle avait presque oublié qu'elle l'avait glissé dans sa poche, avec l'intention de le déposer au laboratoire — ce qui lui aurait permis de poser du même coup quelques questions à son père à propos du corps.

— Si.

— Dans ce cas, allons-y, dit-il, déjà debout. Nous avons l'adresse, voyons si nous pouvons dénicher une colocataire ou un voisin bavard.

Avant qu'elle n'ait eu le temps de donner son aval, le téléphone portable d'Abilene se mit à sonner. Il tira l'appareil de sa poche de poitrine. Jetant un coup d'œil à l'identité de l'appelant, ce fut son tour de froncer les sourcils. Il se laissa retomber sur son siège, qu'il fit pivoter à 180 degrés, s'isolant délibérément de sa partenaire.

Lorsqu'il parla, sa voix s'était abaissée de plusieurs décibels.

L'un ou l'autre de ces faits aurait suffi à éveiller la curiosité de Kendra. Mais les deux associés la multiplièrent par cent. D'aussi loin qu'elle s'en souvienne, elle avait toujours éprouvé ce désir presque irrépressible de savoir, de tout savoir, d'aller au fond des choses.

Ce n'était pas différent dans le cas présent.

Tout en feignant de prendre des notes et de lister ce qu'elle avait à faire, Kendra tendit l'oreille, ne perdant pas une miette de ce qu'Abilene disait à son correspondant. Heureusement pour elle — car son partenaire parlait à voix si basse qu'elle frôlait la communication télépathique —, Kendra avait l'ouïe extrêmement fine.

— Non, je ne peux pas pour le moment.

Il soupira, de l'air d'un homme excédé cherchant les mots justes et la force de ne pas élever le ton.

— Mais tu savais bien que ça ne durerait pas. Si, tu le savais, insista-t-il. Tu es assez intelligente pour ça. Non…

Sa voix se fit un soupçon plus ferme. Puis, l'instant suivant, Kendra, toujours suspendue à ses lèvres, l'entendit lâcher prise.

— D'accord, d'accord, ne pleure pas, dit-il au correspondant qui était de toute évidence une correspondante.

Elle entendait à l'intonation de sa voix qu'il détestait les pleurs.

— O.K., je passerai te voir après le travail, concéda-t-il. Nous irons dîner dehors.

Abilene marqua une pause, écoutant, tout comme Kendra qui s'efforçait de saisir de quoi il retournait tout en faisant mine de rien.

— Oui, c'est le mieux que je puisse faire.

Sur ce, il raccrocha. Rangeant le mobile dans sa poche, Abilene poussa un soupir frustré. Comme il tournait la tête vers le bureau de sa partenaire, il lui fallut moins d'une seconde pour parvenir à la conclusion qu'elle avait écouté.

Il la regarda et attendit.

— Une ex que vous avez laissée tomber ? questionna-t-elle en désignant du menton sa poche de poitrine.

Elle se leva et repoussa sa chaise sous le bureau.

— Non, se borna-t-il à répondre.

Ils sortirent de concert dans le couloir.

La monosyllabe résonnait d'une tonalité finale qui indiquait sans équivoque que la question était close.

Soit, songea Kendra dans un moment d'empathie. Si elle avait été à sa place, sans doute n'aurait-elle pas souhaité non plus être mise sur le gril. Elle repensa à sa situation, dix-huit mois plus tôt. Aux discussions intenses qu'elle avait eues avec Jason dans les jours qui avaient précédé son suicide — des entretiens que, pour tout l'or du monde, elle n'aurait pas voulu avoir à rapporter.

— Désolée, s'excusa-t-elle, appuyant sur le bouton d'appel de l'ascenseur. Ce ne sont pas mes affaires.

Du fait qu'elle renonçait à le bombarder de questions, Abilene sembla se détendre un peu.

— C'était ma mère, expliqua-t-il.

Kendra releva vivement la tête. Jamais elle ne l'aurait imaginé…

— Votre mère ? répéta-t-elle, repassant la brève conversation dans sa tête à la lumière de ce qu'elle savait désormais.

Elle restait convaincue que la femme avait pleuré. Une bouffée de compassion l'envahit en même temps qu'un élan de sympathie tout nouveau pour l'homme qui était assis en face d'elle.

— Il faut que vous alliez la voir ; ne vous inquiétez pas, je vous couvrirai, proposa-t-elle.

Abilene secoua la tête.

— Merci, mais non. Il n'y a rien de nouveau sous le soleil, même si elle est la seule à ne jamais rien voir venir.

La cabine arriva, et ils montèrent dans l'ascenseur.

— Ma mère se fourvoie toujours avec des hommes qui ne sont pas pour elle.

Kendra pensa aux nouvelles notes qu'elle venait de rédiger concernant leur enquête et qui formaient maintenant le dessus de la pile de documents qui encombraient son bureau. Qui sait ? Peut-être était-ce là l'histoire de Summer Miller ?

— Ça arrive souvent, par les temps qui courent.

— Oui, si ce n'est qu'on serait en droit de penser qu'à son âge ma mère aurait acquis un certain discernement et appris à ne pas se laisser embobiner par les belles paroles de certains hommes.

Le cœur écoutait rarement la voix de la raison. Si c'était le cas, Kendra aurait eu le bon sens de prendre du recul, de préserver son cœur après l'accident de Jason. Et son suicide ne l'aurait pas affectée au point d'être à deux doigts de la détruire.

— Le cœur a ses raisons…, vous connaissez la suite, répondit-elle simplement.

Les portes de l'ascenseur coulissèrent, et elle sortit la première.

— De plus, c'est faux.

— Quoi donc ? demanda-t-il en la rattrapant en deux enjambées.

— Cette histoire de discernement.

Bon sang, cet homme avait vraiment une longue foulée. Jamais elle n'aurait pu le battre à la course à pied. Ce constat acheva de l'agacer même s'il y avait peu de chances qu'ils se retrouvent un jour en situation de faire la course.

— Il n'y a pas de discernement qui tienne en matière de sentiments amoureux.

— Vous parlez d'expérience ? demanda-t-il, témoignant d'un intérêt modéré.

C'était le cas, mais elle n'avait pas l'intention de se laisser entraîner sur ce terrain-là. Il lui était déjà suffisamment difficile de parler de Jason avec sa famille, de son incapacité à le sauver — à vrai dire, elle ne l'avait jamais fait. Elle préférait éviter le sujet, même lorsque son père, ou l'un de ses frères et sœurs, la poussait à reprendre une vie sociale. Elle n'avait pas accepté une seule invitation à sortir de la part d'un homme depuis que Jason avait pressé le canon de son arme contre son menton et mis fin au malheur qui le frappait — intensifiant par là son chagrin à elle.

— Non, répondit-elle avec une impassibilité calculée. C'est simplement une remarque d'ordre général.

Elle avait marqué une pause avant de répondre, nota Matt. Suffisamment longue pour le conduire à penser que la réponse était « oui », mais qu'elle répugnait à en parler. Pour quelle raison ? Avait-elle eu une relation qui s'était mal terminée ?

Qui qu'ait pu être cet homme, elle ne lui avait certainement guère laissé de chances de faire le poids, pensa-t-il. Il fallait une sacrée force de caractère pour se mesurer à une femme de cette trempe et y survivre.

Il remisa cette pensée pour plus tard. Pour l'heure, ils avaient du pain sur la planche. Il devait faire bonne impression pour sa première enquête à la brigade des homicides. Ce qui signifiait qu'il entendait non seulement résoudre l'affaire, mais encore la résoudre aussi rapidement que possible.

S'avançant vers la Crown Victoria, il ouvrit machinalement la portière passager. Kendra semblait prendre plaisir à conduire, et lui, de son côté, prenait plaisir à ne pas se chamailler avec elle. De son point de vue, c'était gagnant-gagnant. C'était lui qui avait suggéré d'aller à l'appartement de Miller, mais il n'oubliait pas que tout avait commencé avec le signalement de la disparition de Ryan Burnett. Peut-être auraient-ils dû repartir de là, le point de départ de toute l'affaire…

— Voulez-vous que nous allions directement au domicile de la victime ou que nous passions d'abord à la société où travaillait notre comptable et principal suspect ? s'enquit-il.

— A son lieu de travail, acquiesça-t-elle. Histoire de savoir comment il était considéré par ses collègues.

Sur le point de démarrer, elle tourna la tête vers lui.

— Vous êtes sûr que vous ne voulez pas aller voir votre mère ? Mon offre tient toujours…

Il secoua la tête, même s'il appréciait la proposition. Tout comme il appréciait la façon dont les traits de sa partenaire semblaient subitement s'être adoucis. Quelque chose, une sensation indéterminée, remua tout au fond de lui.

— Absolument sûr, répondit-il en bouclant sa ceinture.

Le comportement de sa mère suivait toujours le même schéma. Usé jusqu'à la corde. Pendant quelques heures, elle allait sangloter sans pouvoir s'arrêter. Comme si son monde s'écroulait et qu'elle était incapable de continuer à vivre. Mais, au bout d'un certain temps, lorsqu'elle aurait tellement pleuré que le flot de larmes se serait tari de lui-même, elle entrerait dans la phase numéro deux : celle de l'acceptation, calme et résignée, de la situation. Commencerait alors le long et ardu chemin vers la reconstruction.

Mais, auparavant, elle aurait ingurgité au moins un pot entier de glace rhum-raisin.

Que sa mère parvienne à rester aussi svelte dans ces conditions ne laissait pas de l'étonner. La plupart des gens qui consommaient de telles quantités de glace — surtout avec une telle régularité — finissaient inévitablement par prendre du poids.

Mais sa mère, avec son mètre cinquante-huit, s'était toujours habillée en taille 34. Sans doute la nature l'avait-elle gratifiée de cette chance-là pour compenser les périodes noires qu'elle infligeait de façon récurrente à son pauvre cœur.

— Votre mère est-elle divorcée depuis longtemps ? s'enquit Kendra sur le ton de la conversation tandis qu'elle manœuvrait pour quitter sa place de stationnement.

Il lui lança un coup d'œil en biais, puis opta pour ne pas demander pourquoi elle présumait que sa mère était forcément divorcée. Divorcée ou veuve, le résultat était le même. Sa mère n'avait pas eu de présence masculine permanente dans sa vie — à l'exception de lui. Et il fallait avouer que, parfois, le fardeau était lourd à porter.

— Oui, répondit-il évasivement.

Il avait même l'impression que c'était depuis toujours.

Elle insista.

— Combien de temps ?

— Je ne me souviens pas avoir jamais vu mon père, répondit-il au bout d'un temps un peu trop long.

En entendant sa réponse, Kendra comprit pourquoi il ne disait presque rien.

— Je suis désolée, dit-elle dans un élan de sincérité.

Elle avait toujours eu son père à son côté. Dans son cas, c'était sa mère qui avait été absente de sa vie. Et ce, depuis qu'elle était petite fille, quand sa mère avait perdu la bataille contre le cancer. Elle et ses frères et sœurs avaient grandi avec un père accomplissant la tâche de leur tenir lieu de père et de mère. Il avait fait plus que du bon travail à ces deux titres, et elle lui en était immensément reconnaissante. Mais elle savait ce que c'était que de vivre sans l'un de ses deux parents, avec seulement le souvenir du disparu tapi dans les replis de son cœur.

— Ne le soyez pas, répliqua Matt. En définitive, j'ai eu une enfance plutôt heureuse. Un peu nomade, peut-être, mais assez heureuse.

Elle lui décocha une œillade en coulisse sans quitter la chaussée tandis qu'elle s'éloignait du poste de police.

— Nomade ?

Il hésita, puis finit par lâcher :

— C'est sans doute le terme le plus approprié pour désigner des locataires qui s'éclipsent en douce de nuit parce qu'ils ne peuvent plus payer le loyer.

Le cœur de Kendra se serra pour le petit garçon qu'il avait été. Une existence où il vous fallait toujours avoir une longueur d'avance sur les créanciers n'était pas une vie pour un enfant. Avait-il vécu dans la peur ? La honte ? Il lui fallut un moment pour associer l'homme à l'apparence tellement décontractée avec la personne qu'elle savait maintenant embusquée sous la surface.

C'est à ce moment-là, comprit-elle plus tard, qu'il avait cessé d'être le casse-pieds avec lequel elle était forcée de composer et qu'il avait commencé à être véritablement son partenaire.

— Ça arrivait souvent ? demanda-t-elle sans chercher à cacher sa sympathie.

Il haussa les épaules.

— Assez souvent, du moins, c'est ce qu'il me semblait quand j'étais enfant. A mes yeux, c'était comme un jeu, une grande aventure, confessa-t-il. Jusqu'à ce que je sois assez grand pour comprendre qu'on n'est pas censé partir sans payer. Parfois, lorsque ma mère trouvait un travail relativement bien payé — ou qu'elle avait rencontré un type qui dépensait un peu d'argent pour elle avant d'abuser de sa crédulité —, ma mère restituait au propriétaire à qui elle avait brûlé la politesse l'argent qu'elle lui devait. Elle l'envoyait dans une enveloppe sans indication du lieu d'expédition pour qu'il ne puisse pas la retrouver.

Sa mère avait toujours été bien intentionnée — elle n'avait simplement jamais eu la main heureuse, s'agissant des hommes qu'elle choisissait.

— Elle n'aimait pas ne pas s'acquitter de ses dettes, expliqua Matt.

A l'entendre parler d'elle, il était clair qu'il éprouvait une grande tendresse pour sa mère, songea Kendra — même s'il soupirait d'exaspération lorsqu'elle lui téléphonait.

— Qui plus est, je pense qu'elle craignait que je ne devienne un voleur si elle ne me faisait pas comprendre que l'on doit prendre ses responsabilités dans la vie — au moins sur le plan financier.

Ecoutant avec attention, Kendra hocha la tête.

— Au portrait que vous en brossez, elle me fait l'effet

d'une femme bien qui cherchait seulement à être aimée, nota-t-elle.

Matt haussa de nouveau les épaules et regarda par la fenêtre. Il en avait trop dit. Ce n'était pourtant pas son genre, habituellement. Il allait devoir se surveiller, en présence de cette femme.

— C'est peut-être cela, proféra-t-il d'un ton évasif.

Il la regarda. Sa partenaire avait réussi le tour de force de lui tirer les vers du nez. Comment s'y était-elle prise ? Et pourquoi l'avait-elle fait ? Allait-elle retourner ce qu'elle savait désormais contre lui d'une façon ou d'une autre ? Elle avait l'air de compatir, mais il ne lui faisait pas encore confiance. Cela demanderait du temps… A supposer que cela arrive un jour.

— Quoi qu'il en soit, quel est le rapport avec notre affaire ? souligna-t-il d'une voix redevenue soudain plus incisive.

— Aucun, répondit-elle honnêtement. J'essaie simplement de savoir avec qui je travaille.

— Il vous suffirait de consulter mon dossier.

Elle ne prit pas la peine de l'informer qu'elle n'avait pas — encore — suffisamment d'influence pour exiger de voir son dossier. Le chef, lui, l'avait certainement lu, ainsi que son père, probablement, mais elle n'avait pas l'intention de recourir à ce raccourci-là. Si elle l'avait fait, elle aurait mérité tous les termes peu flatteurs qu'employaient certains à son encontre, ceux qui ne la connaissaient pas bien. Non, cette méthode-là était faite pour les cas d'urgence, pas pour satisfaire votre curiosité ni à toutes autres fins personnelles.

Mais elle garda tout cela pour elle. Si, pour une raison ou pour une autre, ils demeuraient partenaires une fois cette affaire résolue, il découvrirait qui elle était par lui-même.

Cette idée ne l'indisposa pas autant qu'elle ne l'avait fait jusqu'à présent.

— La lecture de votre dossier m'en apprendrait moins que vous ne pouvez m'en dire vous-même. Je ne parle pas de vous, le policier. Ce que je veux savoir, c'est quel genre d'homme me couvrira en cas de pépin. Je sais déjà que vous êtes un bon inspecteur, sinon le chef ne vous aurait pas transféré à l'unité des homicides.

— Pourquoi ? C'est la section réservée à l'élite ?

Il paraissait agacé.

— C'est là que l'on a besoin des meilleurs éléments, confirma-t-elle. Je me suis laissé dire que le chef tend à considérer cela non comme un simple travail, mais comme une véritable mission de protection vis-à-vis de ses concitoyens. Il tient à ce que les gens vivent en sécurité dans sa ville. Pour cela, il faut que les assassins soient appréhendés et mis en prison. Et, pour y parvenir, il faut donc affecter à cette tâche les meilleurs inspecteurs.

Il partit d'un petit rire tandis qu'elle bifurquait à droite.

— J'ai l'impression de m'entendre réciter la plaquette publicitaire du service de communication de la municipalité pour inciter les étrangers à venir s'installer ici.

Dieu nous en garde ! songea-t-elle, se disant qu'il y avait bien assez de nouveaux arrivants à Aurora.

— Loin de moi cette idée. Aurora est bien assez développée comme ça. Si de nouveaux venus arrivaient en masse, cela pousserait à partir ceux qui s'y sont installés pour vivre dans la tranquillité d'une petite ville.

Son père évoquait parfois avec nostalgie l'époque où la ville se limitait à une nationale à deux voies et où il n'y avait que trois feux de circulation entre les deux grands axes routiers qui desservaient Aurora. Les lotissements, alors, se comptaient encore sur les doigts d'une main, et il y avait encore presque autant de vaches et de chevaux que d'humains dans le secteur.

Ces jours étaient bel et bien révolus, mais, d'une certaine

façon, Aurora avait réussi à préserver son atmosphère de petite bourgade.

Le silence emplit l'habitacle du véhicule et perdura pendant plusieurs kilomètres jusqu'à ce que Kendra décide de lancer une invitation à Abilene. Ou, plus exactement, à sa mère à travers lui.

Alors même que l'idée prenait forme dans son esprit, elle eut du mal à croire qu'elle était sur le point de prononcer ces mots. Mais la douleur d'autrui l'affectait toujours. Pourquoi permettre que des gens bien souffrent inutilement si cela pouvait être évité ?

— Ecoutez, j'en suis encore à m'habituer à l'idée de troquer le nom que j'ai toujours porté contre celui de Cavanaugh…

— Un patronyme ne change rien à ce que vous êtes, souligna-t-il. Encore que…

Une ombre d'envie passa sur son expression.

— Proclamer que vous êtes une Cavanaugh devrait vous faciliter la tâche.

— Ou la compliquer, contra-t-elle. Ils sont nombreux à penser que, puisque je suis une Cavanaugh, je bénéficie de passe-droits, que je n'ai pas besoin de travailler autant que les autres… Alors que je travaille deux fois plus dur qu'un autre.

— Sauf quand cet autre est moi, rectifia Abilene, sa bouche s'incurvant lentement.

Bon sang, il avait vraiment des lèvres sexy, même si ce qui en sortait avait le don de l'exaspérer.

— Je travaille deux fois plus dur qu'un autre… quel qu'il soit, assena-t-elle de nouveau avec force.

— La dame fait trop de protestations, ce me semble.

C'était une question plutôt qu'une affirmation. Mais, s'il avait espéré qu'elle le prendrait bien parce qu'il citait Shakespeare, il en fut pour ses frais.

— La dame s'échine à travailler comme une folle pour

prouver que sa position n'est pas usurpée ! répliqua-t-elle avec véhémence.

Il inclina la tête, apparemment disposé à la croire sur parole. Avec un haussement d'épaules conciliant, il déclara :

— Bien, voilà qui est réglé. Alors, maintenant… revenons-en à ce que vous me disiez avant que nous nous égarions ?

Exact… L'invitation, songea Kendra. Elle se sentit tout à coup affreusement gênée. Après tout, peut-être allait-il interpréter sa proposition comme un appel du pied ? Ce qui n'était pas le cas. Ce n'était pas lui qui lui avait inspiré cette idée, c'était sa mère.

— L'ancien chef de la police, Andrew Cavanaugh, adore recevoir — pour le petit déjeuner, le dîner… Toutes les occasions sont bonnes. C'est un fameux cuisinier et, personnellement, je ne sais pas comment il s'y prend, mais il a toujours des quantités de nourriture prête à être servie… Un régiment pourrait débarquer à l'improviste qu'il ne serait pas pris au dépourvu !

Elle avait été présente lors de deux fêtes rassemblant — au bas mot — une cinquantaine d'invités, et il avait accueilli et nourri tout le monde sans même qu'une goutte de sueur ne perle à son front. Ce qui, aux yeux de Kendra, tenait du prodige.

— Bref, continua-t-elle. Il se trouve justement qu'il a lancé des invitations pour ce samedi. Vous pourriez venir, vous et votre mère…

— En tant que vos invités ?

Elle marqua un temps d'hésitation, puis répondit d'un ton enjoué :

— Absolument. Pourquoi pas ?

Pour dissiper tout malentendu quant au motif de sa suggestion, elle ajouta :

— Je me disais que cela pourrait faire du bien à votre mère.

S'il allait s'imaginer qu'elle s'intéressait à lui, elle pouvait dire adieu à la relation de travail qui était tout juste en train de s'instaurer entre eux.

— Les Cavanaugh sont très chaleureux, très amicaux, reprit-elle. Ils savent vous donner le sentiment d'être le bienvenu.

Matt gardait sa vie privée pour lui en temps normal, mais il fallait reconnaître qu'un coup de pouce pourrait s'avérer très précieux dans ce cas précis. Il pesa le pour et le contre. Il adorait sa mère et n'aurait pour rien au monde voulu en changer, mais, s'il l'avait pu, il aurait volontiers changé sa funeste tendance à se montrer trop dépendante sur le plan émotionnel.

Elle avait toujours été là pour lui et l'avait élevé de son mieux en veillant à ce qu'il ne manque de rien. S'il était une chose au monde qu'il désirait vraiment, c'était la voir enfin heureuse.

Peut-être le fait de fréquenter des gens comme les Cavanaugh l'y aiderait-il…

— C'est une bonne idée, répondit-il finalement. Merci de l'invitation. Nous viendrons.

Kendra hocha la tête. Maintenant, il ne lui restait plus qu'à vérifier auprès de son père qu'elle ne s'était pas un peu trop avancée en lançant cette invitation. Elle prit note mentalement de lui en parler le soir même.

Décidément, la liste des gens qu'elle devait voir en quittant le travail s'allongeait.

5

— Non, je n'ai jamais eu le moindre problème avec Ryan Burnett.

Leur interlocuteur parut surpris qu'ils lui posent pareille question.

— Si j'en avais eu, je n'aurais pas envoyé quelqu'un chez lui quand il s'est absenté sans donner de nouvelles ; je l'aurais congédié. Pourquoi ? Qu'est-ce qui se passe ?

Lou Maxwell était l'expert-comptable fondateur de la société qui s'enorgueillissait de compter parmi ses clients un certain nombre de célébrités ainsi que de nombreuses firmes de la région, lesquelles contribuaient à faire de son cabinet une entreprise florissante. Il avait une voix de stentor qui contrastait curieusement avec son physique fluet. Un costume de prix flottait autour de sa frêle silhouette, tel un vêtement suspendu sur un cintre dans un magasin, attendant de trouver acquéreur.

Si Maxwell se rendait compte de l'effet qu'il produisait, il n'en laissait rien paraître.

Comme aucun des deux inspecteurs venus l'interroger dans son bureau à propos de la disparition de son employé ne répondait à sa question, il continua en en posant une nouvelle :

— D'après Kennedy, il y avait un cadavre dans l'appartement, mais ce n'était pas celui de Burnett, déclara-t-il, faisant référence au comptable qu'il avait dépêché sur place. Qui était-ce ? Et où diable Burnett est-il passé ?

Kendra secoua la tête.

— Nous ne pouvons pas discuter d'une enquête en cours, monsieur Maxwell.

— Mais vous n'auriez pas d'enquête en cours si je n'avais pas envoyé Kennedy chez Burnett, contra le directeur du cabinet comptable. Je me retrouve avec deux employés absents au lieu d'un parce que Kennedy est encore en train de rendre son quatre-heures dans les toilettes, et vous persistez à ne rien vouloir me dire… C'est un comble.

Il jeta un regard noir à Kendra et à Matt.

— Ecoutez, de toute manière, l'information sera révélée d'une façon ou d'une autre, que ce soit sur une chaîne d'information continue ou par le biais d'un blog, sur internet… Alors, vous feriez aussi bien de me dire de quoi il retourne. J'ai quand même le droit de savoir ce qu'il est advenu d'un de mes employés.

Maxwell marquait un point. Kendra vit au regard que lui lançait Abilene qu'il pensait la même chose. Elle s'étonna qu'il lui laisse l'initiative au lieu d'intervenir comme il l'avait fait précédemment. Peut-être, au fond, respectait-il le protocole, à sa façon. Ce n'était pas un si mauvais partenaire, au final. Mais une petite voix intérieure l'exhorta quand même à la prudence, lui rappelant qu'il suffisait de se pencher sur ses antécédents pour constater qu'elle ne brillait pas par sa clairvoyance lorsqu'il s'agissait de porter un jugement sur les hommes.

Résolue à ne pas laisser filtrer trop d'informations, elle opta pour une réponse brève et concise.

— Nous avons trouvé le corps d'une femme chez M. Burnett. Quant à lui, nous ne savons pas où il est. Avez-vous une idée de l'endroit où il aurait pu aller ?

Maxwell secoua la tête.

— Aucune, confessa-t-il. C'était un garçon sympathique, mais plutôt réservé. C'est même la raison pour laquelle je l'appréciais. Et sérieux... Il travaillait dur de la minute à laquelle il arrivait à son poste jusqu'au soir. Pas du genre à bavarder ou à surfer sur internet aux frais du cabinet.

Il s'interrompit, fouillant visiblement dans sa mémoire.

— Il y a une quinzaine de jours, je l'ai entendu mentionner qu'il allait se fiancer.

On pouvait naturellement supposer que c'était avec la jeune femme qu'on avait retrouvée morte chez lui, pensa Matt. Mais ils ne pouvaient exclure la possibilité que ce ne soit pas le cas.

— A qui l'a-t-il dit ? questionna-t-il avant que Kendra ait pu ouvrir la bouche.

— A Kennedy. C'est pour ça que je l'ai envoyé, lui, chez Burnett. J'ai pensé qu'ils étaient peut-être amis.

Les petits yeux enfoncés de l'homme se rétrécirent encore.

— Vous n'êtes pas en train de me dire que vous pensez que c'est Burnett qui a tué cette fille ?

Avec tact mais fermeté, Kendra reprit la main.

— Je ne dis rien du tout. Pour l'instant, nous posons simplement des questions et nous efforçons de réunir autant d'informations que possible... histoire de voir ce qu'il en sort, acheva-t-elle d'un ton bref, calqué sur la façon lapidaire dont s'exprimait le comptable.

Maxwell grommela en secouant la tête.

— Eh bien, si c'est lui qui l'a tuée, je suis un bien piètre psychologue.

Il était évident, à son attitude, qu'il était persuadé du contraire.

Kendra, elle, n'en était pas si sûre.

— Espérons que ce n'est pas le cas, monsieur Maxwell. Voyez-vous un inconvénient à ce que nous posions quelques questions à vos employés ? Pour voir s'ils peuvent nous fournir une quelconque indication ?

Ils n'avaient nul besoin de sa permission, mais c'était toujours plus simple de ne pas prendre les gens à revers.

— Pardi, qu'est-ce que vous croyez ? Evidemment que j'en vois un ! Pendant qu'ils parleront avec vous, ils ne seront pas à leur tâche. Mais allez-y, libre à vous, conclut-il en agitant vaguement le bras en direction de la salle où étaient installés les comptables. Plus vite vous en aurez terminé, plus vite ils reprendront le travail pour lequel je les paie.

— Si vous voulez mon avis, il n'est pas près d'être nommé patron de l'année, souffla Abilene comme ils refermaient la porte du bureau de Maxwell.

— Ç'aurait pu être pire, riposta Kendra.

Comme Abilene haussait le sourcil, elle développa :

— Il aurait pu nous dire de revenir les interroger à la fin de leur journée de travail.

— Il n'est pas idiot. Il savait qu'il ne pouvait pas nous en empêcher. Un type dans son genre ne livre bataille que s'il s'estime en capacité de gagner.

Un type dans son genre signifiant en l'occurrence un homme jouissant d'un certain pouvoir, traduisit mentalement Kendra. Se classait-il dans cette catégorie ? Elle prit cette remarque comme un nouvel indice susceptible d'éclairer la personnalité de celui qui lui avait été assigné comme partenaire.

— Je ne manquerai pas de m'en souvenir.

— Je n'ai pas dit que c'était le cas de tous les hommes, crut-il bon d'ajouter.

Il s'exempte du lot, songea Kendra, amusée. Elle le regarda longuement — et, l'espace d'un instant, se laissa aller à des pensées qui n'avaient aucunement leur place dans l'enquête qu'ils menaient.

Opérant une rapide volte-face mentale, elle murmura :

— O.K., c'est toujours bon à savoir.

Reportant l'un et l'autre leur attention sur les employés,

ils les prirent tour à tour à part dans une petite salle de réunion.

Tous avaient la même opinion de Burnett, confirmant le portrait qu'avait brossé de lui le patron et renforçant leur impression initiale d'un garçon sérieux, aimable, toujours prêt à rendre service, mais assez secret quant à sa vie privée. Personne, visiblement, n'avait la moindre critique à formuler à son encontre.

La nouvelle de ce que Kennedy avait trouvé dans l'appartement de Burnett avait déjà fait le tour du personnel, mais tous demeuraient persuadés que ce crime ne pouvait pas être l'œuvre de leur collègue, que ce dernier devait avoir des ennuis, qu'il courait même peut-être un danger imminent.

— Peut-être quelqu'un s'est-il introduit dans son appartement et l'a-t-il enlevé, suggéra Gina, la secrétaire de la société, une jeune femme d'allure extrêmement juvénile, avec des tresses et de grands yeux bleus innocents.

Kendra décida de lui faire mettre à l'épreuve l'hypothèse qu'elle avançait.

— Dans ce cas, comment expliquez-vous la présence du corps de cette femme chez lui ?

Gina n'hésita pas une seconde. Elle s'était probablement rendu compte des défauts de sa théorie tandis qu'elle attendait son tour d'être interrogée.

— Elle est arrivée quand le kidnappeur était là, et il a été obligé de la tuer parce qu'il ne pouvait pas emmener deux prisonniers.

Apparemment très satisfaite de son explication, Gina se tourna vers Matt. Visiblement, sa réaction à lui l'intéressait davantage.

Il hocha lentement la tête avant de déclarer d'une voix posée, réfléchie :

— Nous prendrons votre suggestion en compte.

Le visage de la secrétaire s'illumina comme un sapin

de Noël au soir du 24 décembre, réaction qui n'échappa pas à Kendra.

Au moment où Matt se levait, à l'instar de Kendra, comme c'était leur dernier entretien, l'assistante posa sa main sur la sienne, le retenant momentanément.

— Vous me direz si c'est ce qui s'est passé ? s'enquit-elle, pleine d'espoir. Si ce pauvre Ryan a bien été kidnappé ?

— Vous serez l'une des premières à être informée, lui assura Matt avec solennité.

Comme ils sortaient de la salle de réunion, Kendra demanda d'une voix totalement indéchiffrable :

— Vous préparez le terrain en vue d'une future conquête ?

— Je la laisse penser qu'elle nous a fourni un renseignement utile et d'importance, corrigea Matt. Et qui sait ? Au point où nous en sommes, son hypothèse en vaut une autre.

Kendra n'insista pas. Il n'avait pas tort sur ce point.

— Une chose, néanmoins, paraît claire désormais, continua-t-il.

Ç'aurait été mentir que de prétendre qu'elle n'avait pas dû se faire violence pour demander, l'air de rien :

— Laquelle ?

— Le type qui travaillait comme comptable dans ce cabinet n'avait pas le profil d'un tueur.

C'était vrai, si l'impression qu'ils s'étaient forgée de lui était la bonne. Mais il pouvait y avoir une autre explication à ce qui s'était passé dans cet appartement.

— Non, mais dans le feu d'une dispute… Il pourrait s'agir d'un crime passionnel.

Ils entrèrent dans l'ascenseur. Matt fit la moue.

— Il ne m'a pas l'air d'un tempérament très passionné.

— Et vous ? questionna-t-elle sans préambule en appuyant sur le bouton du rez-de-chaussée.

— Quoi, moi ? Vous me demandez si je suis passionné ?

Cette pensée amusait Matt, mais jamais il n'aurait imaginé sa partenaire lui posant ce genre de question. Ça ne cadrait pas avec ce qu'il connaissait de sa personnalité.

S'était-il trompé sur son compte ? Et si oui, en quoi ? Il avait à peine passé vingt-quatre heures en sa compagnie qu'elle lui apparaissait comme une énigme toujours plus insondable… Un puzzle qu'il avait de plus en plus envie de résoudre.

— Non, réfuta-t-elle, le quiproquo lui faisant monter le rose aux joues. Ce que je voulais dire, c'est : est-ce que vos collègues connaissent véritablement Matt Abilene ? Ou savent-ils seulement ce que vous voulez bien qu'ils sachent ?

Quelques secondes s'écoulèrent, au terme desquelles Matt hocha la tête. Ils avaient atteint le rez-de-chaussée, et il la laissa sortir la première avant de bondir hors de la cabine juste avant que les portes ne se referment.

A cet instant précis, elle le trouva tout bonnement adorable, ce qu'elle se garda bien de lui dire, bien entendu.

— Oui… Je vois où vous voulez en venir, dit-il.

Elle rit.

— Je l'espère bien ! rétorqua-t-elle. Je ne cherchais pas simplement à jouer aux devinettes…

Elle poussa un soupir.

— Nous avons une énigme bien assez compliquée sur les bras, entre l'identité de l'assassin et la disparition inexpliquée de notre comptable.

— Pour l'instant, je dirais que la clé de toute l'histoire tient à leur relation, argua-t-il.

— Pour l'instant, je serais tentée de vous donner raison, riposta-t-elle d'un ton un peu incertain.

Pour l'instant. Matt la contempla en souriant d'un air entendu.

— Vous ne vous engagez pas trop, n'est-ce pas ?

Elle n'aurait su déterminer avec certitude si elle aimait ce sourire ou s'il l'agaçait — voire, pis, la dérangeait.

— Pas sans prendre mes précautions, non, admit-elle comme il attendait manifestement une réponse.

Il hocha la tête en signe d'assentiment.

— Moi non plus.

Comme si je ne m'en étais pas rendu compte, songea-t-elle. Mais, tout haut, elle déclara, avec un petit sourire sibyllin :

— Oui… C'est ce que j'avais cru remarquer.

Matt s'avança pour traverser la chaussée à sa suite.

Il était déjà tard. Les ombres commençaient à s'allonger sur le bitume devant eux.

— Je pense que vous avez suffisamment travaillé pour votre première journée, dit-elle.

Il ne s'était pas attendu à cela. Elle lui apparaissait comme quelqu'un qui ne levait jamais le pied, n'hésitait pas à travailler jusque tard dans la nuit si c'était nécessaire et attendait la même chose de son partenaire.

— Je ne suis pas exactement un novice, vous savez, lui rappela-t-il.

— Non, mais vous avez une mère qui a besoin de vous en ce moment, répondit-elle. Et nous ne résoudrons pas cette affaire ce soir. Donc, allez voir votre mère, Abilene. Faites en sorte de lui remonter le moral.

Elle songea combien, après toutes ces années, sa propre mère lui manquait encore par moments.

— On n'a qu'une mère, vous savez.

Il claqua des doigts comme s'il venait de faire une découverte.

— Et moi qui m'apprêtais à m'arrêter au magasin des mères pour voir si je pouvais en trouver un autre modèle !

Les sarcasmes pouvaient être une arme — ou un mécanisme de défense. Dans son cas, lequel était-ce ? se demanda-t-elle.

— Vous tournez toujours tout à la dérision, comme ça ?

— Pas toujours, concéda-t-il d'une voix neutre, qui ne dévoilait pas le fond de sa pensée.

Puis il arrêta son regard sur elle.

— Seulement lorsque je suis inspiré.

Ils étaient arrivés à la voiture. Elle appuya sur la télécommande pour la déverrouiller. Dans un léger cliquètement, les quatre serrures s'ouvrirent.

— Allez, en voiture, ordonna-t-elle en ouvrant la portière du conducteur. Je vous dépose au poste.

— D'accord. Je vous dois un verre.

Prise au dépourvu, elle le contempla pendant quelques secondes en silence par-dessus le toit de la voiture.

— Pourquoi ?

Il s'assit sur le siège passager et attendit qu'elle soit montée, elle aussi, pour poursuivre :

— N'est-ce pas le nouvel arrivé qui doit offrir un verre à la fin de sa première journée ?

Elle boucla sa ceinture, tira la portière et secoua la tête avant de mettre le contact.

— C'était moi « la nouvelle arrivée » de la brigade. Et ce sont les autres qui m'ont payé à boire.

Le rire d'Abilene résonna dans l'habitacle du véhicule, faisant courir un frisson sur sa peau.

— Pourquoi pas ? Ça marche aussi, acquiesça-t-il dans un hochement de tête conciliant.

Mais quelque chose dit à Kendra qu'il n'allait pas renoncer à lui offrir ce verre.

Ils se séparèrent dans le parking, Abilene s'en allant de son côté et Kendra, du sien. Elle regarda sa voiture se diriger vers la sortie. Alors, seulement, elle sortit du véhicule et se dirigea vers le bâtiment.

Tom l'attendait. A sa demande.

Montant directement à l'étage de la brigade des personnes disparues, elle sortit de l'ascenseur et se dirigea droit vers le bureau de Tom.

Se laissant tomber sur le siège situé à côté du sien, elle s'enquit d'une voix lasse :

— Alors, que sais-tu de lui ?

S'apercevant qu'elle ne s'exprimait pas clairement, elle reprit :

— Que sais-tu de Matt Abilene ?

Les larges épaules de son frère se haussèrent brièvement avant de retrouver leur position initiale.

— De tête, pas grand-chose, répondit Tom. Mais je peux me renseigner si tu veux.

Il jeta un regard à Kendra, comme pour essayer de déterminer si tout allait bien.

— J'ai entendu dire que le chef t'avait affecté un nouvel équipier, effectivement. Il te donne du fil à retordre ?

Elle ne voulait répondre à cette question ni par l'affirmative ni par la négative. Si elle disait oui, l'instinct protecteur de son frère ne manquerait pas de se réveiller ; or Abilene ne se montrait ni condescendant ni irrespectueux vis-à-vis d'elle, donc elle ne pouvait prétendre qu'il lui donnait réellement du fil à retordre. C'était plutôt qu'il l'irritait — surtout eu égard à certains aspects qu'elle ne voulait ni aborder ni expliquer, pas même à elle-même. De plus, connaissant la façon de raisonner de Tom, il était bien capable d'interpréter ses propos complètement de travers.

Elle opta donc pour une réponse évasive.

— C'est seulement que j'aime bien savoir avec qui je travaille, dit-elle de sa voix la plus innocente.

— Et tu ne le découvrirais pas simplement au bout de quelques jours de collaboration avec lui ? demanda Tom, énonçant tout haut la solution la plus logique.

A cela, au moins, elle pouvait apporter une réponse :

— Tu sais bien que je ne suis pas d'un naturel très patient.

Tom sourit.

— Raison pour laquelle je compatis plus pour ton nouveau partenaire que pour toi, assena-t-il.

Kendra lui jeta un regard agacé.

— Donc, tu refuses de m'aider ?

— Je n'ai pas dit ça.

Non, c'était vrai. Et cela la soulagea quelque peu… pendant une seconde.

— Mais tu aimes me faire languir ?

Tom ne chercha même pas à se retenir de rire.

— Il y a de ça, oui.

Ce n'était pas nouveau, songea Kendra, excédée. Puis quelque chose lui revint subitement à la mémoire. Quelque chose sur laquelle elle avait peut-être été un peu vite. Elle espéra de toutes ses forces que cela n'allait pas poser de problème.

— J'ai une question à te poser, si ça ne t'ennuie pas…, commença-t-elle.

— Vas-y.

Elle pinça les lèvres, puis se lança.

— Est-ce que tu crois que le chef m'en voudrait d'amener deux invités au brunch qu'il a prévu, samedi ?

— De quel chef parles-tu ? demanda-t-il pour la forme, puisque seul l'ancien chef de la police était un cordon-bleu, Brian se contentant, lui, de mettre la main à la pâte en dressant le couvert.

— Je te rappelle que nous en avons deux dans la famille, maintenant, souligna-t-il d'un ton malicieux. Ce serait plus clair si tu faisais allusion à l'oncle Brian et à l'oncle Andrew.

Mais elle n'en était pas encore là. Elle les respectait tous les deux et, dans le cas de Brian, était franchement honorée de travailler sous ses ordres. Mais elle ne parvenait pas à les considérer comme ses oncles… Pas encore.

— Ça me paraît un peu prématuré, répondit-elle. Et tu sais très bien que je fais référence au brunch de l'ancien chef… d'Andrew, voilà, tu es content ? acheva-t-elle, horripilée par l'amusement qui se lisait dans le regard de son frère.

Tom feignit de ne pas remarquer son irritation, plus intéressé par l'information qu'elle venait de lui fournir que par la raison pour laquelle elle avait la tête tellement près du bonnet.

— Quels invités ?

Elle aurait préféré n'en rien dire pour l'instant mais, puisqu'il avait posé la question, elle se voyait contrainte de lui répondre. Il n'y avait pas de façon détournée d'amener la chose.

— Abilene et sa mère.

— Oh ? C'est donc que tu t'entends bien avec lui.

Elle n'était guère disposée à se lancer dans de longues explications maintenant.

— Il n'y a pas de lien de cause à effet, contra-t-elle sans se compromettre. Ça n'a rien à voir.

Tom croisa les bras et se renfonça contre le dossier de son siège.

— Ah bon ? Tu en as trop dit ou pas assez. Vas-y, je t'écoute.

Elle poussa un soupir.

— Abilene a reçu un appel au bureau aujourd'hui… C'était sa mère. Elle était dans tous ses états. D'après ce que j'ai compris, son ami l'a quittée. Abilene m'a dit que ce n'était pas la première fois que cela lui arrivait. Que c'était une sorte de… mode de fonctionnement habituel.

Elle relata les faits tels qu'elle se les rappelait.

— Cette femme m'a l'air d'être quelqu'un de bien qui a fait de mauvais choix parce qu'elle a peur de finir sa vie seule. Apparemment, elle n'a pas d'autre famille que son fils. Alors, je me suis dit…

Kendra laissa sa phrase en suspens. Tom était suffisamment malin pour deviner la suite.

— Qu'être invitée au sein du clan Cavanaugh l'aiderait à se sentir moins seule ? suggéra son frère.

— Quelque chose comme ça, acquiesça-t-elle. Mais je ne voudrais pas que le chef pense que je cherche à abuser de notre soi-disant lien de parenté.

Tom secoua la tête.

— Ce n'est pas un soi-disant lien de parenté, rectifia-t-il. C'est un lien de parenté. C'est le nôtre. Que ça te plaise ou non, Kenny, papa est un Cavanaugh. Et, par voie de conséquence, nous aussi.

— Oui, je sais, mais…

Elle s'interrompit quelques instants, cherchant les mots qui se dérobaient à elle.

— Qu'est-ce qu'on fait de… Enfin, tu comprends… De notre autre famille ? Celle qui a toujours été la nôtre ?

— Rien. On n'a rien à faire. Si tu veux mon avis, Kenny, c'est plutôt comme si on avait gagné dans cette histoire une famille supplémentaire. Nous n'avons pas à échanger une nouvelle famille contre l'ancienne. On ne tire pas un trait sur des liens établis depuis plus de trente ans. Nous étions sûrs qu'ils étaient nos oncles et nos tantes, et eux aussi en étaient persuadés. Il n'y a aucune raison que ça change.

De belles paroles, mais qui passaient à côté d'un fait si évident que personne ne pouvait l'ignorer, a fortiori l'esprit aiguisé de son frère. Alors pourquoi adoptait-il délibérément cette posture ?

— A ceci près qu'ils ne sont pas nos oncles et nos tantes, insista-t-elle.

— D'un point de vue purement technique, Kenny. Ce n'est pas parce que cette affaire d'échange de bébés a été révélée que cela les efface de nos vies, que cela gâche les souvenirs de tant de Noëls que nous avons passés ensemble. Ils ne le veulent pas, et nous ne le voulons pas non plus. Ils gardent la même place dans nos esprits et nos cœurs.

Il se pencha en avant, la voix chargée d'enthousiasme.

— La vie nous a simplement fait un cadeau supplémentaire, Kenny. Et tu n'as pas à choisir entre un camp ou l'autre. Tu as les deux, et c'est justement cela qui est fantastique.

Il lui sourit en se levant. Comme elle l'imitait, il passa les bras autour de ses épaules et la serra brièvement contre lui.

— Autorise-toi donc à être de nouveau heureuse, Kenny. Nous nous inquiétons tous pour toi.

Il consulta rapidement sa montre.

— Maintenant, si tu veux bien m'excuser, j'ai rendez-vous avec une jeune femme extrêmement sexy qui s'apprête à illuminer ma vie et je ne voudrais pas la faire attendre plus longtemps.

Ce devait être cette inspectrice qui avait demandé sa mutation depuis le Nouveau-Mexique après avoir travaillé avec son frère dans une affaire d'enlèvement qui la touchait de près puisqu'il s'agissait de celui de sa propre nièce, songea Kendra. Kaitlyn Two Feathers. Le cercle familial allait bientôt s'agrandir d'un nouveau membre. Kendra était heureuse pour Tom, même si elle éprouvait un petit pincement au cœur à l'idée de ne plus avoir ce qu'elle aussi avait connu. De ne l'avoir peut-être jamais eu… Le suicide de Jason, en dépit de tous les efforts qu'elle avait faits pour l'aider à surmonter le drame qui l'avait frappé, en était la preuve criante.

— Salue Kait de ma part. Dis-lui de prendre bien soin de mon grand frère.

Il lui décocha un large sourire.

— Je n'y manquerai pas.

Elle resta là, debout, à le regarder partir puis, calmement, elle retourna à son bureau. Elle traversa la grande pièce quasiment déserte.

Inspirant à fond, elle s'assit sur son fauteuil et entreprit de relire toutes ses notes concernant l'affaire.

Une fois de plus.

6

Le visage en forme de cœur de Sabrina Abilene, étonnamment exempt de rides, s'éclaira lorsque Matt s'avança en direction de sa table.

Elle l'attendait depuis une demi-heure et s'apprêtait à s'en aller. Elle n'était pas sans savoir que le travail de Matthew s'accompagnait d'horaires parfois très irréguliers. Il pouvait lui arriver de travailler vingt-quatre heures d'affilée lorsqu'il était sur une affaire importante. Et la carrière qu'il s'était choisie avait beau lui causer beaucoup de soucis, elle n'en était pas moins immensément fière de lui.

— Te voilà ! s'écria-t-elle lorsque Matt fut à portée de voix.

A son intonation, il était évident que la surprise le disputait en elle au plaisir.

— Je pensais que tu ne viendrais plus.

Matt se glissa sur la banquette, face à elle. C'était leur lieu de rendez-vous habituel lorsqu'ils avaient une occasion particulière à célébrer. Ou lorsqu'ils voulaient simplement se retrouver pour discuter.

C'était à cette dernière perspective qu'il devait s'attendre, aujourd'hui.

A un moment donné, les rôles s'étaient inversés et c'était lui qui avait endossé celui de parent et elle, d'enfant. Du moins, en ce qui concernait les affaires de cœur.

— Est-ce que je t'ai déjà fait faux bond quand nous avions rendez-vous ? demanda-t-il.

Puis, avant qu'elle n'ait eu le temps de répondre, il ajouta :

— Franchement, maman, je m'y perds. Tous ces hommes qui défilent dans ta vie… Je ne sais plus où j'en suis. Tous ces hommes qui finissent immanquablement par te décevoir et t'abandonner.

Elle le contempla avec un sourire triste.

— Je comprends très bien que tu en aies assez de me tenir la main chaque fois que ça m'arrive, dit-elle avec honnêteté.

Elle plongea dans le sien un regard où brillait un sourire.

— Moi, je sais toujours où j'en suis quand je t'ai en face de moi.

Baissant les yeux, Sabrina contempla l'unique verre de vin qu'elle s'autorisait à boire lorsqu'elle venait ici. Mais le liquide rose pâle ne recelait aucune réponse.

— Pourquoi s'en vont-ils toujours, Matthew ? Qu'est-ce qui ne va pas chez moi ? demanda-t-elle d'une toute petite voix découragée, prête à se briser.

Matt ne prit même pas la peine de consulter le menu. Il connaissait par cœur la carte du restaurant. Les propriétaires de Haven, conscients que la nourriture proposée donnait toute satisfaction à sa clientèle, avaient eu le bon sens de ne rien changer à la formule depuis des années.

Lorsque le serveur approcha de leur table, il commanda le poulet au citron tandis que sa mère ajoutait : « La même chose pour moi. » Ce ne fut qu'une fois le serveur reparti que Matt répondit à la question qu'avait posée sa mère.

Il détestait la voir dans cet état. Et il ne détestait pas moins ce qu'il allait devoir lui dire, même s'ils le savaient tous les deux.

— Tu as un goût exécrable en matière d'hommes, déclara-t-il avec sincérité. Et un cœur d'or, ajouta-t-il pour tempérer la dureté de ses paroles. Tu as beau avoir vécu encore et encore cette même situation, tu as beau avoir rencontré tous ces hommes qui t'ont menée en bateau après avoir pris tout ce que tu avais à leur donner, on dirait que tu n'arrives pas à comprendre que tout le monde n'est pas comme toi — que certaines personnes peuvent se montrer cruelles à dessein.

Sa mère émit un petit rire bref.

— Je suis la reine des idiotes, à t'entendre.

— Non, dit-il avec prudence. Tu es quelqu'un de bien qui devrait simplement se montrer un peu plus circonspecte avant d'ouvrir son cœur.

Elle ouvrit la bouche pour parler, mais attendit que le serveur ait déposé leurs plats devant eux et se soit éloigné.

— C'est seulement que… je me sens si seule parfois, confessa-t-elle.

Les yeux bleu vif s'enfoncèrent dans ceux de Matt.

— Ton père me manque.

— Je ne crois pas qu'il serait très heureux, lui non plus, de voir par où tu passes, maman, souligna patiemment Matt. Ecoute, j'ai une idée. Pourquoi ne t'investirais-tu pas dans une activité bénévole ? A l'hôpital, par exemple ? Ils ont toujours besoin de volontaires. Tu te rendrais utile, ce qui serait un plus. Et ça te permettrait de rencontrer des gens plus intéressants que la faune qui fréquente l'endroit où tu travailles actuellement. Cela aussi, ce serait un réel avantage.

Mais Sabrina secoua la tête.

— Ce n'est pas possible avec mes horaires, protesta-t-elle. Mon travail me laisse peu de temps libre.

Le débit de boissons où elle travaillait — un bar du nom de Sparky's — n'était certes pas le genre d'endroit où il avait envie de voir sa mère gagner sa vie, pensa Matt. C'était le dernier en date d'une longue liste d'établissements de classe plus que médiocre où elle avait travaillé.

— Etre serveuse dans ce… club ne peut que t'amener à fréquenter les hommes peu recommandables qui hantent ce genre d'endroit, argua-t-il, optant à la dernière seconde pour ce mot plutôt que pour le terme « bar ». Des hommes en quête de femmes dont ils pourront abuser.

Elle serra les lèvres.

— Moi, en l'occurrence.

— Ecoute, dit-il en se penchant en avant. Tu peux quitter ce travail. J'ai un peu d'argent de côté…

— Non, non et non, c'est hors de question. Je ne permettrai pas que tu dépenses l'argent que tu as durement gagné pour moi…

— Mais c'est mon argent, maman, rappela-t-il. J'ai le droit de l'utiliser comme bon me semble.

Il sourit, se souvenant des jours heureux — car il y en avait eu. Elle avait fait tant d'efforts pour bien l'élever ! Et il n'avait jamais douté de l'amour qu'elle lui portait. Le reste était plus difficile, bien sûr…

— Et je ne vois pas de meilleur usage que de le dépenser pour toi.

— Eh bien moi, si, riposta fermement Sabrina.

Elle posa une main sur la sienne et la tapota affectueusement.

— Tu me consacres un moment de ta journée bien chargée, et je n'en demande pas plus. C'est déjà plus que bien certains fils ne feraient.

Elle plaqua un sourire sur ses lèvres, s'efforçant visiblement de faire bonne figure pour le rassurer.

— J'essaierai de ne plus refaire les mêmes erreurs, promit-elle.

Il hocha la tête et fit semblant de la croire. Malheureusement, pour l'avoir trop souvent entendu, il connaissait ce refrain par cœur. Sa mère y croyait réellement au moment où elle le disait… Mais chaque fois, son cœur d'artichaut finissait toujours par fondre pour le premier escroc charismatique qui croisait son chemin.

C'était comme si sa photo figurait sur une sorte de

panneau d'affichage électronique… Avec une légende, juste au-dessous, invitant quiconque présentant un net penchant pour la tromperie et l'arnaque à la prendre pour cible car elle était la proie idéale.

Et sa mère avait beau être pétrie de bonnes intentions, ce schéma ne changerait pas s'il ne prenait pas, lui, les choses en main.

Il fallait qu'il trouve le moyen de l'introduire dans d'autres milieux, médita-t-il. Ce fut alors qu'il se rappela brusquement la proposition de sa partenaire. L'arrogante inspectrice serait sûrement revenue sur son offre si elle l'avait pu, il en était certain, mais il décida séance tenante qu'il n'allait pas lui en laisser la possibilité. Il allait la prendre au mot.

Pour le bien de sa mère.

— A propos, dit-il d'un ton dégagé en se servant un autre morceau de poulet — un pilon, son morceau préféré. Nous sommes invités chez l'ancien chef de la police d'Aurora samedi.

Les yeux clairs de sa mère s'écarquillèrent de surprise.

— Ah bon ? Pourquoi ? Quelque chose ne va pas ?

— Si c'était le cas, c'est au poste que nous serions convoqués, répliqua Matt en faisant de son mieux pour garder son sérieux devant l'expression stupéfaite de sa mère. Il se trouve que ma nouvelle partenaire est l'une de ses nièces et que l'ancien chef adore recevoir. Il paraît que c'est un cuisinier hors pair.

Ses yeux se remplirent de tendresse, et il sourit.

— Je suis sûr qu'il ne t'arrive pas à la cheville, mais rien ne nous empêche de lui donner une chance. Qu'en dis-tu ? Est-ce que ça te tente ?

Comme elle ne répondait pas immédiatement, il insista.

— Je suis sûr que ça te plairait de te retrouver là-bas, en compagnie d'une foule de gens intègres, pour changer — et de moi, ajouta-t-il en lui lançant un clin d'œil.

— Tu as toujours eu le don de me remonter le moral, Matthew, dit-elle en souriant. Simplement avec quelques mots.

— Je devrais peut-être enregistrer ma voix et te donner la bande pour que tu puisses l'écouter quand ça ne va pas.

Le nouveau sourire qui naquit sur les lèvres de Sabrina se refléta jusque dans son regard. Quand elle souriait comme ça, elle était réellement belle. Mais, belle ou pas, elle ne méritait pas d'être roulée dans la farine comme elle l'avait été tant de fois. Peut-être que le fait de côtoyer des gens tels que les Cavanaugh l'aiderait à casser le modèle dans lequel elle semblait enfermée. Qui sait, cela lui permettrait même peut-être de reprendre confiance en elle.

— Ça vaut la peine d'essayer, déclara-t-elle en riant, faisant référence à l'enregistrement de la voix de Matt.

— Oui, c'est précisément ce que je me dis, confirma-t-il, ne plaisantant qu'à moitié.

— Bonjour, Bonne, lança gaiement Matt en s'installant à son bureau. Au fait, ma mère vous remercie pour l'invitation et elle vous fait savoir qu'elle sera ravie de venir au brunch du chef, ce samedi.

Avant de se plonger dans la lecture des dossiers qu'il avait classés en une pile nette sur son bureau, Matt sirota une gorgée de café. C'est alors qu'il regarda véritablement sa partenaire.

Il ne prêtait pas particulièrement attention aux vêtements des femmes, mais il était à peu près sûr de lui avoir vu la même tenue la veille. Or, à en juger par ce qu'il savait de la gent féminine, les femmes ne portaient pas les mêmes vêtements deux jours d'affilée… sauf si elles n'étaient pas rentrées chez elle.

Il la considéra pensivement par-dessus le rebord de sa tasse.

— Vous êtes rentrée chez vous, hier soir ?

Kendra lui jeta un regard désenchanté. Il n'y avait vraiment pas de quoi pavoiser. La fatigue l'avait prise par surprise au moment où elle s'y attendait le moins, et elle avait fini par s'assoupir pendant trois ou quatre heures, peut-être moins, la tête posée sur le bureau. Résultat : elle ne se sentait pas le moins du monde reposée et souffrait ce matin d'un méchant torticolis. Sans compter qu'elle devait encore avoir la marque d'une agrafe imprimée sur la joue.

Inutile de dire que tout ceci ne contribuait pas à la mettre de bonne humeur — et c'était un doux euphémisme. Elle avait déjà les nerfs en pelote alors que la journée commençait à peine.

— Mettons les choses au point une bonne fois pour toutes, riposta-t-elle d'un ton cinglant. Vous êtes mon partenaire — temporaire. Pas mon ange gardien.

— Temporaire ? C'est ce que vous pensez ?

Elle haussa les épaules, peu encline à engager une discussion alors qu'elle se sentait si totalement désarmée. L'esprit enténébré, elle avait le plus grand mal à se concentrer.

— Tout est toujours temporaire, d'une façon ou d'une autre, éluda-t-elle.

Plaçant la balle dans le camp de Matt, elle ajouta :

— Les choses pourraient ne pas fonctionner, et il se pourrait que ce soit vous qui demandiez un autre partenaire.

— Ou bien vous, se borna-t-il à répondre.

— Ce n'est pas exclu non plus, confirma-t-elle en poussant un soupir qu'il aurait été bien en peine d'interpréter.

Elle laissa passer un instant puis reprit, cherchant à changer de sujet :

— Que disiez-vous, à propos de votre mère ?

— Qu'elle me chargeait de vous remercier pour votre invitation chez le chef.

Kendra fronça les sourcils, furieuse contre elle-même

et contre ce satané brouillard qui lui obscurcissait les idées. Pourquoi diable était-ce si difficile de réfléchir clairement ? En temps normal, elle parvenait à tenir une journée entière après n'avoir dormi que quatre heures. Seulement, ces quatre heures-là — si ce n'était pas moins encore —, elle les avait passées la tête calée sur le bord d'un bureau.

Qu'avait dit Abilene à propos de sa mère, déjà ?... Oh ! oui. Qu'elle lui transmettait ses remerciements. Elle réussit à raccorder cela au reste de la conversation et, pour être certaine d'avoir bien compris, elle s'enquit :

— Alors, elle compte venir ?

— Il a fallu que je me montre un peu persuasif — ma mère a horreur de s'imposer, expliqua-t-il. Mais…

— Aucun risque, coupa Kendra. Pour avoir assisté à quelques-unes des petites sauteries d'Andrew Cavanaugh, je vous garantis qu'elle n'a pas de souci à se faire de ce côté-là.

— Mais, oui, elle vient, conclut Matt.

Il marqua une pause, puis demanda :

— Rassurez-moi, ce n'était pas une invitation lancée en l'air, au moins ?

— Pas du tout.

Même si, compte tenu du manque de clarté présent de son esprit, elle se demandait bien ce qui l'avait prise d'inviter Abilene. Mais elle ne tarda pas à se rappeler qu'il lui avait parlé de la tendance de sa mère à se laisser enjôler par des hommes sans scrupules. D'une certaine manière, musa-t-elle, la mère d'Abilene et elle avaient un point commun. Les hommes de leur vie ne leur avaient apporté au final que désillusion et déception.

A ceci près que, dans son cas, ce n'était pas aussi tranché. Elle était déçue, oui, mais sur un plan existentiel, parce qu'elle n'avait pas réussi à sauver Jason. Elle n'avait pas su le ramener à la raison et lui redonner goût à la vie. Et, au lieu de lutter pour remonter la pente, de se battre pour s'extirper de l'abîme obscur où il avait sombré, il avait saisi un pistolet et mis fin à ses jours.

— Alors, comment voulez-vous que nous nous organisions ? demanda Abilene comme elle gommait de son esprit Jason et le souvenir de cette atroce journée où elle l'avait trouvé gisant la tête en sang, sans vie.

Inspirant à fond, elle reporta son attention sur l'affaire.

— Eh bien, j'ai imprimé une quantité de photos de Burnett afin que nous puissions les placarder dans les gares, les gares routières, à l'aéroport… Un peu partout. Ça nous permettra de le coincer s'il essaie de s'enfuir par tout autre moyen de transport que la voiture.

— D'accord, très bien.

Il hocha la tête, mais reprit aussitôt :

— En fait, je parlais de samedi, chez votre oncle.

Kendra cligna des yeux. Il lui fallut une seconde pour recentrer — à contrecœur — ses pensées sur sa vie privée. Elle avait été à deux doigts de le corriger quand il avait fait référence à Andrew comme à son oncle, à ceci près qu'elle ne le pouvait pas. Parce que c'était effectivement ce qu'il était. Et ce n'était pas qu'une affaire de nom. C'était la réalité.

Il fallait seulement le temps qu'elle s'y habitue.

— Oh ! Eh bien, soit je passerai vous chercher, soit vous…

Elle allait suggérer que lui et sa mère la retrouvent chez elle, mais il fallait pour cela qu'elle lui donne son adresse et elle ne se sentait pas émotionnellement prête à franchir ce cap. Elle préférait livrer ce type de renseignement personnel au compte-gouttes pour l'instant. Lorsqu'elle le connaîtrait mieux — et qu'il aurait été son partenaire pendant un certain temps —, elle lui dirait où elle vivait.

Peut-être.

— Mais le plus simple, c'est que je passe vous prendre, acheva-t-elle avec affabilité.

— Comme vous voudrez… Cependant, donnez-moi juste une heure approximative afin que j'aie le temps d'aller chercher ma mère et d'être revenu quand vous passerez… O.K., Bonne ?

Elle sentit la moutarde lui monter au nez. Elle voulait qu'il cesse de l'appeler comme ça, mais, manifestement, plus elle le lui demandait, plus il semblait enclin à « oublier ». De guerre lasse, elle estima que le mieux, dans ces conditions, était de l'ignorer.

Pour une raison qu'elle ne s'expliquait pas, même lorsque Abilene n'était pas ouvertement ironique, le sarcasme n'était jamais loin, songea-t-elle. Pourquoi ? Etait-ce en réaction à quelque chose qu'elle avait pu dire ou bien…

Voilà qu'elle recommençait à disséquer la moindre de ses paroles, à tout interpréter. D'après ses frères et sœurs, c'était son principal défaut : elle réfléchissait trop. Elle n'avait pas toujours été comme ça. Mais, quand votre fiancé s'était suicidé le jour où vous étiez censés vous marier, cela laissait des traces. Des traces indélébiles.

Par moments, au début, il lui était arrivé de s'étonner d'être encore capable de mettre un pied devant l'autre et d'avancer au lieu de se recroqueviller dans un coin, en position fœtale.

Après cet horrible accident, dans lequel quatre de ses collègues pompiers avaient péri, alors que Jason était couché dans son lit d'hôpital, les jambes gravement brûlées, elle était venue le voir tous les jours. Elle et sa famille avaient été présents tout le temps, et elle lui avait juré qu'elle se moquait qu'il vienne devant l'autel en fauteuil roulant ou en s'aidant de béquilles, qu'il ait une jambe ou bien deux, du moment qu'il était là.

Elle l'aimait, lui, pour ce qu'il était, avait-elle dit et

répété. Pas seulement une partie de lui ou, plutôt, une partie manquante de lui.

A un moment donné, elle avait eu l'impression qu'il la croyait, qu'il lui faisait confiance, mais, de toute évidence, elle avait échoué. Elle n'avait pas réussi à le convaincre, ni à le sauver. Il ne l'avait pas crue lorsqu'elle l'avait supplié d'avoir foi en elle, en son amour, lorsqu'elle avait promis qu'elle serait toujours à ses côtés et qu'elle l'aiderait à retrouver le goût de vivre.

S'il l'avait crue, il serait encore de ce monde.

Cette douloureuse pensée palpita dans son esprit pendant quelques instants. Les larmes lui montèrent aux yeux.

— Hé, ça va ?

Brutalement, Kendra reprit pied dans la réalité.

Elle s'avisa qu'il y avait de l'inquiétude dans la voix d'Abilene. Elle prit conscience du même coup que, pendant son moment d'absence, le postérieur de son partenaire était venu se percher sur le coin de son bureau. Il avait dû s'approcher, voyant qu'elle ne lui répondait pas, et s'asseoir sur le bureau pour mieux l'examiner.

Et ce n'était pas tout. Il tenait l'une de ses mains pressée dans les siennes.

Une involontaire bouffée de chaleur se diffusa en elle, qu'elle s'empressa de réprimer aussitôt en même temps qu'elle retirait vivement sa main.

— Ça va, répondit-elle.

— A ceci près que vous semblez à des années-lumière, souligna-t-il.

Bon sang, comme c'était agaçant d'avoir pour partenaire un homme à qui rien n'échappait ! Au cours des deux dernières années, au moins n'avait-elle pas eu à se préoccuper de cela, Joe passant la moitié de son temps à sommeiller, assis derrière son bureau. Ce n'était pas lui qui l'aurait mise sur la sellette en jouant aux questions-réponses.

— Je réfléchissais, lâcha-t-elle avec désinvolture.

Il rit doucement.

— C'est ce que j'ai cru remarquer.

— Eh bien, tant mieux pour vous.

Se levant brusquement, Kendra repoussa son siège sous son bureau avec une telle vigueur que les bras heurtèrent violemment le plateau.

— Allons voir si les collègues de Summer Miller savent si son petit ami était d'un naturel suffisamment colérique pour l'avoir tuée.

C'était une façon comme une autre de commencer la journée. Abilene indiqua du bras la porte d'entrée.

— Après vous.

Les yeux de Kendra se rétrécirent. S'imaginait-il qu'elle attendait sa permission ?

— Merci, proféra-t-elle d'un ton glacial.

Allongeant subitement le pas, elle sortit en trombe du bureau.

— Hé, Bonne ! la héla Matt, s'élançant à sa suite pour la rattraper.

Une fois à sa hauteur, il lança :

— Vous êtes partie comme une fusée. J'ai dit quelque chose qui vous a énervée ?

Vous voulez dire aujourd'hui ? Ou de manière générale ?

— Oui.

— Quoi ?

— Tout, riposta-t-elle en écrasant d'un doigt vengeur le bouton d'appel entre les portes des deux ascenseurs.

— En d'autres termes, il ne faut pas que je vous adresse la parole ?

Elle avait le mot « non » au bout de la langue, mais elle le retint juste à temps. Elle se montrait injuste envers lui, elle le savait pertinemment. Ce n'était pas parce qu'elle se sentait mal qu'elle devait se défouler sur lui.

Ce n'était pas sa faute à lui si elle n'avait pas été assez forte pour empêcher Jason de commettre l'irréparable.

— Désolée, dit-elle en poussant un profond soupir. Je suis d'humeur plutôt grincheuse quand je n'ai pas assez dormi. Je n'avais aucune raison de vous parler sur ce ton.

— Vous voulez rentrer chez vous et dormir une heure ou deux ? Je peux m'occuper seul de l'interrogatoire du patron et des collègues de Summer… Le lieutenant n'a pas besoin de le savoir.

— Non. J'ai pour principe de gérer mes problèmes moi-même, rétorqua-t-elle.

— Je n'ai jamais dit le contraire. Je pensais simplement que vous seriez peut-être plus en forme pour affronter la journée si vous rattrapiez un peu du sommeil qui vous a manqué cette nuit.

Il fallait reconnaître que c'était extrêmement tentant, songea Kendra. Chaque fibre de son être l'implorait de s'allonger sur une surface moelleuse et de fermer les yeux. Mais elle avait une enquête en cours, et se dérober lâchement à ses obligations était tout bonnement hors de question.

— Merci, mais non. Ça ira.

— Si vous le dites, répondit-il d'un air détaché.

— Parfaitement, je le dis.

Malheureusement, elle avait beau s'être exprimée d'un ton ferme, sa résolution, pour l'instant, n'était pas tout à fait au rendez-vous.

7

Lorsqu'ils le questionnèrent à propos de Summer Miller, l'homme râblé aux cheveux frisés, blond délavé tirant sur le blanc, secoua tristement la tête.

— Non, j'ai dû m'en séparer. Vous savez, Partytyme est une entreprise familiale… Et ils sont très stricts sur le règlement, leur apprit-il d'un ton solennel.

Il s'interrompit, le temps de livrer la bataille sans fin qu'il menait contre l'inéluctable descente de son pantalon sur ses hanches, le remontant juste au-dessous de sa taille empâtée. Le pantalon demeura momentanément en place avant de réamorcer sa lente glissade.

— Ils appliquent la tolérance zéro en ce qui concerne la consommation de drogue. Et Summer a été contrôlée positive lors des derniers tests aléatoires que nous avons pratiqués. Elle a été renvoyée sur-le-champ.

— Elle se droguait ? souligna Kendra, surprise.

D'après le médecin légiste, les premiers résultats d'analyses toxicologiques étaient négatifs. Peut-être fallait-il approfondir les recherches…

Les épaules tombantes de Harvey Abernathy se soulevèrent en un haussement désolé qui s'acheva, à peine esquissé.

— Rien dans son travail ne me l'a jamais laissé soupçonner, mais… il faut croire que oui, conclut-il. Sinon, le test n'aurait pas été positif. Mais on ne vous donne pas de seconde chance ici. Donc j'ai dû la laisser partir même si c'était une bonne employée.

— Quand cela ? demanda Abilene.

— Lundi de la semaine dernière. J'ai supposé qu'elle avait dû faire la fête pendant le week-end pour qu'on en retrouve des traces dans son organisme… Mais, en fait, je ne sais pas vraiment, s'empressa-t-il d'ajouter. Je ne m'adonne pas à ce genre de pratique moi-même.

Il s'était exprimé d'une voix un peu désenchantée, presque chargée de regrets.

— Etait-elle proche de quelqu'un, ici ? s'enquit Kendra.

Elle jeta un coup d'œil par-dessus son épaule à la grande salle où s'activaient les employés, séparés seulement par de petites cloisons. Derrière chacune d'entre elles, une personne s'affairait, un téléphone à l'oreille, occupée sans doute à organiser tel ou tel événement.

— Vous pourriez peut-être parler à Suzanne del Vecchio, dit-il en désignant l'un des box où une jeune femme brune, assise à un bureau, tapait sur un clavier, à la différence des autres. Je les ai vues déjeuner ensemble à plusieurs reprises.

Abernathy secoua de nouveau la tête.

— Dommage que Summer ait été toxicomane, dit-il avec une conviction qu'il semblait sincèrement éprouver. Elle faisait vraiment du bon travail dans les moments critiques, quand il y avait une échéance à respecter.

Kendra se força à sourire.

— Merci de votre aide, monsieur Abernathy.

Elle referma son calepin et le rangea dans sa poche.

— Nous allons aller voir Suzanne et, peut-être, quelques-uns des autres employés, si vous n'y voyez pas d'inconvénient.

Les épaules tombantes se haussèrent une nouvelle fois avant de s'affaisser.

— Faites donc, dit-il en désignant d'un geste vague l'alignement régulier des bureaux.

Il les regarda s'éloigner depuis son petit bureau vitré.

— Une addiction à la drogue ? commenta Abilene, sceptique, sitôt qu'ils furent sortis du bureau du superviseur.

— Le médecin légiste n'a pas relevé de traces de piqûre sur le corps, rappela Kendra.

— Mais il y a d'autres façons de prendre de la drogue.

Elle le toisa du coin de l'œil. Pour qui la prenait-il ? Pour une débutante ?

— Ah bon ? rétorqua-t-elle, froidement moqueuse. J'ignorais.

Abilene lui adressa un large sourire et inclina la tête.

— Content d'avoir pu me rendre utile.

Il vit les lèvres de sa partenaire remuer, mais elle parlait si bas qu'il ne distingua pas un mot de ce qu'elle disait.

Ce qui valait probablement mieux, songea-t-il. Pour eux deux.

— Oui, on est sorties une fois ou deux ensemble, confirma Suzanne del Vecchio en réponse aux interrogations des deux inspecteurs qui étaient entrés dans son bureau. Quand son petit ami sortait tard du travail. Sinon, elle était toujours avec lui. Ils étaient sur le point de se marier, du moins c'est ce qu'elle ne cessait de me répéter.

— Vous ne la croyiez pas ? intervint Abilene.

La jeune femme brune haussa les épaules.

— Je sais seulement que beaucoup d'hommes sont prêts à promettre monts et merveilles pour obtenir ce qu'ils veulent.

Exact, malheureusement, acquiesça en silence Kendra.

— Vous ne l'avez jamais rencontré ? demanda-t-elle.

— Une fois ou deux. Je dois reconnaître qu'il avait l'air gentil et plutôt inoffensif. Pourquoi ? Vous pensez que c'est lui qui l'a tuée ? questionna-t-elle avec intérêt. On ne parle que de cela, au bureau. J'avoue que, personnellement, je trouve qu'il n'avait pas l'air d'un tueur. Mais on ne sait jamais…

Kendra fut tentée de demander à la jeune femme à quoi, selon elle, on reconnaissait un tueur, mais ç'aurait été se montrer inutilement sarcastique. Elle ravala donc la question et reporta son intérêt sur l'information qu'on venait de leur communiquer.

— Votre superviseur nous a dit qu'elle avait été renvoyée à cause d'une addiction à la drogue. Vous étiez au courant ?

Suzanne laissa échapper un soupir agacé.

— Une addiction ? Pensez-vous ! Summer n'était pas dépendante. Ce serait plutôt lui qui aurait un problème de cette nature, révéla-t-elle d'un ton accusateur, ses yeux bruns se braquant brièvement en direction du bureau de leur chef. Toujours à surveiller les gens comme un gardien de prison.

— Apparemment, le règlement de votre entreprise est très strict en matière d'usage de stupéfiants, souligna Abilene.

— Eh bien, il ne devrait pas, répliqua Suzanne d'un air de défi. Qui plus est, Summer n'avait pas de problème de drogue. Elle en consommait, ce n'est pas la même chose.

— La différence étant… ? interrogea Kendra, laissant sa phrase en suspens.

La question lui valut un regard légèrement condescendant de la part de Suzanne.

— La différence étant qu'il arrivait à Summer de prendre parfois des pilules lorsqu'elle sortait, en société. De loin en loin. Ce n'était pas une droguée, assena-t-elle avec conviction. Et elle n'en avait jamais sur elle quand elle était avec son petit ami parce qu'il était plutôt collet monté et hostile à ce genre de pratique.

— Et, quand elle en prenait « en société », s'enquit Abilene, reprenant la terminologie qu'avait employée Suzanne, où se les procurait-elle ?

Suzanne fronça les sourcils et contempla le coin de son bureau.

— Je ne sais pas, répondit-elle, apparemment contrariée qu'on lui ait posé cette question.

— Vous mentez, souligna Abilene d'un ton patelin.

La jeune femme lui jeta un regard acéré, une dénégation toute prête au bord des lèvres, mais Abilene lui coupa l'herbe sous le pied.

— Vous avez dit ça en évitant soigneusement de croiser mon regard. Si c'était la vérité, vous n'auriez pas contemplé fixement votre bureau. Alors pourquoi ne pas nous faire gagner du temps à tous et nous dire auprès de qui Summer se fournissait ?

Comme le regard de Suzanne se faisait méfiant et que Kendra lisait de la peur au fond de ses yeux, elle prit la parole pour s'efforcer de la rassurer et l'amener à parler.

— Vous savez, nous ne nous intéressons pas à cette affaire de stupéfiants. Tout ce que nous voulons, c'est trouver le meurtrier de Summer. Le dealer qui lui a fourni la drogue pourrait détenir un élément d'information qui nous orienterait dans nos recherches. Je suis sûre que vous voulez, vous aussi, voir l'assassin de votre amie puni, je me trompe ?

La jeune brune commença à hésiter.

— Non, bien sûr. Oh ! d'accord, concéda-t-elle finalement, exaspérée.

Ouvrant son sac à main, elle en tira son portefeuille d'où elle sortit une carte, qu'elle tendit à Abilene en commentant :

— Cette carte appartenait à Summer. Elle m'avait demandé de la conserver pour elle.

Matt échangea un regard avec sa partenaire. *Mais oui,*

bien sûr, songea-t-il tout en hochant solennellement la tête en réponse à sa déclaration.

— Une chance pour nous que vous ayez accepté.

Il tourna la carte entre ses doigts.

— Voyez-vous un inconvénient à ce que nous l'emportions ?

Soulagée de ne pas être arrêtée, Suzanne se hâta de secouer la tête.

— Non, gardez-la aussi longtemps que vous voudrez. Eternellement, même. Je n'en ai plus besoin maintenant que Summer n'est plus là.

Ses dernières paroles se teintèrent d'une authentique tristesse, comme si la réalité de la situation venait tout à coup de s'imposer à elle.

Matt jeta un coup d'œil à la carte avant de la ranger dans sa poche de chemise. Il fronça les sourcils.

— C'est l'adresse d'une animalerie.

— C'est là qu'il travaille, expliqua Suzanne. Son nom est indiqué au dos.

— John Smith, lut Matt sans pouvoir masquer la note de sarcasme dans sa voix.

— Original, commenta sèchement Kendra.

— C'est probablement tout ce qu'il a pu trouver, sous l'emprise de ses pilules miraculeuses, spécula Matt.

Il reporta son regard sur Suzanne.

— Nous vous recontacterons si nous avons d'autres questions à vous poser.

Il aurait juré voir la jeune femme esquisser un mouvement de recul.

L'animalerie mentionnée sur la carte de « John Smith » se situait à l'extrémité d'un centre commercial à ciel ouvert dans l'un des anciens quartiers de la ville. Le bâtiment avait connu des jours meilleurs que, visiblement, une bonne partie des enseignes venues s'y installer étaient parties chercher autre part, laissant derrière elles des rangées de vitrines désertes et de boutiques fermées. L'animalerie avait autrefois jouxté un magasin de location de vidéos. Ne restait pour en témoigner qu'une vieille affiche écornée et décolorée par le soleil du *Seigneur des anneaux* abandonnée là, en devanture.

L'animalerie, bien que toujours en activité, était d'apparence plutôt sinistre. Pas le moindre petit chiot frétillant, pas de chatons ni de petits lapins pour attirer l'œil des passants. Du reste, il n'y en avait guère dans ce centre commercial en déréliction… Au lieu de chiots attendant de trouver un foyer prêt à les accueillir, il n'y avait dans la vitrine qu'un amas de vieux journaux qui avaient servi de toilettes de fortune aux petits animaux qui avaient autrefois peuplé le magasin.

Se penchant en avant pour voir au travers de la vitre sale, Kendra examina l'intérieur.

— On dirait que c'est fermé.

— Non, j'ai vu quelqu'un bouger, objecta Abilene. Là-bas, au fond, regardez. Près de cette porte.

Tandis qu'il parlait, l'homme mince à l'allure dégingandée et quelque peu négligée qui avait attiré son attention fila par la porte de service, celle-là même que venait d'indiquer Abilene.

— J'ai l'impression qu'il n'a pas envie de se faire de nouveaux amis, ironisa Kendra tandis qu'ils contournaient le bâtiment et remontaient rapidement l'allée qui menait à l'arrière de l'animalerie.

— Il est peut-être timide, souligna, pince-sans-rire, Abilene.

Ils venaient juste d'atteindre la porte de service, sur l'arrière, lorsqu'on se mit à leur tirer dessus.

A la seconde où il entendit la première détonation, Matt, d'une bourrade, fit rouler Kendra sur le sol avant de se jeter sur elle pour la protéger. De grands cartons qui avaient contenu de la nourriture pour chiens les abritaient partiellement.

En dépit de la situation plus que tendue, Matt ne put s'empêcher de noter qu'il n'était pas indifférent au corps qui se trouvait au-dessous du sien. Qu'il y réagissait même de façon très notable.

S'obligeant à se recentrer sur leurs préoccupations immédiates, il balaya du regard les alentours pour repérer d'où venaient les coups de feu. Le corps toujours pressé sur celui de Kendra, il sortit vivement son arme et fit feu à son tour.

— Je vais vous couvrir, souffla-t-il, s'apprêtant à rouler sur le côté. Vous, vous foncez vous mettre à l'abri à l'intérieur du bâtiment.

— Sûrement pas ! Mais vous pouvez vous pousser, ordonna-t-elle. J'étouffe.

Kendra ne parvenait plus à respirer avec le poids d'Abilene qui lui comprimait la cage thoracique. Et, outre ce désagrément purement technique, elle n'aimait pas la façon dont elle réagissait à son corps athlétique étendu de tout son long sur elle. Il n'était pas une parcelle de son être qui n'en avait une conscience aiguë. Extrêmement aiguë.

Le cri guttural qui transperça l'air leur apprit que, contre toute attente et en dépit de la faible visibilité, Abilene avait réussi à atteindre le suspect qui déchargeait son arme sur eux en prenant la fuite.

— Vous m'avez touché !

L'accusation lancée d'un ton incrédule et belliqueux résonna dans l'allée déserte qui longeait l'alignement de boutiques.

— Je saigne ! cria le revendeur de drogue, paniqué. Aidez-moi ! Je meurs !

— Sacré tragédien, commenta Abilene sans s'émouvoir.

— Vous êtes toujours sur moi, nota Kendra, les dents serrées.

— Très juste.

Abilene s'écarta lentement. Lorsqu'il fut sur ses pieds, il lui tendit la main. Elle l'ignora.

— Si j'entends ne serait-ce qu'un ricanement étouffé, vous êtes un homme mort, l'avertit-elle en se relevant à son tour.

— Je m'éclaircissais la gorge, protesta-t-il innocemment.

Kendra lui lança une œillade torve, puis reporta son attention sur l'homme qui hurlait toujours qu'il se mourait.

— Nous pouvons vous emmener chez un médecin, cria-t-elle, haussant le ton pour dominer les cris paniqués du dealer. Mais, d'abord, jetez votre arme !

« John Smith » était au bord des larmes maintenant.

— O.K., O.K., voilà.

Il lança l'arme sur le sol puis émergea de derrière une poubelle.

— Maintenant, appelez de l'aide avant que je ne me vide de mon sang !

Elle s'élança et fut totalement prise de court lorsque la main d'Abilene s'abattit de nouveau sur son bras. Mais, cette fois, plutôt que de la pousser au sol, il l'attira en arrière, se proposant d'intervenir à sa place.

Elle comprenait bien sa manœuvre — il cherchait à la mettre à l'abri pour le cas où le suspect aurait dissimulé une autre arme. Seulement, elle avait beau apprécier qu'il s'efforce de la protéger, ce n'était pas ainsi qu'une équipe de policiers était censée fonctionner.

Pourquoi diable cet homme se comportait-il ainsi ? Son taux de testostérone était-il anormalement élevé ?

— Quoi ? fit-elle en tentant de le repousser.

Mais c'était comme tenter de faire bouger une montagne, ce qui acheva de l'agacer.

— Vous avez un blindage intégré, vous, peut-être ?

— Pourquoi ? Vous ne le saviez pas ? riposta-t-il. Ça figure pourtant en toutes lettres dans mon C.V. Page deux : les balles rebondissent sur moi sans laisser de trace.

— Ce passage-là a dû m'échapper.

Son arme à la main elle aussi, elle s'avança, flanquée d'Abilene, vers le dealer qui procurait à Summer sa soi-disant drogue à usage récréatif, guettant le moindre mouvement suspect. Mais, d'arrogant revendeur de drogue, l'employé de l'animalerie s'était mué en porc que l'on égorge. Il n'avait qu'une idée en tête : qu'on lui retire la balle qu'il avait dans le bras et qu'on jugule le saignement.

— Vous pouvez stopper l'hémorragie ? demanda-t-elle à Abilene.

L'intention de Kendra était de soutirer à l'homme des informations en échange de son transport à l'hôpital — mais il lui fallait les informations d'abord parce qu'elle savait bien que, s'ils procédaient autrement, le revendeur, une fois soigné, reviendrait sur sa parole et ne leur dirait rien.

— Vous voulez dire, en mettant le doigt dans le trou ? questionna Abilene d'un air innocent. Oui, je dois pouvoir faire ça.

Joignant le geste à la parole, il plaça le pouce sur l'endroit où la balle avait pénétré dans l'épaule du dealer. L'homme poussa un hurlement à glacer le sang.

— Emmenez-moi à l'hôpital ! cria-t-il. Il faut que vous me conduisiez à l'hôpital.

— Nous vous y conduirons… si vous nous dites pourquoi vous avez tué Summer Miller, déclara Abilene.

L'homme le dévisagea, stupéfait.

— Qui ? s'exclama-t-il en secouant la tête pour nier toute implication dans le crime auquel le policier avait fait allusion.

— Summer Miller.

Kendra plongea la main dans la poche arrière de son pantalon et en sortit la photo de la défunte que lui avait confiée le médecin légiste. Summer y figurait, allongée sur la table d'autopsie, attendant d'être disséquée.

— Vous lui fournissiez de la drogue.

Plissant les yeux, l'homme hocha finalement la tête, reconnaissant de toute évidence la jeune femme.

— Oui, je lui en vendais, c'est vrai, mais je ne l'ai pas tuée.

Il redressa brusquement la tête en s'écriant farouchement :

— Pourquoi voulez-vous que je la tue ? Ce n'est pas bon pour les affaires.

Le ton de sa voix frisait l'hystérie.

— Je me vide de mon sang ! Si vous ne m'emmenez pas tout de suite à l'hôpital, je vais mourir ici !

— Si vous ne l'avez pas tuée, alors vous pouvez peut-être nous dire où vous étiez il y a trois jours, pendant la journée ? l'interrogea Abilene.

L'homme secoua la tête, l'extrémité de ses cheveux sales s'agitant comme des baguettes autour de sa tête.

— Je ne sais pas, geignit-il.

Ce ne fut pas facile du fait que son naturel la portait plutôt à porter secours à son prochain, mais Kendra ne céda pas.

— Pas très satisfaisant comme réponse. Cherchez encore, suggéra-t-elle en secouant la tête.

Consultant son partenaire du regard, elle demanda :

— Vous avez des pansements, Abilene ? Je suis à court.

— Désolé, je n'en ai jamais sur moi, répondit-il, jouant le jeu pour impressionner leur suspect.

Ce dernier commençait réellement à paniquer.

— Attendez, attendez… Je sais… Ça me revient. J'étais à San Francisco, s'écria-t-il, ses traits s'éclairant tant il était soulagé d'avoir retrouvé la mémoire. A cette énorme fête.

— San Francisco, répéta Kendra d'un ton sceptique. Et vous pouvez le prouver ?

Il la dévisagea, les yeux exorbités, transpirant à profusion, l'air d'être sur le point de perdre connaissance.

Kendra savait qu'ils n'avaient plus que quelques minutes devant eux avant qu'ils perdent leur avantage et ne se voient contraints de transporter l'homme jusqu'au service d'urgence le plus proche. Il perdait beaucoup de sang et, à ce rythme, il ne tarderait pas à leur claquer entre les doigts.

— J'ai retiré de l'argent au distributeur, à côté de l'endroit où se tenait la fête ! Je n'avais pas de quoi rendre la monnaie à ce grand costaud qui n'avait que des billets de cent dollars sur lui. Il voulait en jeter plein la vue à la fille avec qui il était.

Maintenant qu'il avait commencé à parler, les mots se bousculaient sur ses lèvres.

— Ils ont bien des caméras, non ? Les guichets de banque ? On doit me voir sur la vidéo. Je n'ai jamais approché cette fille qui est morte, je vous assure !

Abilene était aussi calme que le dealer était agité.

— Normalement, oui. Il ne vous reste plus qu'à espérer que celle du guichet que vous avez utilisé n'était pas en panne.

L'instant suivant, il fut obligé de rattraper le dealer dont les yeux s'étaient révulsés et qui, s'évanouissant, piquait du nez vers le sol.

Le maintenant en position verticale, Abilene lança un regard interrogateur à Kendra.

— Ça nous suffira ?

— A supposer qu'il ait dit la vérité et qu'il ait été filmé en train de retirer du liquide à San Francisco, oui, ça devrait suffire soit à l'innocenter, soit à l'incriminer, répondit-elle.

Soudain, ses yeux s'arrêtèrent sur une tache rouge vif qui maculait l'arrière de la chemise d'Abilene.

— Qu'est-ce que c'est que ça ? s'enquit-elle.

Abilene tourna la tête par-dessus son épaule, l'interrogeant du regard.

Elle désigna du menton la trace, sur l'arrière de son bras.

Se dévissant le cou pour voir ce qu'elle lui montrait, Abilene éluda la question d'un haussement d'épaules.

— C'est le sang du suspect.

Mais ce n'était pas le cas.

— Je ne crois pas, non, répondit-elle. Pas à cet endroit-là.

Examinant rapidement le haut de son bras tandis qu'Abilene soutenait toujours le suspect inconscient pour l'empêcher de s'affaisser sur le sol, Kendra poussa une exclamation étouffée.

— Bon sang, vous êtes blessé. Il a dû vous toucher pendant que vous jouiez les matamores, couché sur moi pour me protéger.

Matt lui décocha un grand sourire en dépit de la sensation de brûlure qui commençait à se faire sentir.

— Ça vous a plu, à vous aussi, Bonne ? la taquina-t-il.

— Abilene…

Au ton menaçant de sa voix, il comprit qu'il valait mieux ne pas insister.

— Ce sont les aléas du métier, Bonne, souligna-t-il avec désinvolture.

— Oui… quand on tient absolument à se poser en superhéros, le rabroua-t-elle, sentant l'énervement la gagner.

Il aurait pu être tué en jouant à Superman. Et ç'aurait été sa faute à elle, songea-t-elle, son irritation se teintant d'une pointe de culpabilité. Elle n'aurait pas supporté d'être responsable de la mort d'Abilene.

— Vous n'aviez pas à vous jeter sur moi comme ça, insista-t-elle avec colère. J'ai une arme et je sais m'en servir.

Il la prit au dépourvu en déclarant posément :

— De rien ; c'est bien normal.

Stoppée net dans son élan, elle n'en continua pas moins à le dévisager d'un regard accusateur. Evidemment, elle se rendait bien compte que ce serait elle qui aurait été touchée s'il ne s'était pas comporté comme il l'avait fait. Et qui sait si la balle ne serait pas allée se loger dans quelque emplacement fatal. En fait, il lui avait peut-être bel et bien sauvé la vie, même si cela l'ennuyait de le reconnaître.

— Oui…, finit-elle par grommeler à contrecœur.

Crachant le mot comme s'il lui laissait un goût amer sur la langue, elle ajouta :

— Merci.

Matt rit de bon cœur, songeant à la célèbre comptine *Sugar and Spice* qui vantait la légendaire douceur des filles. Le sucre et les épices… Ce n'était pas ce qui la décrivait le mieux. Elle évoquait plutôt le piment fort et le wasabi.

— Ne craignez rien, Bonne, je ne vais pas me mettre à clamer que votre vie désormais m'appartient parce que je vous ai sauvée, ni rien de ce genre.

D'un geste prompt malgré sa blessure, il menotta le suspect, les mains derrière le dos.

— En fait, c'est juste que je ne voulais pas décevoir ma mère en lui annonçant que l'invitation était annulée pour cause de… défection de votre part, assena-t-il.

Sur ce dernier trait d'humour, dissimulant une grimace de douleur, il chargea le dealer maigrichon sur son épaule valide pour le conduire jusqu'à leur véhicule.

— Mettez-le dans la voiture, ordonna-t-elle en indiquant leur véhicule banalisé. Je vais prendre le volant.

A la seconde où il eut déposé son fardeau sur le siège arrière, Kendra démarra en trombe.

De son bras valide, Abilene s'accrocha au tableau de bord, songeant que l'invitation serait peut-être bien annulée quand même, finalement. Pour autant qu'il sache, les morts n'assistaient pas à des brunchs, le week-end…

8

— Qui vous a appris à conduire ? demanda-t-il moins de dix minutes plus tard alors qu'ils entraient dans le parking du service des urgences de l'hôpital.

Le trajet s'était déroulé à fond de train, sa partenaire dépassant allègrement les limitations de vitesse et franchissant les feux de circulation à l'orange, une nanoseconde avant qu'ils ne passent au rouge. Il était resté agrippé au tableau de bord tout du long, tandis que le paysage défilait à toute vitesse derrière les vitres du véhicule, se demandant s'ils allaient atteindre l'hôpital en un seul morceau ou si la conduite « sportive » de Kendra n'allait pas les envoyer directement à la morgue.

— Mon frère, Tom, répondit posément Kendra en immobilisant la voiture d'un coup de frein sec avant de tourner la tête pour le regarder. Pourquoi ?

Matt libéra lentement l'air qu'il avait gardé emprisonné dans ses poumons pendant les neuf minutes et demie décoiffantes qui venaient de s'écouler.

— Dites-moi, juste pour information… Est-ce que, par hasard, il n'aurait pas un problème de maîtrise de la colère ?

Kendra lui jeta un regard noir.

— Lui, non. Mais moi, oui.

Sautant à bas de la voiture, elle avait déjà contourné le véhicule par l'arrière lorsque Matt réussit à ouvrir sa portière. Elle s'avança pour l'aider tandis qu'il s'extrayait lentement de son siège. Tout le bras de sa chemise était désormais écarlate.

Ce qui n'était pas bon signe, songea Kendra, soucieuse.

— Nom d'un chien, Abilene, il vous a peut-être gravement touché.

Il se força à plaquer un sourire sur ses lèvres.

— Ah, Bonne ! Quel plaisir de constater que vous vous inquiétez pour moi…

— Ce n'est pas pour vous que je m'inquiète, riposta-t-elle. C'est simplement que j'ai horreur de devoir remplir des formulaires en trois exemplaires — sans compter que Dieu seul sait de quel partenaire j'écoperais, cette fois… étant donné qu'ils en sont apparemment à racler les fonds de tiroir !

Elle ponctua sa tirade d'un regard accusateur.

— Arrêtez ! Vous allez me faire rougir, protesta Abilene, faisant mine de dissimuler son visage.

— Très drôle, rétorqua-t-elle.

Elle s'avisa subitement qu'il paraissait livide par contraste avec le rouge qui maculait sa chemise.

— Seigneur, Abilene, vous êtes blanc comme un linge. On dirait que vous n'avez plus une goutte de sang dans le corps.

— Mon corps va très bien, assura-t-il avec un pâle sourire. Vous voulez vérifier ?

— Je passe mon tour, je vous remercie, répliqua-t-elle, espérant que sa repartie masquerait son anxiété. Ne bougez pas, je vais chercher de l'aide et une civière pour notre ami le dealer de quartier.

— Entendu. Vous savez où nous trouver, lança-t-il tandis qu'elle s'éloignait rapidement.

Se cramponnant toujours à la portière, il se laissa retomber sur le siège passager.

Kendra fut de retour en un rien de temps, flanquée

d'un aide-soignant et d'une infirmière qui poussaient un brancard.

— Vous avez vu, je suis resté sagement ici, à vous attendre, déclara-t-il, s'efforçant de paraître désinvolte.

Comme elle approchait, il s'extirpa de nouveau du véhicule, avec plus de difficulté cette fois.

— Pour une fois que vous écoutez ce qu'on vous dit…, riposta-t-elle, faisant de son mieux pour ne pas laisser transparaître son inquiétude.

S'écartant pour laisser le champ libre à l'aide-soignant, elle s'avança vers la portière passager contre laquelle il était calé.

— Si seulement vous… Abilene ? dit-elle en voyant son massif partenaire chanceler.

Lorsqu'il tourna la tête pour la regarder, ses genoux se dérobèrent.

Comprenant qu'il était au bord de l'évanouissement, Kendra réagit instinctivement. Elle glissa l'épaule sous son bras, se transformant en béquille humaine, puis, plaçant le bras d'Abilene autour de son cou, elle s'efforça de le maintenir debout, son bras libre enserrant fermement sa taille pour l'empêcher de s'écrouler sur le sol.

— Par ici ! Aidez-moi, s'il vous plaît, lança-t-elle à l'aide-soignant, occupé à transférer l'autre blessé sur le brancard.

— Mais non, quel dommage… Vous vous débrouilliez si bien toute seule, nota Abilene d'un ton un peu vaseux, mais avec, malgré tout, dans la voix, un soupçon d'amusement.

Elle lui jeta un coup d'œil soupçonneux, se demandant s'il le faisait exprès, mais quelque chose lui souffla que ce n'était pas le cas. C'était simplement la réaction à l'importante perte de sang qu'il avait subie.

— Infirmière ! commanda-t-elle d'un ton pressant comme cette dernière aidait à guider le brancard entre les portes à ouverture automatique des urgences. Il me faut une autre civière pour mon partenaire… Vite !

— J'adore vous entendre user de votre influence, marmonna Abilene, les mots se télescopant sur ses lèvres.

— Taisez-vous, Abilene.

— J'en rapporte une tout de suite, répondit l'infirmière par-dessus son épaule avant de disparaître à l'intérieur du bâtiment.

— Je n'ai pas besoin de civière, protesta Matt. Vous arrivez très bien à me soutenir toute seule, Bonne.

Mais son élocution était de plus en plus indistincte.

Elle coula un regard en biais dans sa direction.

— Je vous lâche si vous continuez.

Ne se rendait-il donc pas compte que la situation n'était pas à prendre à la légère ?

Juste à ce moment-là, Abilene baissa les yeux vers elle. Une étrange chaleur naquit en elle, se transformant en une sorte de trépidation interne qui la submergea tout entière. Elle n'aurait su décrire mieux ce qu'elle ressentait — ou peut-être l'aurait-elle pu, mais elle jugea plus prudent de s'en abstenir.

— Vous ne feriez pas ça, reprit-il.

Kendra ne répondit pas, non pas qu'elle jugeât qu'il lui mettait inutilement la pression par sa remarque, mais parce qu'elle était aux prises avec tout ce que sa déclaration impliquait. Car elle sous-entendait ni plus ni moins que leur partenariat, loin d'être la rassurante collaboration provisoire à laquelle elle avait voulu croire, s'ancrait bel et bien dans le quotidien et le permanent, ce qui, au vu de son bilan personnel en la matière, la tétanisait littéralement de peur.

Elle préférait envisager les choses au jour le jour, sans rien prévoir, sans se projeter dans l'avenir. C'était plus sûr.

— Vous feriez mieux d'économiser vos forces jusqu'à

ce qu'ils reviennent avec la civière, l'admonesta-t-elle d'un ton réprobateur.

— Oui, m'dame, murmura-t-il.

Elle le sentit s'affaisser contre elle, comme s'il était subitement plus lourd. Combien de temps encore allait-elle réussir à le maintenir à la verticale ?

— Hé, Abilene ! Cessez de jouer la comédie, ordonna-t-elle, faisant de son mieux pour paraître excédée.

Elle se rendait bien compte qu'il ne jouait pas, qu'il luttait pour tenir debout. Mais le sermonner avait plus de chances d'inciter Abilene à se reprendre que de simples paroles d'encouragement. Il ne pouvait pas s'empêcher de relever les défis, songea-t-elle. C'était plus fort que lui.

L'infirmière, suivie de deux aides-soignants et d'un médecin urgentiste, revint juste à temps. Au moment où l'équipe médicale arrivait, elle sentit Abilene s'amollir complètement contre elle. Une seconde de plus et elle aurait ployé sous le poids mort qui pesait sur elle.

— Nous prenons le relais, maintenant, lui dit le médecin tandis que, aidé des aides-soignants, il installait Abilene sur la civière.

— Nous nous en sortions si bien, protesta Abilene, l'air faussement navré.

— La ferme, Abilene, ordonna-t-elle une nouvelle fois.

Elle l'entendit prendre son souffle pour pouvoir lui répondre :

— Oui, m'dame.

S'arrêtant devant une salle d'examen, le médecin se tourna vers Kendra tandis que l'aide-soignant et l'infirmière poussaient la civière supportant son partenaire blessé à l'intérieur.

— Avez-vous un numéro où nous puissions vous joindre ? demanda-t-il.

— Il vous suffira de passer la tête par l'entrebâillement de la porte et de m'appeler. Je reste ici.

— Mais, vous savez, son pronostic vital n'est pas engagé, l'assura le médecin, s'imaginant sans doute qu'elle craignait pour la vie de son équipier.

— Ne perdez pas votre temps à essayer de discuter, conseilla Abilene à l'urgentiste juste avant que la porte battante ne se referme. Vous n'aurez jamais gain de cause.

— Quel nul, grommela-t-elle dans sa barbe, debout devant la salle d'examen, furieuse de se retrouver seule, à l'extérieur, à se morfondre en faisant les cent pas et à se faire du souci — presque à son corps défendant — en attendant que quelqu'un vienne lui donner des nouvelles.

Comme elle ne voulait pas s'appesantir sur ce qui se passait derrière la porte fermée, Kendra en profita pour passer quelques appels téléphoniques. Elle joignit son lieutenant pour l'informer des derniers développements de l'enquête, terminant par l'interpellation rocambolesque du revendeur de drogue, son transport à l'hôpital, et le fait qu'Abilene était en train d'être soigné, lui aussi, pour une blessure par balle.

— Est-ce que le dealer pourrait être le meurtrier ? questionna le lieutenant.

— Il prétend qu'il était à San Francisco à ce moment-là et qu'il a retiré de l'argent dans un distributeur de billets automatique, approximativement à l'heure du crime. Il faudra que je visionne la vidéo de la caméra de surveillance du guichet pour vérifier son alibi.

— Je transmets l'information à Wong. Il peut s'en charger pour vous. Rappelez-moi pour me donner des nouvelles d'Abilene, ajouta le lieutenant Holmes juste avant de couper la communication.

— Je vais certainement le retrouver en train de flirter avec une infirmière une fois qu'ils l'auront recousu, prophétisa-t-elle.

Mais elle parlait dans le vide. Avec un soupir, elle referma son appareil et le replaça dans sa poche.

Elle se remit à attendre.

En rongeant son frein.

Mais, contrairement à ses prédictions, elle ne retrouva pas Abilene en train de draguer l'infirmière de service, bien qu'elle soit plutôt mignonne. Kendra ne put s'empêcher de se demander s'ils n'avaient pas fait d'une pierre deux coups et profité de ce qu'il était là pour raccommoder du même coup sa libido.

L'acte chirurgical terminé, l'urgentiste était venu lui faire un bref compte rendu de l'état d'Abilene. La blessure s'était révélée n'être qu'une plaie superficielle. La raison pour laquelle il avait perdu tant de sang était qu'il avait pris une dose trop importante d'aspirine pour calmer la douleur que lui causait une ancienne blessure au genou. Les propriétés anticoagulantes de l'aspirine avaient fluidifié son sang, expliqua le médecin, et provoqué le saignement hémorragique et l'affaiblissement général qui en avait résulté.

— D'après le médecin, il y a plus de peur que de mal, observa-t-elle sèchement en entrant dans la petite salle de repos où ils avaient conduit son partenaire après sa légère intervention.

Assis dos à la porte, Abilene se retourna à demi pour la regarder.

— Vous ne voulez pas m'aider une seconde, s'il vous plaît ? quémanda-t-il. J'ai un peu mal au bras du fait qu'ils s'en sont servi comme d'un coussinet à épingles.

— Vous ne devriez pas avoir un peu mal au bras, vous devriez avoir le bras en écharpe, souligna-t-elle en l'aidant à enfiler partiellement sa chemise.

Le regard qu'il lui jeta suffit à l'informer de ce qu'il pensait de sa suggestion.

— La balle n'a fait que m'effleurer, argua-t-il comme s'il s'agissait d'un incident banal.

— Dites cela à l'impressionnante quantité de sang que vous avez perdue.

L'exaspération la submergea tout à coup.

— Mais quelle idée, aussi, d'ingurgiter des comprimés d'aspirine comme s'il s'agissait de bonbons !

Il la regarda et sourit.

— C'est pour ça que vous m'êtes si précieuse. Vous êtes ma bonne conscience… Mon Jimmy Cricket.

— Jiminy, corrigea-t-elle machinalement. Vous voulez dire Jiminy Cricket.

Il n'avait jamais été très au fait de tous ces personnages de dessins animés pour enfants. Hormis le fait que Blanche-Neige connaissait sept nains, l'étendue de ses connaissances en la matière était très limitée.

— Si vous voulez, éluda-t-il.

Se penchant en avant, il sentit la main de Kendra qui l'aidait à passer l'autre manche de sa chemise. *Houston, parés pour le décollage*, pensa-t-il.

— J'aurais pu me contenter de prendre un pansement dans mon armoire à pharmacie, de l'appliquer sur la plaie… et le tour aurait été joué.

— Oh ? Le médecin a tout de même dû vous perfuser un demi-litre de plasma. Cela aussi, vous en avez dans votre armoire à pharmacie ? interrogea-t-elle en faisant signe à une infirmière.

Il se trouva que celle-ci apportait justement la décharge à signer pour la sortie d'Abilene.

Il s'acquitta de la tâche en un tournemain. Il était pressé de s'en aller… Le plasma avait dû stimuler son énergie parce qu'il se sentait de nouveau lui-même. Un lui-même qui n'était décidément pas indifférent à cette partenaire au tempérament volcanique qui lui en faisait voir de toutes les couleurs. Oui, en dépit de ses piques incessantes, cette femme attisait son intérêt. Plus que cela, elle l'excitait.

— Il faut toujours que vous ayez le dernier mot, n'est-ce pas, Bonne ? demanda-t-il d'une voix douce tandis qu'ils quittaient les urgences.

Elle lui demanda d'attendre devant l'entrée pendant qu'elle allait chercher la voiture, dans le parking.

— Quand j'ai raison — ce qui est généralement le cas —, alors, oui, j'aime bien avoir le dernier mot, répondit-elle, reprenant comme si de rien n'était le fil de leur conversation lorsqu'elle revint.

Matt déclina délibérément l'aide qu'elle lui offrait — question d'orgueil mâle — et s'assit sur le siège passager en prenant soin d'éviter de se cogner.

— C'est un grand honneur pour moi d'être conduit par une sainte, souligna-t-il d'un ton uni.

Contournant la voiture, Kendra prit place sur le siège conducteur et boucla sa ceinture. Le moteur se mit à ronronner.

— Ai-je jamais dit que j'en étais une ? Ou que je me considérais comme telle ?

Leurs yeux se croisèrent pendant une longue, une très longue seconde chargée d'électricité, et il murmura :

— Doux Jésus ! J'espère bien que non.

Parce que les saintes ne s'adonnaient pas au genre d'activité que le simple fait d'être auprès de cette femme lui mettait en tête.

Kendra soupira, regrettant de ne pouvoir, avec la même facilité, apaiser les battements de son cœur. Elle se demanda pourquoi elle avait tout à coup l'impression d'être dans une étuve alors que strictement rien n'avait changé autour d'elle.

Dis quelque chose, idiote, avant qu'il pense que tu as perdu ta langue.

— Voulez-vous que je vous ramène chez vous ?

Un sourire se déploya sur ses lèvres, lent, terriblement sexy.

— Est-ce que, par hasard, ce serait une proposition, Bonne ?

Elle ne prit même pas la peine de lui rappeler qu'il devait cesser de l'appeler comme ça. C'était apparemment peine perdue.

— Non, répliqua-t-elle d'un ton aussi neutre que possible. Ce serait plutôt lié à votre soi-disant blessure superficielle. Je me disais qu'après avoir perdu autant de sang vous deviez avoir envie de vous reposer plutôt que de retourner au poste pour vous atteler à la paperasse.

De fait, la « paperasse » n'était certes pas la perspective la plus réjouissante qui soit, mais, pour le reste, il n'y voyait pas d'inconvénient. Bien au contraire. Cette enquête devenait presque une affaire personnelle pour lui, désormais. Peut-être parce que c'était la première qu'il traitait au sein de la brigade des homicides, mais il était plus déterminé que jamais à la résoudre et à la classer. Et ce n'était pas en se reposant chez lui qu'il atteindrait cet objectif. Il devait faire ses preuves, montrer à son ombrageuse partenaire qu'il pouvait apporter autre chose à l'équipe qu'ils formaient qu'un corps robuste capable de se muer en bouclier humain.

— Non. Je me sens suffisamment d'attaque pour retourner au poste, répondit-il solennellement, les yeux braqués sur ceux de Kendra. Et prêt à me remettre immédiatement au travail avec vous, ajouta-t-il.

Pourquoi avait-elle l'impression qu'il venait de lui faire une proposition ? se demanda Kendra. Et pourquoi, au nom du ciel, éprouvait-elle l'envie irrésistible de le prendre au mot ? Qu'est-ce qui n'allait pas chez elle ? Etait-ce simplement qu'elle n'avait pas eu de relations sexuelles depuis plus de dix-huit mois ? La dernière fois que cela lui était arrivé, c'était juste avant l'accident de Jason. Après son suicide, son cœur s'était comme cadenassé, mis en quelque sorte volontairement à l'isolement et elle avait pris ses distances avec tout le monde, sa famille exceptée.

Aujourd'hui encore, elle continuait à ne pas mélanger travail et vie privée, sauf pour un occasionnel verre partagé avec certains de ses collègues.

Alors pourquoi ce changement soudain ?

Peut-être bien parce que ton ancien partenaire ressemblait à un vieux nain de jardin alors que celui-ci pourrait faire remonter la température corporelle d'une morte !

Coupant court à ces divagations, elle inséra résolument la clé dans le contact.

— O.K. Wong est en train de vérifier l'alibi de John Smith concernant sa présence à ce distributeur automatique de billets, à San Francisco, au moment du crime. Retournons au bureau ; vous pourrez mettre vos notes à jour.

— Mes notes ? répéta-t-il.

Avait-il pris des notes ? Et où était son calepin ? Matt se sentait l'esprit encore un peu dans le brouillard. La seule chose qui lui apparaissait de manière absolument claire était son attirance pour Kendra. Depuis l'instant où il s'était retrouvé allongé sur elle après l'avoir projetée au sol, l'impalpable pulsation qui s'était emparée de lui ne l'avait plus quitté.

Elle n'avait même fait que croître.

— Eh bien, oui, vos notes. Vous êtes bien droitier, n'est-ce pas ? observa Kendra en jetant un coup d'œil à sa main valide, reposant sur ses genoux.

— Oui, mais j'ai l'impression que mon bras droit souffre aussi, déclara-t-il sans rire. Par solidarité avec le gauche, sans doute.

Pour apporter la preuve de ce qu'il avançait, il leva la main et fit mine d'avoir les plus grandes difficultés à replier ses doigts.

— Vous voyez ?

— Oh ! oui, très bien ! Je vois que vous êtes un sacré comédien. Ecoutez, de deux choses l'une, soit vous retournez au bureau parce que vous vous sentez en état de travailler, soit vous rentrez chez vous. Vous ne pouvez pas arriver au commissariat et rester là à ne rien faire, en vous lamentant sur votre sort pour vous attirer la compassion des autres.

Parce que sa réaction l'amusait, il continua à la faire marcher pendant encore quelques minutes.

— On ne m'avait pas dit que vous étiez sans cœur à ce point-là.

Elle doutait fort que quelqu'un eût émis un quelconque avis la concernant.

— C'est sûrement que vous n'avez pas posé les bonnes questions, contra-t-elle avec désinvolture.

— Il faut croire, concéda-t-il.

Sa voix s'était raffermie et avait retrouvé son volume normal, en même temps que la touche d'humour dont elle se teintait si souvent.

— Sérieusement…, reprit-elle, son expression reflétant ce qu'elle éprouvait du fait qu'il avait failli se faire tuer pour la protéger. Je ne veux plus que vous vous comportiez comme vous l'avez fait derrière cette animalerie, d'accord ?

— D'accord, répondit-il. La prochaine fois que quelqu'un pointera une arme sur vous, je me garderai bien d'intervenir et je laisserai les choses suivre leur cours.

Il tourna la tête et la dévisagea.

— Contente ?

Pour être « contente », il aurait fallu qu'on lui assigne un autre partenaire. Un équipier qui ne prendrait pas plaisir à la pousser dans ses retranchements et à la provoquer continuellement.

— Vous voyez ce que je veux dire, assena-t-elle.

— Malheureusement, la plupart du temps, non, confessa-t-il dans un soupir.

Remuant sur son siège, il regarda droit devant lui. Son bras commençait à l'élancer. L'effet de l'anesthésique local qui lui avait été administré était en train de se dissiper, et la douleur, lancinante, refaisait surface. Il se sentait épuisé.

— Ça a été une dure journée, Bonne, et elle est loin d'être terminée. Je vais vous laisser conduire et fermer les yeux cinq minutes, le temps que nous arrivions au poste.

Il lui adressa un regard oblique pour voir si elle avait des objections.

— Si ça ne vous ennuie pas ? ajouta-t-il.

Au lieu de répondre, elle pointa du doigt ce qu'il avait négligé de faire.

— Vous avez oublié d'attacher votre ceinture.

— C'est que… ce n'est pas très pratique de l'attraper, avec mon bras.

— Vous êtes inspecteur de police. Vous êtes censé montrer le bon exemple.

— A qui ? Il n'y a que vous dans la voiture, et vous n'en faites toujours qu'à votre tête.

Soupirant, elle se pencha au-dessus de lui, saisit la ceinture de sécurité, la déroula en travers de son torse et inséra la languette métallique dans la fixation. Elle eut beau faire attention, elle ne put éviter de frôler son torse. Oh ! ce n'était rien en comparaison de ce qui s'était passé plus tôt, lorsqu'ils avaient roulé, corps contre corps, dans la poussière, mais la manœuvre ne passa pas pour autant inaperçue — ni pour l'un ni pour l'autre.

— Merci, murmura-t-il lorsqu'elle eut terminé.

— De rien, répondit-elle du ton le plus naturel qu'elle le put, même si elle sentait le rouge lui monter aux joues.

Se redressant rapidement, elle passa une vitesse et démarra.

En faisant semblant de ne pas entendre son petit rire étouffé.

9

Matt crut d'abord qu'il se faisait des idées. Mais le court trajet de chez Sabrina Abilene jusqu'à chez lui suffit à le convaincre que quelque chose n'allait pas, chez sa mère. Il fallait absolument qu'il découvre ce que c'était avant l'arrivée de sa partenaire.

— Tout va bien, maman ? demanda-t-il en la regardant.

Au fil des années, il en était venu à deviner l'état d'esprit de sa mère. Il lui arrivait même parfois d'en apprendre plus en l'observant qu'en parlant avec elle.

Sabrina haussa vaguement les épaules, s'efforçant de donner le change pendant quelques instants. N'y parvenant pas, elle finit par demander :

— Tu es sûr que ma présence ne risque pas d'être embarrassante pour toi ?

Depuis quand sa mère était-elle aussi peu sûre d'elle ? En la quittant, ce type avait vraiment réussi à la déstabiliser, songea Matt. Finalement, ce fumier avait peut-être bien fait de se volatiliser dans la nature parce que, s'il avait su où le trouver en ce moment, il n'était pas certain qu'il aurait réussi à garder son sang-froid.

— Pourquoi ? s'enquit-il, feignant de prendre sa remarque à la légère. Qu'as-tu l'intention de faire ?

Sabrina baissa les yeux, regardant les ongles vernis de rouge sur sa main repliée, l'air inhabituellement perturbé.

— Rien, se récria-t-elle vivement. Mais… ce sont les

gens avec qui tu travailles, c'est bien ça ? Des gens dont l'opinion ne t'est pas indifférente…

— Oui. Et alors ? Ce sont des gens sympathiques, terre à terre. Pas du genre snob nés avec une petite cuillère en argent dans la bouche, prompts à critiquer tout ce qui bouge.

Il marqua une pause, ignorant la sonnette de la porte de l'entrée qui venait de tinter.

— Tu es une battante, maman, ajouta-t-il en prenant sa main et en la pressant brièvement dans la sienne. Jamais ta présence ne pourrait me mettre mal à l'aise.

Mais Sabrina ne voyait manifestement pas les choses sous le même angle.

— Souviens-toi de ce jour où tu es rentré plus tôt de l'école parce que ton professeur était absent et que tu m'as surprise avec…

Il n'allait pas se laisser entraîner sur ce terrain-là. Il lui avait fallu un certain temps, à l'époque, pour évacuer de son esprit le spectacle traumatisant de sa mère au lit avec son « petit ami » d'alors.

— O.K., O.K., accorda-t-il. Cette fois-là, peut-être. Mais c'était la situation qui était embarrassante, pas toi… Pas la personne que tu es.

Il déposa un baiser sur son front.

— Tu es prête ?

Sabrina prit une profonde inspiration et lissa du plat de la main le bas de sa robe d'été jaune et blanche, même si elle tombait parfaitement, exempte du moindre pli.

Elle déglutit, hocha la tête.

— Prête.

Une main sur son épaule, Matt la guida doucement vers la porte, qu'il ouvrit. Kendra était là, les cheveux tirés en deux adorables petites couettes. Elle portait une blouse paysanne blanche qui s'arrêtait juste au-dessus de la ceinture d'un short en jean délavé, effrangé.

Matt ne s'attendait pas à ça. Il marqua un temps d'arrêt en voyant l'étendue de peau crémeuse, appétissante.

— Vous avez l'air d'une adolescente, Bonne, lui dit-il. D'une préadolescente.

Elle pencha la tête sur le côté.

— Je me demande si je dois prendre ça pour un compliment.

Puis, se détournant de son partenaire, elle tendit la main à la petite femme aux cheveux blond vénitien qui se tenait à côté de lui.

— Bonjour, je suis Kendra, la partenaire d'Abil…, de Matt, annonça-t-elle avec un chaleureux sourire.

— Et moi, Sabrina Abilene, répondit la femme en lui adressant un sourire identique à celui d'Abilene.

Le coin de leur bouche se soulevait exactement de la même façon, nota Kendra.

— Pardonnez-moi, mais… est-ce que mon fils ne vient pas de vous appeler « Bonne », à l'instant ?

— Si, répondit Kendra, se rendant tout à coup compte que cette dénomination pouvait être mal perçue par une oreille maternelle. C'est une longue histoire…

Sabrina lui décocha un lumineux sourire.

— Oh ? Je serais ravie de l'entendre, à l'occasion.

Bien renvoyé, songea Kendra.

— Si nous trouvons un moment, pendant le barbecue, répliqua-t-elle avant de consulter sa montre. Mais, pour l'instant, je crois que nous ferions mieux de nous dépêcher.

Abilene attendit que sa mère ait franchi le seuil, puis il sortit à sa suite et se retourna pour verrouiller la porte.

— Vous ne m'aviez pas dit qu'on passait à la pointeuse, souligna-t-il.

— Ce n'est pas ça, répondit Kendra. Mais, si nous voulons trouver une place de stationnement pas trop éloignée de la maison, mieux vaut ne pas arriver trop tard. On ne sait jamais le nombre de personnes qui vont être présentes… Si tout le monde se décide à venir ce samedi, les retardataires devront peut-être bien faire cinq cents mètres à pied pour arriver jusqu'à la maison.

Sabrina la contempla, attendant la chute de l'histoire.

— Vous plaisantez, n'est-ce pas ? questionna-t-elle en montant sur le siège passager de la voiture de Kendra.

Kendra jeta un coup d'œil à son équipier.

— Vous n'avez pas dit à votre maman à quel point la famille était étendue ?

Sans attendre sa réponse, elle continua :

— Et c'est sans compter les amis qui ont peut-être également été invités.

Elle reporta son attention sur la mère d'Abilene tout en manœuvrant pour quitter sa place.

— Je sais que le mot tend à être galvaudé, mais les réceptions de l'ancien chef de la police sont réellement légendaires. La nourriture est délicieuse, et les hôtes…

Elle adressa un sourire à la femme qui était assise à son côté.

— Au contact de gens comme eux, on se dit que la vie vaut vraiment la peine d'être vécue, je ne peux pas mieux dire.

— C'est ce que vous ressentez ? interrogea Abilene depuis la banquette arrière.

Elle jeta un coup d'œil dans le rétroviseur, sûre de voir un petit sourire ironique flotter sur ses lèvres. Mais non. Il avait l'air sérieux. Comme s'il attendait véritablement une réponse sincère à la question qu'il venait de poser.

— Parfois, proféra-t-elle sans trop s'avancer, s'adressant toujours à sa mère.

Etrangement, lui avouer cela, directement à lui, paraissait trop… personnel.

— Quoi qu'il en soit, je pense que vous allez vraiment passer un bon moment, madame Abilene.

— Je vous en prie, appelez-moi Sabrina, répondit la femme avec chaleur.

Kendra n'aimait guère appeler la mère de quelqu'un — a fortiori, celle de son partenaire — par son prénom, mais cette femme paraissait singulièrement jeune. Elle avait dû avoir son fils vraiment très tôt.

— Si vous insistez, entendu, dit-elle.

— J'insiste, souligna Sabrina avec un aimable sourire.

— Votre mère est absolument charmante, lança Kendra par-dessus son épaule à l'adresse de Matt. C'est à se demander comment vous pouvez être son fils.

— Le gène « charmant » a fait volte-face quand il a vu à qui il allait être transmis, riposta du tac au tac Abilene.

— Oh ! mais ce n'est pas vrai ! protesta Sabrina. Il n'y a pas de meilleur fils que lui.

— Tout s'explique, murmura-t-elle entre ses dents avant d'adresser un sourire angélique à la passagère assise à sa droite. J'en suis persuadée, Sabrina.

— Entrez, entrez ! lança joyeusement Andrew Cavanaugh en leur ouvrant la porte.

En maître des lieux soucieux des règles de bienséance, l'ancien chef de la police serra d'abord la main de Sabrina, puis celle de son fils.

— Content de vous revoir, déclara-t-il à ce dernier.

Se tournant vers Kendra, Andrew lui donna l'accolade. Le premier mouvement de celle-ci fut de se raidir, mais elle se força à se décontracter, sans toutefois y parvenir tout à fait.

— Voilà qui est mieux, nota Andrew en riant.

Il la relâcha.

— Vous vous habituerez, vous verrez, Kendra. Ces embrassades familiales, c'est contagieux, vous savez !

Une fois qu'on y a pris goût, on ne peut plus s'en passer, ajouta-t-il, le regard pétillant de malice.

Même à l'époque où il était à la tête de la police d'Aurora, Andrew Cavanaugh, tout en étant un fonctionnaire dévoué, au service de ses concitoyens, avait toujours fait passer la famille en premier. Rien, disait-il, n'était plus important. Et il croyait fermement à l'adage selon lequel « plus on est de fous, plus on rit ». La légère réticence que montrait Kendra à se laisser assimiler par le clan familial ne le surprenait pas.

Il la connaissait bien. Il avait fallu du temps et de la patience pour apprivoiser certains des enfants de son défunt frère. Ce n'était que deux ans plus tôt qu'il avait eu vent de l'existence des triplés — Ethan, Kyle et Greer. Eux-mêmes s'étaient cru les enfants d'un héros de guerre, et non pas la descendance illégitime d'un policier tué dans l'exercice de ses fonctions. Et puis il y avait eu Zack, Taylor, Riley et Frank — les quatre beaux-enfants de Brian, son frère cadet, que celui-ci avait introduits dans le cercle familial en épousant Lil McIntyre, son ex-équipière.

Mais tout cela n'était rien en comparaison des huit nouveaux membres qu'ils avaient découvert lorsque l'échange de bébés qui s'était produit à la maternité voilà bien longtemps avait été révélé.

Ils en étaient tous encore à s'accoutumer aux bouleversements émotionnels qu'avait engendrés cette nouvelle donne. Mais, dans l'ensemble, les choses se passaient sans heurt. Sean Cavanaugh était d'ores et déjà considéré comme le frère dont le destin les avait séparés. Même leur père, Seamus, avait quitté son idyllique retraite en Floride, la décrétant subitement « ennuyeuse », pour revenir à Aurora afin d'y rencontrer ce fils qu'il n'avait pas connu. Les « retrouvailles » s'étaient tellement bien passées que l'ex-bouillant policier qui les avait enfantés avait décidé de ne plus repartir.

Leur nombre s'accroissait de façon exponentielle, et Andrew, quant à lui, ne trouvait là que matière à s'en féliciter.

— Pourquoi ne pas aller vous servir au buffet et présenter Sabrina ? suggéra Andrew à sa nièce.

Kendra jeta un coup d'œil à la ronde. Elle en était encore à essayer de se souvenir du nom de chacun.

— Ce serait volontiers, mais je crains de ne pas avoir apporté mon petit annuaire familial…

Andrew se mit à rire.

— Vous savez, il n'y a pas de honte à demander. Il m'arrive encore à moi aussi d'avoir un trou de mémoire, quelquefois, confia-t-il avec un clin d'œil.

— Ce doit être à cause de ton grand âge, intervint Seamus en s'avançant derrière son fils et en lui assenant une tape sur l'épaule.

Surpris, Andrew se retourna à demi en riant.

— Attention, papa, sinon je cache ton dentier, rétorqua-t-il.

Seamus balaya la menace d'un haussement d'épaules.

— Il aurait du mal ! Ce sont mes vraies dents, assura-t-il à l'adresse de Kendra, de son partenaire et, plus particulièrement, de Sabrina, tirant sur deux d'entre elles pour montrer qu'elles étaient solidement enracinées. Ne prends pas ton cas pour une généralité.

Puis il s'inclina galamment devant Sabrina.

— J'ai une idée, reprit-il. Pourquoi ne ferais-je pas les honneurs de la maison à notre charmante invitée ? suggéra-t-il.

Se redressant, il lui offrit courtoisement le bras.

— Allons éblouir ces braves gens, voulez-vous ?

— Sacré tempérament, confia Abilene à Kendra en voyant sa mère s'éloigner au bras du patriarche des Cavanaugh.

— Ça, je ne vous le fais pas dire, renchérit Andrew.

Matt tourna la tête, confus. Il ne s'était pas rendu compte

que l'ancien chef de la police l'entendait. Ne voulant pas qu'Andrew le juge irrespectueux vis-à-vis de son père, il se confondit en excuses.

— Je suis désolé, monsieur, je ne voulais pas dire que…

Andrew coupa court à ses excuses d'un geste de la main.

— Bien sûr que si ! Et vous avez parfaitement raison : papa est vraiment un personnage… Brian et moi avons parfois du mal à le gérer, déclara-t-il en regardant son père se fondre dans la foule, sa protégée à son bras.

— On ne « gère » pas quelqu'un de sa trempe, dit Sean au frère qu'il s'était récemment découvert tout en s'insérant dans leur petit groupe, à côté de Kendra.

Il salua sa fille d'un rapide baiser sur la joue sans perdre le fil de la conversation.

— On s'écarte de son chemin pour éviter d'être emporté par l'ouragan. C'est l'attitude qui s'impose, face à une force de la nature.

Approchant du salon, Brian Cavanaugh rit en entendant le commentaire de Sean concernant leur père.

— Tu apprends vite, souligna-t-il avec approbation. Mais c'est normal : toi aussi, tu es un Cavanaugh.

Il ponctua ses paroles d'une tape fraternelle sur l'épaule de Sean.

— Eh bien ! Si, ça, ce n'est pas un péché d'orgueil ! s'exclama en riant Lila Cavanaugh en venant se placer à côté de son mari.

Elle sourit à Matt.

— Bonjour. Vous devez être le partenaire de Kendra… Matt Abilene, c'est bien ça ?

— On ne peut rien vous cacher, répondit-il affablement en lui serrant la main.

Il avait déjà eu l'occasion de venir une ou deux fois ici, invité par un collègue ou un ami des Cavanaugh. L'une d'entre elles était une fête de Noël. Mais il trouvait l'accueil de la famille plus chaleureux encore que dans son souvenir.

— Et vous-même, vous êtes…

— Littéralement affamée, interrompit-elle en jetant un regard à Andrew. Je pense que le moment est venu d'allumer le barbecue, chef.

— J'attendais juste que quelqu'un donne le signal, répondit celui-ci.

Avec un signe de tête en direction de la jolie blonde à qui il venait de parler, il précisa, à l'intention de Matt :

— C'est Lila, la femme de Brian. Elle est beaucoup trop bien pour lui, évidemment, mais elle reste fidèlement à son côté. C'était sa partenaire autrefois, vous savez. Au bon vieux temps… Déjà à l'époque, je la trouvais trop bien pour lui.

Avant que Brian n'ait pu répliquer, Andrew posa la main sur l'épaule de ses deux frères.

— Allez, vous deux, j'ai besoin d'aide.

— Je suis nul en cuisine, protesta Sean, s'éloignant malgré lui, flanqué de Brian et d'Andrew.

— Mais tu as bien des biceps, non ? observa Andrew.

— Des biceps ? répéta Kendra, perplexe, en interrogeant Lila du regard.

— Pour porter la bouteille de gaz, pour le barbecue, j'imagine, expliqua celle-ci.

— Oui, c'est ça… Andrew aime faire en sorte que tout le monde mette la main à la pâte, intervint Rose, la femme de l'ancien chef de la police, en approchant de Kendra et de Matt avec un plateau chargé de petits champignons farcis au cheddar fumé. Servez-vous, offrit-elle plaisamment en abaissant son plateau devant elle. Cela vous aidera à patienter tandis que vous essaierez de trouver votre chemin jusqu'au barbecue… Il y a toujours beaucoup de fumée quand Andrew cuisine. Je le soupçonne de le faire exprès, vous savez ! Un peu comme un magicien ménage ses effets… Mais fiez-vous à votre odorat : vous ne pourrez pas vous tromper.

— Ils sont vraiment tous très sympathiques, commenta Kendra juste avant de mordre dans son champignon farci.

Matt la contempla pendant un long moment, songeur. C'était décidément quelqu'un de compliqué. A sa place, il se serait réjoui d'appartenir à une famille aussi débordante de vitalité.

— Vous n'avez pas l'air convaincue que ce soit une bonne chose… Je me trompe ?

— C'est vrai que ça me semble un peu… oppressant, confessa-t-elle.

Elle aurait pourtant dû avoir le temps de s'y habituer, maintenant, songea Matt.

Regardant autour de lui, il repéra sa mère au centre d'un petit groupe de gens. Même à cette distance, il voyait qu'elle avait le sourire aux lèvres. Elle s'amusait. Il éprouva un vif sentiment de soulagement.

— Ma mère a l'air d'être aussi à l'aise qu'un poisson dans l'eau, nota-t-il.

Changeant brusquement de sujet, il lança de but en blanc :

— Pourquoi êtes-vous tellement sur vos gardes ?

Kendra se trouvait face à une alternative : soit elle niait purement et simplement, soit elle lui disait la vérité. Prise de court, elle opta sans trop réfléchir pour la seconde solution.

— J'ai du mal à me lier avec eux.

— Pourquoi ? Parce que vous sentez une résistance de leur part ? questionna-t-il, sachant pertinemment que ce ne pouvait pas être cela.

La famille constituait la valeur de référence chez les Cavanaugh et, pour eux, le terme s'étendait aux policiers, hommes et femmes, de la police d'Aurora.

— C'est de moi que vient la résistance, avoua-t-elle simplement.

— Pourquoi ? Vous ne me semblez pas d'un naturel particulièrement timide.

Achevant de mâcher sa bouchée, elle roula sa serviette en papier en boule dans sa main.

— Non. Mais je suis extrêmement prudente.

— Pour quelle raison ? insista-t-il de nouveau. Serait-ce que vous avez d'une façon ou d'une autre été… échaudée ?

Le choix de ce mot fit à Kendra l'effet d'un coup de poing. Elle se reprit aussitôt, mais Matt avait apparemment remarqué le bref haut-le-corps et l'éclair de douleur qui avait, l'espace d'une demi-seconde, fusé dans son regard.

— Vous voulez en parler ? continua-t-il posément.

C'était hors de question. Surtout pas avec quelqu'un qu'elle devrait côtoyer quotidiennement, jour après jour, au moins jusqu'à la conclusion de l'enquête. Après cela, peut-être l'un d'eux pourrait-il demander un transfert…

— Non.

— O.K., je respecte votre choix. En ce qui me concerne, si j'ai du mal à tisser des liens de proximité avec les gens, c'est que j'ai trop souvent vu ma mère accorder sans retenue sa confiance pour n'en être au final récompensée que par du mépris.

Kendra posa les yeux sur Matt avec l'impression de le voir pour la première fois. C'était comme s'il avait soudain pris du corps, acquis une autre dimension.

— Alors, vous vous êtes juré que ça ne vous arriverait pas.

Haussant les épaules, il détourna le regard, comme si quelque chose avait soudain attiré son attention.

— En quelque sorte.

— Et ça marche ? demanda-t-elle avec curiosité.

Tom n'avait pas été en mesure de lui apprendre grand-chose sur Abilene. Peut-être pouvait-elle profiter de cette conversation pour en découvrir davantage de la bouche même de l'intéressé ?

— La plupart du temps, plutôt pas mal.

Matt reporta son regard sur Kendra. Non, il n'y avait décidément plus le moindre doute à avoir : elle l'attirait bel et bien. Elle l'attirait vraiment. Et le fait de la voir habillée ainsi, dans cette tenue décontractée qui laissait une telle étendue de peau dénudée, lui en faisait prendre d'autant plus conscience.

— Seulement, il y a cette femme qui me rend vraiment fou… Je ne peux plus me la sortir de la tête. Ça devient obsédant… Un peu comme une piqûre de moustique qui vous démange mais qu'il ne faut pas gratter.

Pourquoi faisait-il si chaud tout à coup ? s'interrogea Kendra. Ce devait être la présence de tous ces gens se pressant autour d'eux qui la privait d'oxygène, raisonna-t-elle.

— Et… qu'arriverait-il si vous braviez l'interdiction ?

Ce n'était pas faute de s'être posé mille fois la question, songea Matt.

— Ce serait à n'en pas douter une expérience unique… Totalement inédite. Peut-être même du genre à marquer la fin de la civilisation telle que nous la connaissons.

— Alors, dans ce cas, mieux vaut peut-être vous abstenir, conclut-elle.

Parce que, aussi tentant que cela paraisse, ils n'en demeuraient pas moins partenaires. La situation pourrait facilement devenir très inconfortable s'ils cédaient à la pulsion du moment.

— Je veux dire, s'il faut ensuite sauver le monde et tout ça…, souligna-t-elle en dodelinant de la tête.

— Peut-être, concéda-t-il. Seulement, j'y ai vraiment beaucoup, beaucoup pensé ces derniers temps.

Ce fut à cet instant précis que Kendra sentit ses lèvres

s'assécher. Il lui fallut faire preuve d'une réelle volonté pour parvenir à articuler en réponse :

— Vous me tiendrez au courant…

Elle lutta contre la tentation de s'éclaircir la voix.

— N'ayez aucune crainte de ce côté-là, promit calmement Abilene de sa voix grave. Vous serez la première informée.

Puis il posa légèrement la main dans son dos pour la guider vers la salle de séjour.

Kendra eut toutes les peines du monde à retenir un frisson. Elle aurait juré que les doigts de Matt avaient effleuré la peau nue de sa taille.

Ça lui apprendrait à revêtir une tenue aussi légère, se morigéna-t-elle intérieurement. Mais l'idée lui vint alors qu'elle aurait ressenti son geste exactement de la même façon, eût-elle été revêtue d'une armure.

L'instant suivant, un autre groupe de Cavanaugh — composé, celui-ci, de jeunes de vingt à trente ans — convergea dans leur direction et les entoura, son partenaire et elle. En moins de temps qu'il n'en faut pour le dire, il les absorba tous les deux.

Comme dans les films de science-fiction, toute tentative de résistance était vouée à l'échec. Elle s'en était déjà rendu compte lors des deux dernières fêtes « informelles » auxquelles elle avait été conviée. De la même façon qu'elle avait constaté qu'elle en repartait chaque fois plus lourde d'un ou deux kilos et avec une vision différente sur, au moins, un ou deux sujets.

Le brunch d'aujourd'hui étant une réception un peu plus structurée, quelque chose lui soufflait qu'elle avait moins de chances encore de pouvoir jouer les outsiders en se tenant légèrement en retrait des réjouissances. Et, chose surprenante, elle découvrait qu'elle n'en éprouvait nulle contrariété, comme si le désir de rester en dehors était en train de l'abandonner.

10

En début de soirée, la foule des invités s'était à peine éclaircie.

Seuls quelques-uns des plus jeunes Cavanaugh, parents de nourrissons vraiment tout petits, avaient pris congé et étaient rentrés chez eux. Mais de nombreux autres parents avaient apporté des petits lits pliables ou utilisé, pour coucher leur progéniture, l'une des cinq chambres depuis longtemps libérées par les enfants d'Andrew, désormais adultes.

De cette façon, les petits-enfants ou petits-neveux et nièces pouvaient s'allonger et, éventuellement, recharger leurs batteries. C'était une maison extrêmement conviviale, avait expliqué Brian à Kendra lors de l'une de ses premières visites.

Et, ce soir, il y avait encore tant de monde à cette heure avancée de la soirée qu'il était difficile de ne pas tomber sur un membre de la famille, dans quelque partie de la maison que l'on se trouve.

Et tout ce petit monde paraissait d'excellente humeur. Il n'y avait ni discussions houleuses ni haussements de voix à propos de tel ou tel sujet sensible. Globalement, tous les membres du clan Cavanaugh semblaient bien s'entendre.

A tout prendre, songea Kendra, quitte à faire partie d'une famille plus étendue que celle au sein de laquelle elle était née, celle-ci était plutôt pas mal.

Et elle n'avait jamais vu son père aussi rayonnant.

C'était comme s'il avait trouvé le « morceau manquant » du puzzle qui le constituait. Ce morceau manquant qui l'avait tellement perturbé à certains moments... Peut-être, dans son subconscient, avait-il d'une certaine manière pressenti qu'il n'était pas à sa place, quand il grandissait au sein de la famille Cavelli ?

Non qu'il eût coupé les ponts avec la famille qui l'avait élevé lorsque la nouvelle avait été révélée. Ni son père ni les Cavelli ne se seraient comportés ainsi. Kendra, comme ses frères et sœurs, avait gardé le contact avec les tantes, les oncles et les cousins qu'ils avaient fréquentés toute leur vie.

Ainsi que le lui avait dit et répété son père, leur famille s'était tout simplement agrandie.

Mais, en le voyant ce soir, Kendra se rendait compte que c'était bel et bien ici la vraie place de son père. Ce fut ce qui provoqua le déclic en elle. A cet instant, elle prit la décision de changer de nom et de porter désormais celui de Cavanaugh.

De façon définitive.

— Qu'en pensez-vous ? Il est peut-être temps que nous y allions ? suggéra Abilene en s'approchant d'elle.

Le barbecue était terminé depuis déjà un moment, maintenant. Chacun avait mangé plus qu'à satiété, et la journée avait été longue et bien remplie. Il la contempla, attendant sa réponse.

— Alors, qu'en dites-vous ?

Tiens, il la laissait en décider seule ? s'étonna Kendra. Finalement, il n'était peut-être pas le Neandertal sans finesse qu'elle avait cru. Et puis, il s'inquiétait sincèrement pour sa mère... Mais, cela, elle l'avait déjà constaté auparavant.

— Oui, vous avez peut-être raison, acquiesça-t-elle.

Puis, balayant les alentours du regard, elle demanda :

— Où est votre mère ?

— Je ne sais pas, répondit-il, regardant autour de lui.

Je ne l'ai pas vue depuis que nous nous sommes assis pour manger.

— Quand cela ? La dernière fois ? questionna Kendra.

La nourriture n'avait cessé d'affluer dans leurs assiettes, par vagues successives. Si elle persistait à assister à ces petits rassemblements impromptus, elle allait devoir soit changer de taille de vêtement, soit s'abstenir totalement de manger.

Matt cherchait toujours sa mère du regard. La nuance particulière de sa couleur de cheveux était normalement facile à repérer, mais, jusque-là, elle demeurait introuvable.

— Non, la première, répondit-il.

— Oh ! ne vous en faites pas. Elle est forcément quelque part. Elle ne risque pas d'avoir été kidnappée dans une maison remplie de policiers, lui assura-t-elle.

Il leur fallut néanmoins un certain temps, à jouer des coudes de groupe en groupe tout en s'efforçant de ne pas se laisser happer par les conversations, avant de localiser Sabrina. Elle était dans la cour, derrière la maison, à quelque distance du patio, assise sur la balancelle qui oscillait doucement.

Matt vit immédiatement qu'elle n'était pas seule.

— On dirait que mon père accapare l'attention de votre mère, observa Kendra tandis qu'ils s'avançaient vers le couple.

— Elle n'a pas l'air de s'en plaindre, nota Matt.

Sean et Sabrina ne les virent même pas approcher. En dépit du brouhaha qui leur parvenait depuis l'intérieur de la maison et les autres parties du jardin, tous deux semblaient complètement perdus dans leur monde.

De là où ils se trouvaient, songea Kendra, la mère d'Abilene donnait l'impression d'être suspendue aux lèvres de son père. Et lui, de son côté, paraissait faire son possible pour captiver son intérêt.

Fallait-il voir là le début de quelque chose ? se

demanda-t-elle. Ou était-ce juste un épisode agréable de la soirée, pour eux deux ? Aux yeux de Kendra, c'était clair. Son père lui avait plus souvent qu'à son tour fait remarquer qu'elle « devait se remettre à sortir et envisager de refaire sa vie », mais il se refermait comme une huître ou détournait délibérément la conversation sitôt qu'elle retournait l'argument contre lui et soulignait qu'il n'en avait lui-même rien fait après la mort de sa mère. Il haussait les épaules et éludait la question, disant que ce qu'il avait connu lui suffisait.

Peut-être cela avait-il changé, se dit-elle en regardant Sabrina renverser tout à coup la tête en arrière et éclater de rire à une remarque qu'avait faite son père.

— A votre avis, est-ce qu'ils ont besoin de chaperons ? s'enquit Matt.

Pas absolument certaine qu'il s'agisse d'une plaisanterie, Kendra sourit.

— Ce qui a l'air d'être en train de se passer est peut-être une très bonne chose, musa-t-elle, sentant l'enthousiasme la gagner. Mon père ne risque pas de s'enfuir après avoir dépouillé votre mère de son argent ou de ses biens et, de son côté, elle pourrait contribuer à lui rappeler qu'il n'est pas seulement un policier et un père.

Comme Abilene posait sur elle un regard inquisiteur, elle développa :

— Après la mort de ma mère, c'est comme si une part de lui avait définitivement disparu avec elle.

Elle le contempla avec un sourire satisfait.

— Mais, de toute évidence, elle était seulement bien cachée, conclut-elle. Je suis contente de voir cette part de lui se réveiller.

Entendre son père siffloter gaiement lui manquait. Il sifflait toujours autrefois… du temps où sa mère était encore en vie. A sa mort, le sifflement s'était tu, comme si plus rien ne pouvait justifier la production de ce son joyeux, insouciant. Et l'étincelle s'était du même coup éteinte dans ses yeux.

— Navré de vous interrompre, maman, déclara Matt comme ils arrivaient près d'eux. Mais il se fait tard et Bonne, ici présente, voudrait s'en aller.

Sean leva les yeux vers sa fille.

— Bonne ? répéta-t-il, plus amusé que perplexe.

Horrifiée, songeant immédiatement à la façon dont son père pouvait interpréter ce surnom, car ce n'était pas le genre de plaisanterie — à supposer que c'en soit une ! — qu'une fille partageait avec ses parents, elle s'empressa de préciser :

— Ce n'est pas du tout ce que tu imagines…

— Mais je n'imagine rien, l'interrompit Sean avant qu'elle n'ait pu terminer, élevant les mains devant lui comme pour endiguer le flot de justifications qu'il sentait venir. Et, ne vous en faites pas, Matt, je peux parfaitement raccompagner votre mère chez elle…

Il décocha un sourire à l'adresse de sa compagne de balancelle, qui semblait voler sur un petit nuage.

— Je suis sûr que ce sera sur mon chemin.

— A vrai dire, pas exactement…, commença Kendra avant de s'interrompre brutalement.

Elle ne voulait pas jouer les rabat-joie et mettre des bâtons dans les roues de son père.

— Sauf si tu prends l'itinéraire panoramique, bien sûr, se hâta-t-elle de rectifier pour rattraper sa bévue.

Se tournant vers son nouveau partenaire, elle déclara :

— O.K., Abilene, je crois que nous serons tout seuls dans la voiture… Comme d'habitude, ajouta-t-elle en poussant un soupir exagérément las.

Apparemment, c'était plus fort que lui… Les yeux d'Abilene glissèrent sur elle, de haut en bas, et elle eut l'impression qu'il caressait sa peau nue de ce simple regard. Un contact imaginaire, mais qui fit grimper en flèche sa température.

— Pas tout à fait comme d'habitude, commenta-t-il. Je n'ai pas souvenir de vous avoir vue arriver au travail habillée — ou, plutôt, déshabillée — de cette façon.

Sa voix résonnait d'une note nettement approbatrice.

— C'était un barbecue, rappela-t-elle. Pas une grande soirée de fin d'année.

— Votre tenue ne risquait pas de passer pour une robe de bal, ça, c'est sûr, confirma-t-il.

Se tournant vers sa mère, il sourit largement.

— Tu vois, je t'avais dit que tu t'amuserais. La prochaine fois, tu sauras que tu peux me faire confiance.

Se penchant vers elle, il l'embrassa rapidement sur la joue.

— Ne t'attarde pas trop.

Sabrina secoua la tête.

— Mon garçon… Pour autant que je me souvienne, c'est moi, la mère, et toi, le fils.

— Oh ? souligna Matt, le sourire allant s'élargissant sur ses lèvres. Je n'avais pas remarqué.

Puis il se tourna vers Kendra et ils s'éloignèrent côte à côte en direction de la maison.

— Vous êtes sûre que ça ira, pour votre père ?

Ce n'était pas ce à quoi elle s'attendait.

— Votre mère n'est pas exactement une femme fatale s'apprêtant à le détrousser, souligna-t-elle.

— Non, mais elle a tendance à s'emballer un peu vite lorsqu'un homme lui manifeste de la gentillesse, répondit-il.

Il eut un petit rire.

— Elle est capable de l'inciter à lui déclarer sa flamme avant que le jour se lève, vous savez.

Lui déclarer sa flamme. Kendra trouva la formulation surannée presque attendrissante. Cet homme, décidément, était plus subtil qu'elle ne se l'était imaginé.

— C'est aimable à vous de vous en inquiéter, mais, vous savez, mon père a bien besoin d'une autre source d'intérêt dans sa vie que la seule excitation que lui procure le fait d'assembler des morceaux de cadavre ou de reconstituer des bombes artisanales ! Non, je pense sincèrement que c'est une bonne chose, acheva-t-elle.

Rentrant dans la maison par les portes coulissantes, elle chercha du regard leur hôte. Famille ou pas, elle n'avait pas l'intention de s'en aller sans avoir dit au revoir.

— Une bonne chose ? Que voulez-vous dire par là ? s'enquit Matt, sur ses talons.

— Eh bien, de… flirter à leur âge comme ils le font, quel que soit le terme qu'on emploie actuellement pour ça.

Elle haussa les épaules, soudain un peu gênée.

— Je manque un peu d'entraînement dans ce domaine.

— Bien sûr.

Son intonation narquoise n'échappa pas à Kendra. Elle se reflétait d'ailleurs dans la moue de ses lèvres.

— Puisque je vous le dis, protesta-t-elle.

Avisant finalement Andrew, Kendra se fraya un chemin jusqu'au coin du salon où il se trouvait. L'ancien chef de la police — et extraordinaire chef tout court — était assis sur un sofa démesurément grand, sa femme pelotonnée contre lui, et ils étaient tous deux plongés dans une conversation animée avec une demi-douzaine d'autres membres de la famille.

— Je ne peux pas le croire. Une jolie fille comme vous ? souffla Abilene, incrédule, à son oreille.

— Qui est totalement absorbée par son travail, acheva Kendra.

Ils remercièrent tous deux leurs hôtes puis prirent congé en promettant d'être présents à la prochaine fête qui, à en croire ce que leur cria Andrew tandis qu'ils s'éloignaient, se tiendrait « avant longtemps ».

— Ça, c'est parce que vous le voulez bien, répondit

Abilene, poursuivant le fil de leur conversation à la seconde où ils furent sortis de la maison. Pourquoi vous laissez-vous dévorer par le travail à ce point-là ?

L'air de la nuit était frais en comparaison de la tiédeur de la journée. L'absence d'humidité rendait l'atmosphère agréable. C'était une soirée parfaite pour flâner dehors, songea Kendra. Mais, comme ils étaient arrivés tôt, la voiture était stationnée juste un peu plus bas, dans la rue.

Kendra avança d'un pas rapide, comme pour se soustraire à la question qu'il lui avait posée.

Comme si c'était possible…

Abilene attendait une réponse ; elle n'avait pas besoin de le regarder pour le savoir.

La meilleure défense étant l'attaque, elle observa :

— C'est une question un peu personnelle, non ?

— C'en serait une si je vous demandais combien vous pesez ou ce que vous portez sous ce short riquiqui à part une fantastique paire de jambes…

Dans l'obscurité, elle crut voir scintiller ses yeux, comme s'il se la représentait portant moins encore que la tenue décontractée qu'elle avait choisie.

— En l'occurrence, je ne fais que manifester un légitime intérêt pour le profil psychologique de ma partenaire.

Elle laissa échapper un petit rire bref.

— Oh ! c'est donc ça ?

— Absolument, répondit-il, aussi solennel que s'il témoignait sous serment devant le juge. J'ai besoin de savoir si je dois me préparer, pour le cas où vous craqueriez un beau jour… Vous savez, le syndrome de l'épuisement professionnel… C'est quelque chose qu'il ne faut pas prendre à la légère.

Elle ne s'offusqua pas du scénario qu'il venait de formuler. Il essayait de la déstabiliser — et il en fallait un peu plus pour y parvenir, après tout ce par quoi elle était passée.

— Il sera toujours temps pour vous de changer de partenaire, répliqua-t-elle d'un ton détaché.

Il inclina la tête, la contemplant comme s'il soupesait sa suggestion.

— Disons que je n'en ai pas envie, répondit-il.

Déverrouillant la voiture, elle ouvrit sa portière.

Alors ça, c'était nouveau. Elle avait supposé qu'il avait autant envie d'être débarrassé d'elle qu'elle s'était cru désireuse d'être débarrassée de lui. Comme quoi…

— Bon sang, vous ne laisserez donc jamais tomber ?

Abilene monta à son tour dans la voiture et la contempla pendant un long moment avant de répondre :

— A votre avis ?

Elle poussa un profond soupir.

— Je crois que j'aurais mieux fait de vous dire que j'avais un petit ami attitré.

Il secoua la tête.

— Ç'aurait été peine perdue. Je sais que ce n'est pas vrai.

Sur le point de tourner la clé dans le contact, elle suspendit son geste et le contempla, l'air stupéfait.

— Quoi ? Vous vous êtes renseigné sur mon compte ?

Il n'y avait rien qu'elle détestait tant que les gens qui fouinaient dans son dos. Quant au fait qu'elle s'était livrée au même exercice le concernant, cela n'avait strictement rien à voir.

Matt vit un éclair de colère flamber dans les yeux de Kendra et fit ce qu'il fallait pour le désamorcer et la rassurer.

— Non, mais si vous en aviez un, il serait ici en ce moment et vous seriez venus ensemble nous chercher, ma mère et moi.

Elle claqua des doigts comme s'il venait de faire la découverte de l'année.

— Bonté divine ! Mais vous êtes vraiment enquêteur de police, dites-moi ? persifla-t-elle.

Il prit son commentaire comme il prenait tout le reste, sans broncher.

— Je vous l'avais bien dit.

Il laissa passer quelques instants comme elle commençait à rouler, puis il revint à la charge, imperturbable :

— Alors ?

Elle se redressa un tant soit peu sur son siège, rejetant les épaules en arrière. Lorsqu'elle parla, ce fut d'une voix basse, un peu rauque, comme si elle pouvait se briser à tout instant.

— Mon fiancé s'est donné la mort le jour où nous devions nous marier.

— Quoi ?

Cela méritait quelques explications. Il fit de son mieux pour les lui soutirer.

— N'aurait-il pas été plus aisé d'annuler le mariage ? Ç'aurait été aussi rapide et beaucoup moins tragique.

Elle ne répondait pas… L'avait-il froissée ? Sa remarque avait-elle été un peu trop cavalière ? Il faillit abandonner, puis se ravisa, songeant que ce qu'elle avait commencé à dire planerait toujours là, entre eux, tant qu'elle ne lui aurait pas raconté toute l'histoire. Non, il fallait en parler une bonne fois pour toutes et ne plus y revenir par la suite. Et ce n'était pas la curiosité qui le motivait. Il voulait l'aider. C'était la première fois depuis qu'il la connaissait qu'elle ne se comportait pas comme un poste à haute tension prêt à le foudroyer à tout instant d'une décharge électrique, mais comme une femme… Une femme qui avait souffert.

— L'histoire ne s'arrête pas là, dit-il simplement. Vous voulez bien m'expliquer ?

Kendra battit rapidement des cils. Ses yeux la piquaient dangereusement. Combien de temps réussirait-elle à retenir ses larmes ? Elle ne voulait pas pleurer devant cet homme.

— Jason était un garçon fantastique. Nous sortions ensemble depuis le lycée, et il avait toujours voulu devenir pompier, déclara-t-elle, se souvenant du jeune homme enthousiaste qu'il avait été, celui qui avait capturé son cœur.

— C'est ce qui s'est passé.

Et c'était ainsi que son destin s'était scellé.

— Il allait travailler tous les jours, comme le héros qu'il était…

Elle pressa ses lèvres l'une contre l'autre, cherchant en elle la force de continuer.

— Le matin de ce qui s'est avéré être sa dernière journée de travail, quatre de ses camarades se sont fait piéger au troisième étage d'un immeuble en feu. Jason venait juste de sortir avec un vieux monsieur qu'il avait sauvé in extremis. Sans même prendre le temps de souffler, il est retourné à l'intérieur du bâtiment en flammes pour leur venir en aide.

Elle marqua une pause, craignant que sa voix ne se brise. Abilene garda le silence, attendant la suite.

— Le plancher s'est écroulé sous leurs pieds. Ses amis sont morts, carbonisés. D'autres pompiers ont réussi à sauver Jason, mais il était brûlé à quatre-vingts pour cent.

Les jours atroces passés à attendre qu'il sorte du coma lui revinrent en bloc. Elle prit une inspiration mal assurée, mais les larmes commencèrent à rouler sur ses joues sans qu'elle puisse endiguer leur flot.

— Il a fini par perdre une jambe. Je ne cessais de lui dire qu'il avait de la chance d'être encore en vie, mais il me regardait d'un œil vide et me répondait qu'il n'avait pas l'impression d'avoir tant de chance que cela. Tous les jours, je le sentais s'éloigner un peu plus. Rien de ce que je faisais ne semblait suffire…

C'était cela qui lui avait été le plus douloureux. De se rendre compte qu'elle ne pouvait rien pour l'homme qu'elle aimait.

— Je n'ai pas réussi à l'aider. Il a subi je ne sais combien de greffes de peau. Puis la rééducation a commencé… Il a fait des efforts, au début, mais, ensuite, il a demandé à l'équipe de le laisser tranquille, déclarant qu'il n'était plus bon à rien. J'allais le voir tous les jours, matin et soir. En sortant du travail, je me rendais directement à l'hôpital pour être auprès de lui, pour le soutenir. Mais ça n'a servi à rien.

Son visage était baigné de larmes, maintenant. Elle les balaya d'un revers de main.

— Il avait tout bonnement perdu le goût de vivre. Et puis, le jour où nous devions nous marier, il s'est tiré une balle dans la tête. Malgré toutes les mesures de sécurité mises en place par l'hôpital, quelqu'un — on n'a jamais su qui — avait réussi à lui procurer une arme à feu.

Kendra parlait à mots hachés, car elle n'arrivait pas à inspirer suffisamment d'air pour produire de longues phrases.

— Il a trouvé la paix qu'il recherchait… mais, pour nous — sa famille, ses amis, moi —, ce sont les portes de l'enfer qui se sont ouvertes.

Elle pleurait à chaudes larmes maintenant, honteuse de se donner ainsi en spectacle et, cependant, incapable de se dominer.

— Arrêtez la voiture, lui intima Abilene.

Ils étaient encore à plusieurs kilomètres de son appartement. Peut-être l'avait-elle mal compris ? Son esprit tout entier était tourné vers le drame qu'elle venait de lui relater.

— Pardon ?

— Arrêtez-vous sur le bas-côté, répéta-t-il plus fermement.

Lorsqu'elle obtempéra, se rangeant sur le bord de la route et coupant le contact, il se pencha vers elle et l'encercla dans ses bras. Kendra tenta d'abord de se dégager, refusant qu'il la prenne en pitié, mais il ne la lâcha pas, resserrant même son étreinte en dépit de l'inconfort de leur position.

Alors, ce qu'il lui restait de force l'abandonna et elle se laissa aller, sanglotant sans plus pouvoir s'arrêter, le corps agité de soubresauts.

Sans dire un mot, il la laissa pleurer tout son soûl en continuant à la tenir dans ses bras.

11

Kendra pleura pendant plusieurs minutes, comme si son cœur venait d'exploser en minuscules petits morceaux dans sa cage thoracique.

Puis les pleurs cessèrent.

Subitement.

Se ressaisissant enfin, elle poussa un long soupir. Le corps secoué d'un tressaillement, elle releva la tête de l'épaule de son partenaire, essayant de sécher de la paume de sa main ses joues inondées de larmes.

Elle était partagée entre l'envie de s'en prendre à lui parce qu'il avait été témoin de cet affligeant accès de faiblesse, qu'il avait provoqué par sa gentillesse compréhensive, et de lui présenter ses excuses pour s'être laissé déborder par l'émotion devant lui.

Pinçant les lèvres, elle avisa une tache oblongue sur l'épaule de son partenaire.

La trace sombre de ses larmes sur le bleu ciel du tissu.

— Je suis désolée, murmura-t-elle. J'ai détrempé votre chemise.

— Elle séchera, assura-t-il, balayant d'un haussement d'épaules ses excuses. Voulez-vous que je conduise ? reprit-il.

Mais Kendra ne voyait pas le rapport. En quoi son moment d'abandon remettait-il en question sa capacité à manœuvrer un véhicule ?

— Non, pourquoi ? répliqua-t-elle. Ce n'est pas parce

que j'ai versé trois larmes que j'ai grillé mes circuits. Accordez-moi juste une seconde…

Elle s'interrompit et prit une profonde inspiration, comme si cela l'aidait à chasser une fois pour toutes de son esprit ce regrettable épisode qui rompait tellement avec sa réserve habituelle.

La revoilà, songea Matt. *Elle a remis son armure.*

Même s'il admirait sa force de caractère, il devait reconnaître que la vulnérabilité qu'elle lui avait laissé entrevoir flattait son instinct protecteur. Une survivance du boy-scout qu'il avait été, certainement… Il avait toujours aimé voler au secours des demoiselles en détresse.

— Bien sûr, répondit-il. Prenez votre temps… Personne ne nous attend.

Kendra voulut répliquer par un trait d'esprit, mais ce fut tout autre chose qui sortit. Quelque chose qui faisait référence au moment d'intense émotion qui l'avait submergée tandis qu'elle mettait son âme à nu. Elle aurait dû se maîtriser au lieu de craquer devant lui, comme ça, se reprocha-t-elle en silence.

— Je suis absolument désolée.

— De quoi ? demanda-t-il. D'être humaine ? J'avais déjà des soupçons, vous savez, même si je ne disposais d'aucune preuve.

Elle effaça de la main une dernière trace d'humidité sur sa joue.

— Vous en avez une, maintenant.

Matt inclina la tête magnanimement.

— Oui, maintenant, j'en ai une.

— Ça n'aurait jamais dû arriver. Je veux dire, craquer comme je l'ai fait, insista-t-elle, s'efforçant de prendre du recul et s'obligeant à considérer la situation d'un œil clinique, objectif. C'est la raison pour laquelle je ne parle jamais de Jason.

— Avec personne ? demanda-t-il, visiblement surpris.

En réponse à sa question, Kendra secoua la tête. Prenant une nouvelle longue inspiration, elle tourna la clé dans le contact.

— Non.

— Vous savez, ce n'est pas bon d'enfouir au fond de soi un secret de cette nature. Ça ne peut que vous amener à craquer au plus mauvais moment possible.

La formulation de sa phrase l'amusa. Elle se retint de rire, mais souligna, une lueur de malice dans le regard :

— Parce qu'il y a un bon moment pour craquer ?

Il hocha la tête.

— Un point pour vous.

Elle l'observa du coin de l'œil. Abilene ne lui semblait pas être du genre à colporter des rumeurs, mais comment savoir ? Il pouvait juger une anecdote véridique intéressante à raconter. Mieux valait prévenir que guérir… En espérant que lui demander de garder le silence n'aurait pas l'effet inverse à celui escompté.

Mais, comme toute chose dans la vie, décida-t-elle, c'était un risque à courir.

— Ecoutez, pour ce que je vous ai dit…, commença-t-elle, un peu hésitante. J'aimerais que ça reste entre nous.

Matt claqua des doigts comme s'il venait subitement d'avoir une idée lumineuse.

— Ce serait un sujet du jour parfait pour mon blog.

Il l'avait dit si naturellement que, pendant un instant, elle se demanda avec épouvante s'il était sérieux. Coulant un regard dans sa direction, elle s'enquit prudemment :

— Vous plaisantez, n'est-ce pas ?

— Il va vraiment falloir que je travaille mes talents de communication, murmura-t-il comme pour lui-même. Evidemment je plaisantais. Je n'éprouve pas le besoin de partager la moindre chose qui vient à mes oreilles avec la terre entière. Que le monde trouve autre chose à se mettre sous la dent ! conclut-il avec un sourire.

Ils étaient arrivés devant son immeuble, et Kendra rangea la voiture dans une place de stationnement libre, non loin de l'entrée de son appartement en rez-de-chaussée.

Mais, au lieu de lui dire au revoir et de sortir de la voiture, Abilene se tourna vers elle.

— Merci encore d'avoir invité ma mère à cette réception. Je crois qu'elle a beaucoup apprécié. C'était exactement ce qu'il lui fallait pour se sentir mieux.

Puis, soudain, alors qu'elle ne l'avait absolument pas prévu, il lui demanda :

— Voulez-vous entrer une minute ? Je n'ai pas grand-chose à vous offrir à boire, mais il doit bien y avoir une ou deux bières d'origine étrangère dans le réfrigérateur.

Kendra se mit à rire. Cherchait-il à l'impressionner ? Ou la prenait-il pour une espèce de snob ? Rien ne pouvait être plus éloigné de la vérité.

— Une bière sera parfaite, même si elle n'est pas étrangère.

— Donc, c'est oui ? insista-t-il, marquant un temps d'arrêt, la main sur la poignée de la portière.

Après s'être livrée comme elle l'avait fait, elle n'avait pas envie de se retrouver seule chez elle. Du moins, pas tout de suite. Avoir partagé son secret avec son partenaire avait fait resurgir tant de souvenirs… Des souvenirs qu'elle n'était pas sûre d'être à même d'affronter dans l'état d'esprit qui était présentement le sien. Acceptant donc la perche qu'il lui tendait, elle haussa négligemment les épaules en réponse à sa question.

Après tout, elle devait rester dans son personnage si elle ne voulait pas qu'il soupçonne à quel point elle était vulnérable, en réalité.

— O.K., pourquoi pas ?

— Rarement entendu un « oui » aussi enthousiaste, nota-t-il, pince-sans-rire, en sortant du véhicule.

Il contourna rapidement le véhicule et lui ouvrit la

portière avant qu'elle n'ait eu le temps de s'en charger elle-même.

Ignorant la main qu'il lui tendait, elle sauta à bas de la voiture.

— Ça, je veux bien le croire, rétorqua-t-elle avec un rire bref.

Il s'immobilisa, sondant son expression.

— Ce qui signifie ?

— Simplement que votre réputation vous a précédé.

— Je n'ai pas de « réputation », l'informa-t-il d'une voix suave. A moins que vous ne fassiez allusion à celle que m'ont value les enquêtes que j'ai menées dans mon ancienne affectation.

Ce fut au tour de Kendra de le dévisager d'un air interrogateur.

— Je détenais le record du plus grand nombre d'affaires élucidées dans mon service, déclara-t-il.

— Ainsi que celui du plus grand nombre d'aventures d'un soir aussi, je présume, renchérit Kendra.

C'était cela qu'elle avait voulu dire en faisant référence à sa réputation.

— Qui se sont toutes conclues par des séparations à l'amiable, je tiens à le préciser, s'empressa-t-il d'ajouter. Pas de belles promesses ni de grands projets d'avenir… Juste de bons moments pour chacune des parties. Et, ensuite, chacun s'en va de son côté.

— L'influence de votre mère ? devina-t-elle.

— Possible, acquiesça-t-il en tournant la clé dans la serrure et en s'effaçant pour la laisser passer. Ou peut-être que je ne suis tout bonnement pas fait pour les relations durables.

— Peut-être.

C'était effectivement le cas de certaines personnes. Elle se demandait d'ailleurs aujourd'hui si elle n'en faisait pas partie, elle aussi.

— S'abstenir de faire des promesses, c'est le meilleur moyen de ne pas les rompre.

Et de protéger son cœur d'amères déceptions.

— Exactement, renchérit-il en refermant la porte.

Ils étaient maintenant debout dans l'appartement, éclairés seulement par la veilleuse qu'il laissait toujours allumée dans l'entrée.

Etait-ce cela qui la faisait paraître particulièrement attirante ce soir ? s'interrogea-t-il. Ce halo de lumière tamisée qui ne faisait qu'effleurer le contour des choses ?

Mais elle avait plus ou moins attisé son intérêt dès le moment où ils s'étaient retrouvés partenaires, plutôt plus que moins, d'ailleurs. Son attirance pour elle n'avait cessé de grandir depuis et, en cet instant, il lui devenait extrêmement difficile d'y résister. Une part de plus en plus importante de lui n'avait même plus envie d'essayer de résister. S'il devait y avoir des conséquences, eh bien, ma foi, il s'en occuperait le moment venu.

— Il me semble que nous savons tous les deux où nous en sommes, commença-t-il d'une voix délibérément basse.

— Oui, acquiesça-t-elle en retour, sans jamais le quitter des yeux.

Tout à coup, il ne s'agissait plus d'un échange de vues philosophique sur la nature des relations et sur la façon d'éviter les déceptions. Quelque chose, une sorte de courant impalpable, vibrait entre eux, et il aurait parié que Kendra en avait tout autant conscience que lui.

— Vous voulez cette bière maintenant ? questionna-t-il avec un geste du menton en direction de la cuisine, sur sa gauche.

Comme ensorcelé tout à coup, Matt ne parvenait pas à s'arracher à la contemplation de ses lèvres. Il les regarda remuer lorsqu'elle lui répondit :

— Non, pas particulièrement.

— Alors, qu'aimeriez-vous ? continua-t-il, chacune des

syllabes qu'il articulait semblant se répercuter comme une onde sur la peau nue du cou et des épaules de Kendra.

Elle ne répondit pas. Ou, du moins, pas verbalement.

Mais il aurait juré avoir entendu vibrer dans l'air le mot « Devinez ». Comme si elle l'incitait à la prendre au mot.

Il renonça à faire semblant de résister.

Comme un homme se risquant sur la plage pour la première fois après un hiver particulièrement morne et rigoureux, Matt testa lentement l'eau.

Prenant le visage de Kendra dans ses mains, il le tint comme un bien précieux puis, presque au ralenti, approcha ses lèvres des siennes. Leurs bouches se touchèrent légèrement d'abord, puis se pressèrent l'une contre l'autre.

Le baiser se fit plus ardent, les emportant tous deux vers des extrêmes dont ni l'un ni l'autre n'avait même imaginé qu'ils existaient.

Puis il l'embrassa de nouveau.

Encore et encore.

Jusqu'à ce qu'ils perdent le compte de leurs baisers. Ce qui avait commencé au ralenti connut tout à coup une accélération exponentielle tant en rythme qu'en intensité.

Leur pouls et leur rythme cardiaque s'emballèrent, le désir s'aviva. Les mains se mirent à voleter, caressant ici, effleurant là, découvrant, explorant, savourant, chacun de leurs gestes leur apportant toujours plus de plaisir.

Après avoir pleuré toutes les larmes de son corps, Kendra éprouvait le besoin de remplir le puits sans fond qu'elles avaient creusé en elle, ce vide qui la rongeait depuis plus de dix-huit mois.

Le besoin désespéré, aussi, de se sentir de nouveau vivante.

De se sentir femme.

Et les mains de Matt, tandis qu'elles se promenaient avec vénération sur son corps, lui redonnaient envie de choses qu'elle avait cru appartenir définitivement au passé.

Plus il l'embrassait, plus il la caressait, plus elle en redemandait. Quelque part, tout au fond, une petite voix — celle de la raison — lui soufflait qu'elle aurait dû tout arrêter avant que les choses n'aillent trop loin. Avant qu'elle ne puisse plus maîtriser les réactions en chaîne qui se produisaient en elle.

Abilene était son partenaire, un homme avec qui elle allait travailler pendant un certain temps, ce qui pouvait constituer un problème.

Mais elle n'en avait cure.

Elle n'en avait cure parce que ce qu'elle éprouvait en ce moment était absolument merveilleux. Une renaissance. Mieux, un big bang, avec tout ce que recouvrait ce terme : la chaleur, les étoiles, le soleil, tout cela réuni en une explosion originelle de bonheur et de lumière, qui l'illuminait comme une chandelle romaine.

Il n'avait pas fallu à Matt plus de deux minutes pour la dévêtir.

Kendra lui retira sa chemise, tira sur sa ceinture, pressée de le sentir nu contre elle, aussi vulnérable qu'elle l'était. *Tout de suite*.

Il lui fallut un peu plus de temps que lui n'en avait mis, mais c'était uniquement parce que son impatience était si grande que ses doigts lui semblaient gourds. Et, plus prosaïquement, parce qu'il était plus habillé qu'elle.

Comme sa ceinture lui résistait, elle tira plus fort. Elle entendit le petit rire de Matt. Elle leva vivement les yeux, mais il n'était pas en train de se moquer d'elle. Au contraire, elle eut le sentiment de partager quelque chose avec lui. Comme s'ils riaient ensemble.

— Laisse-moi faire, souffla-t-il en posant ses mains sur les siennes.

Et, subitement, il n'y eut plus la moindre barrière entre eux. Subitement, elle se retrouva là, sur le sofa, à anticiper la suite, haletante, certaine qu'elle la comblerait au-delà de toute expression — et lui apporterait une sensation d'apaisement.

Elle n'avait qu'à moitié raison. De fait, elle fut plus que comblée par le plaisir inimaginable qu'il lui dispensa. Mais l'apaisement n'était pas encore au rendez-vous.

A peine avait-elle été propulsée au pinacle du plaisir qu'elle se sentit presque aussitôt après emportée par une nouvelle tornade de sensations plus folles, plus extraordinaires encore, qui la laissèrent pantelante, cramponnée à ses épaules.

A sa plus grande joie, elle découvrit que Matt ne se servait pas de sa langue que pour formuler des mots d'esprit. Elle recelait d'autres talents cachés.

Elle s'en aperçut lorsqu'elle la sentit se promener langoureusement sur elle, les lèvres de Matt déposant un chapelet de baisers sur sa peau. Puis, soudain, comme il concentrait ses attentions sur la parcelle la plus sensible de son être, un nouveau déluge de sensations indicibles la submergea.

Sans même s'en rendre compte, Kendra enfonça ses ongles dans les coussins, s'arquant contre lui.

Puis, la respiration encore haletante, elle attira son visage à elle et écrasa ses lèvres sur les siennes, voulant lui faire à son tour éprouver les mêmes délicieuses affres qu'il lui avait fait connaître, l'amener, comme elle, au bord du vertige.

De ses mains, de ses lèvres et de sa langue, calquant ses gestes sur les siens, elle réussit à mettre figurativement Matt à genoux.

Il poussa un soupir d'aise tandis qu'un long frémissement parcourait son corps.

Matt contempla Kendra avec émerveillement. Elle s'était mise si vite au diapason… Il ne pourrait plus retarder l'échéance bien longtemps maintenant qu'elle était parvenue à embraser si totalement ses sens. Tout son être palpitait, tendu d'un désir insensé qui ne demandait qu'à connaître son plein accomplissement.

Mais Matt voulait d'abord s'assurer qu'il l'avait conduite aussi loin qu'elle pouvait aller.

Il n'aurait su le formuler clairement, mais il se sentait une réelle parenté avec cette femme à qui la vie avait distribué une main si subtilement cruelle. Et, en même temps, il éprouvait le besoin de lui rendre justice, même s'il n'était pour rien dans le drame qui l'avait frappée.

Il ne parvenait plus à réfléchir très clairement, mais il était une chose dont il était certain : dès l'instant où Kendra et lui avaient commencé à faire l'amour, il s'était juré de faire en sorte qu'elle garde l'expérience à la mémoire jusqu'à la fin de ses jours.

Parce que lui, de son côté, avait l'absolue certitude de s'en souvenir jusqu'à son dernier souffle.

C'était cela qui était tellement surprenant. En voulant la satisfaire, il avait découvert un monde de plaisir jusque-là inconnu de lui. A tel point qu'il avait envie de continuer encore et encore, de prolonger l'extase aussi longtemps qu'il serait humainement possible.

Mais il n'en connaissait pas moins ses limites. Kendra l'avait amené au point de non-retour, et le moment était venu de la salve finale.

L'enlaçant, Matt couvrit son visage de baisers, puis il se positionna au-dessus d'elle.

Une vague de passion surpassant tout ce qu'il avait connu le submergea lorsqu'il entra en elle.

Suivie d'une deuxième, aussi incroyable.

Alors, d'un mouvement fluide et régulier, il entama l'ascension qui allait les conduire vers les sommets, accélérant progressivement la cadence.

Dix-huit mois de célibat volèrent en éclats à l'instant où Kendra et Matt atteignirent ensemble le summum du plaisir.

L'euphorie s'empara de Kendra tandis que Matt l'étreignait farouchement contre lui.

Le cœur battant à tout rompre, haletant comme si elle venait d'achever le dernier kilomètre d'un marathon, Kendra s'accrocha à ce moment d'éternité — et à l'homme avec qui elle venait de le vivre —, certaine, au fond de son cœur, que l'un comme l'autre ne feraient bientôt plus partie de sa vie.

Mais ils étaient là, ensemble, pour le moment, et c'était tout ce qui comptait.

Demain serait un autre jour.

12

— Tu sais ce que ça signifie, n'est-ce pas ?

La question de Matt rompit le silence qui s'était installé entre eux tandis que, l'ivresse refluant peu à peu, la réalité du monde alentour reprenait peu à peu ses droits.

Kendra lui jeta un regard de biais. Instinctivement, elle se cuirassa, ne sachant trop ce qui l'attendait.

Elle se raidit malgré tout.

— Que veux-tu dire ? demanda-t-elle d'une voix dénuée d'intonation.

S'il émettait une remarque désinvolte, elle entendait bien demeurer imperturbable.

— Eh bien, à mon avis, commença lentement Matt, il va nous falloir te trouver un autre surnom. Je ne peux plus t'appeler « Bonne ». Que dirais-tu de « Fantastique » ?

Il modifia sa position pour pouvoir la regarder.

— Ou, peut-être mieux encore… Qu'y a-t-il de mieux que « fantastique » ? Prodigieuse ? Fabuleuse ?

— Ce qui est prodigieux, c'est ta capacité à dire n'importe quoi, rétorqua-t-elle en secouant la tête.

Elle s'appliquait à avoir l'air irrité, mais, intérieurement, elle exultait. Matt la taquinait, mais il lui faisait savoir qu'il avait apprécié tout autant qu'elle l'expérience qu'ils venaient de partager.

— Permets-moi de m'inscrire en faux, contra-t-il en enroulant une longue mèche blonde autour de son index.

Je sais très bien ce que je dis. C'est moi qui suis le plus à même d'en juger, il me semble.

— Kendra, déclara-t-elle sans prévenir. Tu peux m'appeler Kendra ou, dans mes bons jours — et si je t'y autorise —, Kenny. Ou alors Cavanaugh si tu préfères t'en tenir à une dénomination strictement professionnelle.

— Ça, ce sera uniquement pour les moments où nous sommes habillés, répliqua-t-il en réponse à son dernier commentaire.

Tout à coup, quelque chose, dans ce qu'elle avait dit, sembla retenir son attention.

— Attends une seconde… Tu as bien dit Cavanaugh ?

Elle soupira. Où voulait-il en venir, maintenant ?

— Oui.

Matt se redressa sur un coude et plongea son regard dans le sien.

— Quand t'es-tu décidée ?

Elle lui devait bien une explication. De toute façon, si elle ne la lui donnait pas, il insisterait jusqu'à ce qu'elle réponde.

— Quand j'ai vu à quel point mon père était heureux aujourd'hui. Comme s'il avait enfin trouvé sa vraie place.

Son père lui était très cher, et elle ne pouvait que se réjouir de le voir comme ça. Dieu sait qu'il avait bien droit au bonheur après tous les efforts et les sacrifices qu'il avait consentis pour élever seul sept enfants.

— Il ne l'était pas avant ? s'enquit Matt en laissant courir un doigt le long de la courbe de sa hanche, sans paraître s'apercevoir de l'effet que sa caresse produisait sur elle.

Mais elle n'était pas dupe.

— Pas tout à fait, admit Kendra.

Elle essaya de garder l'air dégagé mais c'était difficile de se concentrer sur ce qu'elle disait.

Son corps recommençait déjà à vibrer d'anticipation.

— Les Cavelli sont tous très gentils, mais j'ai toujours eu l'impression que papa se sentait un peu en décalage vis-à-vis d'eux. Un peu comme quand tu enfiles une paire de chaussures et que les deux pieds ne sont pas exactement identiques… Arrête, s'il te plaît, s'interrompit-elle tout à coup, incapable de feindre le détachement plus longtemps. Tu me fais perdre le fil… Je n'arrive pas à réfléchir clairement.

— Et… tu as envie de réfléchir ? souligna-t-il d'un ton lourd de sous-entendus, changeant de nouveau de position et se lovant contre elle de façon provocatrice.

— Mais, oui, évidemment… Oh ! et puis, zut, acheva-t-elle en se tournant vers lui et en nouant les bras autour de son cou.

Elle l'embrassa avec ferveur, renonçant à simuler l'indifférence pour s'abandonner à la magie de ses caresses.

— Je ne saurais mieux dire, renchérit-il avec un petit rire.

L'instant suivant, Matt était de nouveau en elle.

L'odeur du gel douche que Kendra avait utilisé le matin imprégnait encore sa peau, le grisant, ajoutant à l'ardeur qui pulsait dans ses veines.

Quant à elle, elle n'aurait pas cru possible que faire l'amour une deuxième fois avec Matt puisse être encore meilleur que la première fois. Et pourtant, c'était le cas. Comme si leurs ébats n'avaient été qu'un exquis avant-goût… L'enjeu semblait encore plus grand, le besoin de satisfaire, d'exciter la passion de l'autre, encore plus vif.

Il réussit à la surprendre de mille façons.

Elle s'étonna de l'acuité de son propre désir, de l'inventivité constante dont Matt faisait preuve et de la fougue avec laquelle elle y répondait.

Quant à cette envie farouche qui l'animait de propulser Matt tout aussi haut qu'elle, elle ne l'étonna pas moins.

Et le plus effrayant dans tout ça, c'était que cette deuxième fois ne faisait qu'aiguiser son envie de recommencer. De reproduire à l'infini cette union passionnée des corps et des esprits à l'exclusion de toute autre chose.

Cette expérience unique passait avant tout le reste, y compris la nécessité de s'alimenter, de dormir — de respirer, même.

Avant absolument tout.

Elle aurait voulu que cette passion débridée, ce désir insatiable ne prenne jamais fin. C'était aller à l'encontre de toute logique, de toute raison… Mais la raison n'avait pas sa place ce soir, ici et maintenant. Elle était même le cadet de ses soucis.

Ce fut finalement l'épuisement physique qui eut raison d'eux.

Terrassés par l'énergie qu'ils avaient dépensée, ils s'endormirent dans les bras l'un de l'autre, sans même s'en rendre compte.

Ce fut un lointain bruit de voix qui pénétra progressivement la conscience de Kendra, par paliers.

Elle finit par s'éveiller, à contrecœur, et ouvrit les yeux.

Sa première pensée fut qu'elle n'avait pas la moindre idée de l'endroit où elle se trouvait.

Mais le poids d'un bras très viril, très musclé reposant en travers de sa poitrine ne tarda pas à lui rafraîchir la mémoire.

Abilene.

Elle avait couché avec Abilene.

Plusieurs fois.

Au fur et à mesure que les souvenirs de la nuit lui revenaient, son sentiment d'appréhension s'accrut.

Seigneur, qu'avait-elle fait dans un moment de faiblesse et de folie ? Avait-elle complètement perdu la tête ?

Oh ! ç'avait été sensationnel. Même avec le recul, et

en dépit de la panique grandissante qui la gagnait, elle était forcée de l'admettre. Il possédait un savoir-faire merveilleux, c'était incontestable.

Un savoir-faire exceptionnel, qu'il avait certainement rodé et peaufiné au fil du temps en compagnie des innombrables jeunes femmes qui étaient passées dans sa vie et entre ses draps. Ces mêmes draps dans lesquels ils étaient présentement enroulés.

Mais qu'allait-il advenir de leur relation professionnelle, maintenant qu'ils avaient eu des rapports intimes ? Pensait-il pouvoir « remettre ça », comme disait Jason, quand l'envie l'en prendrait ?

A n'importe quel moment, dès lors qu'ils se retrouveraient seuls ?

Il allait lui falloir remettre rapidement les pendules à l'heure.

A la minute où il s'éveillerait.

— Alors ? Qui a gagné ?

Stupéfaite, elle manqua pousser un cri. Pinçant les lèvres, elle tourna la tête et vit Abilene qui la contemplait.

En souriant.

Ce grand nigaud était réveillé. Depuis combien de temps ? L'avait-il regardée dormir ? Pourquoi diable ne l'avait-elle pas senti ?

Et de quoi parlait-il ?

Le cerveau en ébullition, elle se tourna vers lui.

— Pardon ?

— Qui a gagné ? répéta-t-il. Tu avais l'air de livrer une sorte de conflit intérieur. Je me demandais simplement qui l'avait emporté.

Depuis quand était-elle transparente à ce point ? Et avec lui, en plus !

— Personne, répliqua-t-elle d'un ton maussade.

Que s'imaginait-il ? Qu'elle entendait des voix ?

Parce que ce n'est pas le cas, parfois, peut-être ? Calme-toi, s'admonesta-t-elle.

Prenant une profonde inspiration, Kendra s'apprêta à informer son partenaire des règles de base qu'elle entendait voir renforcées, mais il ne lui en laissa pas le loisir.

— Tant mieux, c'est donc que tu n'as pas l'intention de renier ce qui s'est passé hier soir, conclut-il sans cacher sa satisfaction.

Cela la laissa un moment sans voix.

— Pourquoi ? Ça t'arrive souvent ? demanda-t-elle au bout d'un moment.

Quel genre de femme pouvait coucher avec un homme et se retourner contre lui le lendemain ? Peut-être était-ce là la raison pour laquelle il affichait une telle désinvolture dans ses relations ?

Cesse de lui trouver des excuses. Il arrive qu'un loup ne soit rien d'autre que ce qu'il semble être : un loup, et pas un prince charmant, se gourmanda-t-elle sévèrement.

— Non. Mais je dois admettre que tu n'es pas comme les autres.

Non, bien sûr. Je suis « spéciale ». Tu n'espères quand même pas me faire avaler ça ?

— Jolie platitude, riposta-t-elle tout haut. Suis-je censée pousser un soupir de soulagement ? Et, éperdue de gratitude, te donner carte blanche pour faire ce que tu veux de moi sitôt franchie la porte du commissariat ?

Si jamais il osait rire, elle était capable de se jeter sur lui, Matt en avait conscience. S'agacer de sa réflexion aboutirait au même résultat.

Il ravala donc son rire et opta pour la franchise.

— Non, je voulais juste que tu saches que je te trouvais absolument unique.

Il la vit se crisper, comme si elle s'apprêtait à repousser une quelconque avance de sa part.

— Du calme, Cavanaugh. Je n'ai pas l'intention de recommencer… Du moins, pas sans que tu m'y aies invité.

Même si le simple fait de la regarder suffisait à rallumer la flamme en lui…

— Et maintenant, puisque nous sommes chez moi, que veux-tu pour le petit déjeuner ?

— Mes vêtements.

Matt ne se laissa pas démonter.

— Brouillés ou au plat ? demanda-t-il comme si elle parlait d'œufs et non du short et de la chemisette qui lui avaient tellement échauffé les sens. Cela dit, si tu veux rester telle que tu es, je n'y vois aucun inconvénient.

Pour toute réponse, elle se glissa hors du lit, entraînant le drap avec elle. Sans cesser d'avancer, elle réussit à s'en envelopper avec la grâce altière d'une déesse grecque égarée, en quête de son Olympe perdu. Mais, de son point de vue à lui, l'Olympe n'était nulle part ailleurs qu'ici, dans cette chambre, où il aurait pu rester une éternité, captivé par les yeux de Kendra.

Elle n'avait toujours pas dit ce qu'elle voulait manger. Quant à sa suggestion de rester telle qu'elle était, elle semblait vouée à rester lettre morte.

— O.K., comme tu voudras, reprit-il sans se départir de sa bonne humeur. Puisque tu ne m'as pas répondu, je vais préparer une omelette, l'informa-t-il.

Au lieu de passer rapidement les vêtements qui étaient éparpillés sur le tapis, Matt se leva et les enjamba négligemment pour se diriger, entièrement nu, vers une petite commode. Ouvrant un tiroir, il en sortit un bermuda en jean délavé aux bords tout effilochés qu'il enfila.

Kendra le regarda faire tout en se reprochant de ne pas avoir détourné les yeux. C'était vraiment un magnifique spécimen d'humanité.

— Tu ne mets pas de sous-vêtements ? s'entendit-elle demander à son corps défendant.

Il haussa les épaules.

— C'est juste le temps de préparer le petit déjeuner. Je m'habillerai correctement quand j'aurai pris ma douche.

Le petit déjeuner. Ce n'était donc pas une offre en l'air…

— Tu cuisines vraiment ? souligna-t-elle, une pointe d'incrédulité dans la voix.

— Ma foi, oui… Et je dois dire que je n'ai encore jamais eu de mort à déplorer, répondit-il sans se formaliser.

Ce qui rappela instantanément à Kendra le nombre de femmes qu'avait dû voir défiler cet appartement au cours des dernières années. *Cela devrait m'aider à garder les pieds sur terre*, songea-t-elle. Elle n'était qu'une conquête parmi tant d'autres.

— Donc, si je comprends bien, tu proposes une formule complète ? Nuit de folie et petit déjeuner compris, le lendemain matin ?

— A t'entendre, on croirait que tu lis la plaquette publicitaire d'une chambre d'hôtes, nota-t-il, apparemment amusé. Et, pour répondre à ta question, non, je ne propose pas de formule tout compris. Du moins, pas d'habitude. Disons que tu dois avoir le don de tirer le meilleur de moi.

— Mais tu viens juste de dire que ta cuisine n'a jamais tué personne… Si tu ne faisais pas allusion aux filles qui ont passé la nuit avec toi, de qui parlais-tu ? demanda-t-elle.

Il était clair qu'elle ne le croyait pas et cherchait seulement à voir comment il allait se sortir de ce mauvais pas.

— De ma mère, répondit-il posément.

A la façon dont elle le dévisageait, il comprit que ce n'était pas la réponse à laquelle elle s'attendait. Il n'y en avait pourtant pas d'autre.

— Quand j'étais jeune — et qu'elle ne partageait pas son lit avec un type à qui elle avait donné son cœur —, elle menait parfois de front deux ou trois emplois à temps partiel pour parvenir à joindre les deux bouts. Elle était souvent épuisée. Alors, le dimanche matin, je me levais tôt, je me faufilais dans la cuisine et je me débrouillais pour préparer le petit déjeuner avec ce que je trouvais dans le réfrigérateur.

Elle demeura silencieuse pendant quelques instants, mais elle se reprit rapidement.

— Mon Dieu ! On croirait entendre un gamin de *l'Ecole des fans*, lança-t-elle, s'accoutumant peu à peu au regard de Droopy qu'il tournait dans sa direction.

— Trop sage ? demanda Matt, amusé, en commençant à se diriger vers la cuisine.

Kendra lui emboîta le pas, toujours drapée dans sa toge improvisée. Elle se mouvait plus lentement qu'elle ne l'aurait voulu, s'appliquant à ne pas marcher sur le tissu. Il n'aurait plus manqué que cela, songea-t-elle. Trébucher bêtement et s'étaler de tout son long ! Et, avec la chance qui était la sienne, nul doute que le drap se serait déroulé dans sa chute…

Elle s'arrêta en chemin pour ramasser son short, sa chemise et ses sous-vêtements. Les tenant serrés contre elle, elle suivit Matt jusque dans la cuisine.

Elle avait du mal à associer ce qu'il venait de lui révéler avec l'image qu'elle avait de lui.

— Ce vaillant petit garçon que tu décris ne ressemble pas à l'homme que je connais.

Avec une précision de gestes qui plaidait en faveur d'une longue pratique, il ouvrit une porte de placard, en sortit une poêle en fonte de bonne dimension, qu'il déposa sur un brûleur, à côté d'une casserole plus petite, puis il prit un fouet dans le tiroir à couverts et posa un saladier sur le plan de travail. Oh, oh… Peut-être était-il réellement à l'aise devant des fourneaux, en définitive, se dit Kendra en l'observant.

— Tu veux dire : que tu penses connaître.

Allons bon ! Quelle autre révélation fracassante allait-il lui livrer à présent ? Qu'il était le roi du rangement de placards ?

— Ah ? Parce que ton comportement, en public, ne reflète pas ta vraie personnalité ? Ta nature véritable ne se manifeste que derrière la porte close de ton appartement ? Tu es un grand chef qui a acquis ses galons en préparant toute sa jeunesse durant le brunch dominical pour sa maman ?

— C'était le petit déjeuner, pas le brunch. Et je n'ai jamais prétendu être un grand chef — du moins pas en matière culinaire, ajouta-t-il en lui jetant un regard par-dessus son épaule.

Le sourire sexy qui étirait ses lèvres lui fit l'effet d'une flèche décochée en plein plexus solaire.

— Les gens ne sont pas toujours ce qu'ils semblent être, Cavanaugh, reprit-il en ouvrant le réfrigérateur. Tu devrais le savoir.

A cette dernière remarque, le radar intérieur de Kendra se déclencha automatiquement. Etait-ce une pique ? Et, si oui, à quel propos, exactement ?

— Qu'est-ce que ça signifie ? Tu peux développer ?

On aurait dit qu'elle cherchait la bagarre, médita Matt. Mais pour quelle raison ? Parce qu'elle avait trop aimé ce qui était arrivé entre eux et qu'elle était persuadée qu'il ne pouvait que la décevoir — comme son fiancé l'avait fait ? Ou prenait-elle le contre-pied de tout ce qu'il disait juste pour le plaisir ?

Quelque chose lui soufflait que la seconde éventualité n'était pas la bonne.

— Que tu n'es pas la seule à avoir plusieurs facettes à ta personnalité, répondit-il simplement. Va prendre ta douche pendant que je cuisine, si tu veux, suggéra-t-il d'une voix douce, totalement exempte d'animosité.

Puis il lui décocha un sourire malicieux et ajouta :

— A moins que tu préfères attendre que j'aie terminé et que nous allions prendre cette douche ensemble ensuite…

— Concerné par les économies d'eau ? questionna-t-elle d'un air détaché.

Mais, à son grand dam, au lieu de mordre à l'hameçon, il la désarma d'un nouveau sourire sensuel.

— Crois-moi, ce n'est pas l'économie d'eau que j'avais en tête en faisant cette suggestion.

Ce qui signifiait qu'elle aurait découvert ce que c'était que de faire l'amour, le corps ruisselant d'eau, dans une cabine de douche.

Pourquoi cette perspective lui semblait-elle incroyablement érotique ? Ce n'était que de l'eau, après tout. Pourquoi le moindre mot sortant de la bouche de cet homme lui donnait-il le frisson ?

Après tout, ce n'était pas comme si elle était une chaste vestale inexpérimentée. Certes, elle n'avait pas fait l'amour depuis un an et demi, mais tout ce qu'elle avait enfoui en elle d'énergie sexuelle, d'émotions et de sentiments incandescents pendant ces longs mois s'était soudain rappelé à son souvenir en un flamboyant feu d'artifice qui l'avait laissée pantelante et comblée.

Et, puisqu'elle avait été comblée, ses sens auraient dû être apaisés…

Elle ne savait plus où elle en était.

Mais Matt, lui, semblait le savoir.

Quelque chose lui disait même qu'il savait très exactement ce qui se passait dans sa tête. *Forcément.* Pourquoi, sinon, l'aurait-il contemplée de cet air entendu ?

— La salle de bains est juste là, dit-il, pointant la chambre du doigt. Tu trouveras des serviettes dans l'armoire à linge devant laquelle tu vas passer. Le petit déjeuner sera bientôt prêt. Ne t'attarde pas trop… Sinon, je serai obligé de venir te chercher.

— Dieu m'en garde, railla-t-elle.

Il se borna à sourire.

— Ça reste à voir, murmura-t-il dans sa barbe.

Mais elle l'avait entendu.

Kendra se hâta de rejoindre la salle de bains, s'accordant mentalement dix minutes pour se doucher, s'habiller et être de retour dans la cuisine. Onze au maximum. Sinon, il ne faisait aucun doute que Matt tiendrait parole.

L'idée, songea-t-elle en entrant dans la cabine de douche carrelée de beige clair, c'était de ne pas traîner pour ne pas donner l'impression qu'elle voulait qu'il la rejoigne.

Car, si jamais cela arrivait, elle ne savait que trop bien que ni l'un ni l'autre n'aurait plus une seule pensée pour le repas qu'il aurait gardé au chaud sur la plaque de cuisson.

13

Prenant sa douche en un temps record, Kendra s'apprêtait à tourner le robinet et à sortir lorsqu'elle entendit frapper.

Cogner, plutôt. Un martèlement impatient, comme le son d'un pic-vert s'efforçant de transpercer de son bec un tronc d'arbre pétrifié.

Abilene.

Mais pourquoi tapait-il si fort, lui qui était le flegme et la pondération incarnés ? S'agissait-il d'un cas de dédoublement de personnalité, façon Dr Jekyll et M. Hyde ? Que savait-elle de son partenaire, au fond ?

Se disant que, d'une seconde à l'autre, l'homme qui avait fait se dérober la terre sous ses pieds la veille allait faire irruption dans la pièce, elle attrapa vivement une serviette et l'enroula autour d'elle.

— Hé ! l'entendit-elle crier de l'autre côté de la porte. On a enfin une ouverture !

On a enfin une ouverture ? Non, ce ne pouvait pas être ce qu'elle pensait. Il ne pouvait pas faire référence à ce qu'ils avaient vécu la veille par cette expression si affreusement… triviale ?

Elle sentit la colère s'emparer d'elle.

— Une ouverture ? répéta-t-elle, resserrant d'un geste sec la serviette autour de sa poitrine. Comment peux-tu dire ça ?

— Comment ça ? Qu'est-ce que tu veux dire ? rétorqua-t-il, déconcerté par sa réaction.

La nouvelle aurait dû lui faire plaisir.

— Wong vient d'appeler. On a retrouvé la trace de la carte bancaire de Burnett…

Mais la fin de sa phrase mourut sur ses lèvres comme le battant s'ouvrait brusquement sur Kendra, les yeux lançant des éclairs, visiblement hors d'elle et prête à l'affrontement. Quant à savoir pourquoi, il n'en avait pas la moindre idée. Ce qu'il savait en revanche, c'était qu'elle offrait un spectacle saisissant.

Il avait beau l'avoir déjà vue dans le plus simple appareil, elle était encore plus sexy avec sa serviette roulée autour d'elle. D'autant que le rectangle de tissu-éponge était juste assez grand pour couvrir l'essentiel. Si elle avait été plus grande, il lui aurait fallu procéder à un choix cornélien pour décider quelle part de son anatomie elle devait en priorité protéger des regards approbateurs.

Recouvrant ses esprits, Matt éleva devant lui le papier sur lequel il avait griffonné les informations qui venaient de lui être transmises.

— J'ai l'adresse, mais nous sommes dimanche. La banque est fermée.

Puis son visage se fendit d'un large sourire.

— Hé ! Tu sens presque aussi bon que ce que j'ai préparé.

— Je ne sais pas si c'est un compliment, rétorqua-t-elle.

Consciente — à son grand dam — qu'il n'en aurait pas fallu beaucoup pour qu'elle se laisse déconcentrer, Kendra se força à focaliser son regard sur la feuille de papier qu'il lui montrait.

— On peut trouver le nom du directeur de l'agence et lui demander de venir pour que nous puissions voir la vidéo enregistrée par la caméra, suggéra-t-elle.

Pendant tout le temps qu'avait duré sa phrase, il l'avait dévisagée avec une étrange expression dans le regard.

— Qu'y a-t-il ? questionna-t-elle, impatientée.

— Pourquoi t'es-tu mise en colère quand j'ai frappé à la porte ?

— Un, tu n'as pas frappé, tu as tambouriné. Deux, pour répondre à ta question, c'est parce que j'ai pensé… j'ai cru…

Si elle avouait ce qui lui avait traversé l'esprit, il en conclurait qu'elle considérait que ce qui s'était passé la veille était bien plus qu'un simple acte sexuel. Kendra jugea donc plus prudent d'esquiver le sujet.

— Bref… Peu importe, de toute façon.

Mais, à l'instant où elle se tut, la lumière se fit dans l'esprit de Matt, elle le vit. Le sourire refleurit sur son visage, plus étincelant que jamais, si tant est que ce soit possible.

— Je crois que je sais ce que tu as pensé…, commença-t-il.

— On a autre chose à faire qu'épiloguer là-dessus, l'informa-t-elle sans aménité. C'est notre première piste remontant jusqu'au suspect. Le temps presse. Il faut s'en occuper tout de suite. Je vais m'habiller.

Elle sentit le regard de Matt dériver vers la serviette, se promener de haut en bas. Sa gorge se noua. S'ils avaient eu plus de temps…

Mais ce n'était pas le moment de laisser son esprit s'égarer vers ces contrées-là. Elle était inspectrice de police — et pas n'importe laquelle : une Cavanaugh, désormais. Ce qui plaçait la barre très haut. Et on ne s'offrait pas un câlin matinal au moment de s'élancer à la poursuite d'un suspect recherché pour meurtre.

— Tu sais, nota Matt négligemment, les gens se montreraient peut-être plus coopératifs si tu restais comme tu es.

Elle planta un poing sur la hanche, attendant ostensiblement qu'il s'en aille.

Matt tourna les talons, lançant par-dessus son épaule :

— Je crois que je peux retirer le petit déjeuner du feu.

L'estomac de Kendra se mit à gargouiller furieusement à la perspective de la longue matinée qui s'étirait devant eux.

— Mets-le dans une boîte en plastique. Ce serait dommage de le laisser se perdre.

Matt se retourna, ses yeux parcourant une dernière fois son corps à demi dénudé, perlé de gouttelettes d'eau.

— Tout à fait d'accord, lança-t-il avec un soupir qu'il n'essaya même pas de dissimuler.

Elle s'empressa de refermer la porte de la salle de bains pour ne pas céder à la tentation. Car, avec la serviette pour seul écran, elle n'était pas sûre de résister longtemps à son partenaire. Surtout maintenant qu'elle savait ce dont il était capable…

Allons, allons, Kenny, concentration, concentration, s'ordonna-t-elle en déroulant rapidement la serviette.

— Vous rentrez de pique-nique ? demanda l'inspecteur Wong lorsque Kendra fit son entrée dans le bureau, juste devant Abilene.

Elle avait bien songé à faire halte chez elle pour passer une tenue un peu moins olé-olé, mais, ne voulant pas perdre de temps, elle y avait renoncé. Elle était trop impatiente de découvrir où les conduirait cette piste.

— C'est une longue histoire, répondit-elle avec un geste évasif.

Elle lança un regard d'avertissement à Abilene pour le cas où il aurait été tenté de renseigner Wong.

Mais son partenaire semblait décidé à respecter leur pacte.

— J'ai tout mon temps. Raconte, insista Wong.

— Une autre fois, Wong… Quand nous en aurons terminé avec cette affaire.

D'ici à une cinquantaine d'années, songea-t-elle à part soi.

Elle n'avait nullement l'intention de lui confier qu'elle avait passé la nuit chez Abilene. Non qu'elle ait honte — elle était adulte et responsable, après tout — mais ce n'était pas une raison pour le crier sur tous les toits. Sa vie privée ne regardait personne.

— Rabat-joie, se plaignit Wong, l'air boudeur.

Ce qui ne l'empêcha pas de continuer à l'observer d'un œil inquisiteur.

— Oui, c'est tout moi, admit-elle d'un ton léger. Bon, maintenant que ce point est réglé, puis-je savoir où nous en sommes avec le directeur de l'agence bancaire ?

— Toujours pas réussi à le joindre, intervint Matt. Tous les appels aboutissent à sa messagerie vocale.

Il pouvait y avoir une bonne douzaine de raisons à cela. Mais Kendra se polarisa en premier lieu sur celle qui lui plaisait le moins.

— Tu crois qu'il pourrait être mort, lui aussi ?

— Ce n'est pas impossible. Attends, je vais réessayer.

Reprenant le combiné, il composa une nouvelle fois le numéro tout en prenant place à son bureau.

— Cela dit, il est un peu tôt pour sauter à cette conclusion… Ne nous laissons pas emporter.

— Principe qu'on aurait été bien inspirés d'appliquer hier soir, murmura-t-elle, s'asseyant à son tour devant son ordinateur, face à lui.

— Permets-moi de te dire que j'ai un avis radicalement différent sur la question, nota Matt sans s'émouvoir.

Elle rougit, puis se reprit rapidement. Elle avait cru que le ronronnement du climatiseur couvrirait le son de sa voix.

Redressant la tête, l'air subitement très affairé, elle questionna comme si de rien n'était :

— Est-ce que nous savons où habite monsieur le directeur de la banque ?

Matt fit glisser un feuillet sur le plateau du bureau. Elle s'en saisit.

— Bien. On y va.

Matt leva les yeux.

— On y va ?

— Exactement. Du verbe aller. Synonyme : se mettre en route.

En tant qu'inspectrice principale en charge de l'affaire, elle n'avait pas à lui fournir d'explications, mais, comme il la dévisageait, immobile, elle déclara :

— J'ai des fourmis dans les jambes et c'est la seule piste que nous ayons pour l'instant. Donc, on va aller voir si M. le directeur est chez lui ; il se pourrait qu'il ne réponde pas parce que c'est dimanche et qu'il n'a pas envie d'être dérangé.

— Le malheureux. S'il savait ce qui l'attend..., proféra Matt en se levant.

Cette fois, ils passèrent à l'appartement de Kendra, le temps qu'elle passe une tenue plus convenable.

Laissant son partenaire dans la cuisine, elle fonça dans sa chambre pour se changer. Elle opta pour un haut noir sans manches assorti d'un jean confortable qui s'était « fait » à son corps. La transformation ne lui prit pas plus de quatre minutes, entrée et sortie de la chambre comprises.

— C'est parti ! lança-t-elle en passant en coup de vent devant lui pour se diriger droit vers la porte.

Matt la contempla longuement lorsqu'ils furent de nouveau assis dans la voiture.

— Le directeur se serait peut-être montré plus enclin à parler si tu étais restée habillée comme tu l'étais.

Elle fixa la boucle de sa ceinture de sécurité et le gratifia d'un regard sévère.

— Au risque de te surprendre, je préférerais qu'il n'aille pas s'imaginer que je vais négocier une confession en échange d'une danse du ventre.

— Tu sais faire la danse du ventre ? interrogea-t-il en tournant la tête, intrigué.

Le moteur ronfla et elle sortit rapidement de la résidence.

— Regarde la route, Abilene, répliqua-t-elle d'un ton réprobateur, luttant pour ne pas laisser voir qu'elle avait remarqué l'étincelle dans ses yeux. Et, pour répondre à ta question… ça ne doit pas être bien difficile.

— Alors il faudra que tu me fasses une démonstration un de ces jours.

Elle laissa échapper un ricanement bref.

— Dans tes rêves, Abilene.

Mais elle ne put s'empêcher de penser que sa réplique aurait eu plus de poids s'ils ne venaient pas de passer la nuit ensemble.

— Tu as raison… Dans mes rêves aussi.

— La route, Abilene. Regarde la route, ordonna-t-elle.

Si le sourire qui incurvait ses lèvres s'élargissait encore, songea-t-elle, son visage risquait de se fendre en deux.

Kendra ne s'était pas trompée. Le directeur de l'agence, un certain Howard Hanna, avait éteint son portable pour profiter tranquillement de son week-end en famille.

S'excusant poliment de l'interruption, Kendra lui expliqua le but de leur visite. La personne qu'ils recherchaient avait probablement tué sa petite amie. Et, la chance jouant en leur faveur, il avait utilisé sa carte bancaire pour accéder à son compte d'épargne dans le distributeur de l'agence de Hanna. Ils avaient besoin de visualiser au plus vite la vidéo enregistrée par la caméra de surveillance.

Le directeur hésita.

— Puis-je voir vos plaques d'identification ?

Kendra et Matt les lui présentèrent tour à tour.

— Satisfait ? demanda Kendra.

Mais le directeur n'était toujours pas convaincu.

— Vous savez comme moi qu'elles peuvent être contrefaites.

— Dans ce cas, appelez le chef des inspecteurs. Il n'aime pas qu'on le dérange le dimanche…, souligna Matt, l'air de ne pas y toucher. Mais il vous confirmera notre identité.

Hanna tergiversa encore pendant quelques instants, mais il finit par hausser les épaules.

— Non, inutile. C'est d'accord. Je vais vous conduire à la banque.

Ils se rendirent à l'agence, située non loin de chez lui, mais Hanna se fit de nouveau tirer l'oreille lorsqu'ils demandèrent à emporter les bandes.

— Je suis censé en référer à ma hiérarchie, expliqua-t-il.

— Eh bien, appelez-les si vous voulez, acquiesça Matt. Mais n'oubliez pas que le temps presse et que notre suspect risque à tout moment de faire une autre victime — ou de disparaître dans la nature. Et vous en seriez responsable, ajouta-t-il le plus sérieusement du monde, cherchant sans vergogne à culpabiliser leur interlocuteur.

— Nous avons réellement besoin de votre aide, insista Kendra, s'efforçant d'en appeler au sens du devoir de Hanna.

Ils étaient en train de lui jouer le numéro du gentil et du méchant policier, songea Matt. Regardant Kendra, il se dit que le sens du devoir n'était pas le seul qu'elle sollicitait, chez Hanna. Il avait remarqué que l'homme ne cessait de jeter des coups d'œil furtifs dans sa direction — comme un chien errant cherchant à voler l'os d'un congénère.

Non qu'il puisse l'en blâmer.

— Bon, d'accord, finit par consentir Hanna. Je ne voudrais pas que quelqu'un d'autre soit tué pendant que j'attends l'autorisation de vous donner les vidéos.

Ils arrivèrent devant la succursale bancaire où Burnett avait fait usage de sa carte. Hanna sortit un volumineux trousseau de clés, ouvrit la porte et se hâta de composer le code sur le clavier mural pour désactiver l'alarme.

Un calme étrange régnait à l'intérieur de la banque. Visiblement pressé d'en finir, Hanna se dirigea vers la petite salle où étaient rangés les enregistrements vidéo.

— Quand avez-vous dit que c'était ? demanda-t-il.

Matt consulta les notes qu'il avait prises quand Wong l'avait appelé.

— Tôt ce matin. Apparemment, Burnett a retiré deux cents dollars de son compte d'épargne.

Hanna rembobina la bande jusqu'à l'endroit voulu et actionna l'avance rapide, étudiant attentivement l'écran.

— Deux personnes, seulement, ont utilisé leurs cartes à ce guichet ce matin, déclara-t-il en rembobinant de nouveau la bande.

Il enclencha la lecture à vitesse normale de l'enregistrement afin que les policiers puissent constater par eux-mêmes qu'il avait bien vu.

— L'un d'eux est une dame âgée, cliente de l'agence, qui a opéré un retrait de quatre-vingts dollars, expliqua-t-il en leur montrant la vidéo sur le petit écran plat. Et l'autre, regardez… C'est cet adolescent portant sa casquette à l'envers. Il a retiré les deux cents dollars auxquels vous faisiez allusion. C'est lui, votre Burnett ?

— Non ! s'exclama Kendra, frustrée.

Elle savait à quoi ressemblait Burnett. Ils avaient vu des photos de lui et de sa petite amie dans l'appartement.

— Vous êtes sûr que ce sont les deux seules personnes à avoir utilisé ce distributeur ce matin ? insista Kendra.

— Je peux repasser la bande si vous voulez vérifier, proposa Hanna. Mais nous l'avons déjà visualisée deux fois… Donc, à moins que votre type ne soit invisible…

Aussi déçu que Kendra, Matt médita un instant puis tapota l'écran du doigt.

— Est-il possible d'agrandir l'image afin que nous puissions voir le nom du titulaire du compte auquel il a accédé ?

Plus qu'une requête, c'était un ordre poliment formulé.

— Oui, répliqua le directeur, sans hésiter cette fois.

Sûr de lui, sans doute parce qu'il était maintenant dans son domaine, le directeur s'affaira aux commandes de l'appareil. Il pointa la partie de l'image qui les intéressait, puis l'agrandit par paliers successifs.

— Mais vous venez juste de me dire que ce n'était pas…

— Ryan Burnett, lut Kendra, une note d'excitation dans la voix. Ce gamin a la carte de Burnett et, apparemment, il a aussi son code confidentiel.

Elle échangea un regard avec son partenaire.

— Peut-être qu'il a tué Burnett pour s'en emparer, suggéra Matt. Bon sang, si ça se trouve, c'est lui qui a assassiné Summer dans l'appartement.

Au lieu de leur apporter des réponses, cette piste ne faisait que soulever des questions supplémentaires.

Kendra contempla le visage de l'adolescent puis secoua la tête. Quelque chose lui soufflait que ce scénario-là n'était pas le bon.

— Je ne sais pas. Il n'a pas une tête de tueur.

— Mmm… C'est aussi ce qu'on disait de Baby Face Nelson, répliqua-t-il, faisant allusion au gangster des années trente, réputé pour le visage juvénile qui lui avait valu son surnom.

Elle ne voyait pas de qui il parlait, mais le message était clair.

— Abilene… Juste au moment où je commençais à me dire qu'on pouvait peut-être faire quelque chose de toi, ton cynisme te rattrape, ne put-elle s'empêcher d'observer.

— Pas toujours, Cavanaugh. Pas toujours.

Non sans surprise, elle s'aperçut qu'elle était contente d'entendre ça. Elle sentait une forme de douceur lui revenir, arrondissant les angles qui, depuis dix-huit mois, hérissaient sa personnalité.

Peut-être avait-elle eu un peu trop tendance à se rebiffer pour tout et rien… Y compris s'agissant de cette nouvelle identité qui lui était tombée du ciel. Elle avait jusque-là eu l'impression que, en acceptant le fait qu'elle faisait partie d'une grande famille de policiers, elle se montrerait déloyale vis-à-vis de ceux qu'elle avait depuis toujours considérés comme les membres de sa famille.

Tu choisis mal ton moment pour te livrer à une introspection, se morigéna-t-elle. Elle avait une affaire de meurtre à résoudre. Une affaire qui, à la lumière des derniers développements, venait de se compliquer un peu plus.

Il fallait maintenant savoir qui était cet adolescent et quel rôle il jouait dans cette histoire.

— Il faut que nous découvrions l'identité de ce gamin, déclara-t-elle, réfléchissant à haute voix.

Avant que son partenaire n'ait pu répondre, elle se tourna vers le directeur.

— Monsieur Hanna, avez-vous déjà vu ce jeune homme ?

L'homme secoua la tête.

— Non, jamais.

— Vous en êtes sûr ? souligna Matt.

— Absolument.

Kendra soupira.

— Dommage. Dans ce cas, je crois qu'il ne nous reste plus qu'à vous remercier de votre aide, monsieur.

A tout hasard, Kendra et Matt retournèrent à l'appartement de Burnett pour interroger une nouvelle fois le voisinage et montrer la photo de l'adolescent dont ils avaient tiré un cliché à partir de la vidéo. Mais les réponses furent toutes négatives. Personne ne l'avait jamais vu.

— On pourrait toujours obtenir une ordonnance du tribunal pour faire saisir ce guichet et le confier au labo pour une recherche d'empreintes digitales, dit-elle sans conviction, une heure après, lorsqu'ils se retrouvèrent, face à face, dans les bureaux de la brigade.

— Le clavier doit porter la trace des empreintes de la moitié de la population de la ville, fit observer Matt.

— Je sais, dit-elle, poussant un soupir. Si près du but et si loin à la fois…

— A propos de proximité, que dirais-tu d'acheter quelque chose à manger et de rentrer chez moi ? suggéra-t-il.

Ils étaient seuls dans le bureau. Wong était parti une demi-heure plus tôt, un peu après les autres inspecteurs. Elle n'avait plus de raison de parler bas maintenant — Wong avait l'ouïe fine et il adorait les ragots.

— Ecoute, ce n'est pas parce que nous avons passé une nuit ensemble que je vais sauter dans ton lit chaque fois que tu m'adresses un sourire, déclara-t-elle.

— Bien sûr que non, confirma-t-il solennellement. Une pizza, ça te dit ?

Elle avait été incapable de lui résister quand elle fonctionnait sur ses quatre cylindres. Alors, morose comme elle l'était, elle savait bien qu'elle lui donnait du fil à retordre simplement pour la forme. Elle ne voulait pas donner l'impression que c'était si facile.

La vérité, c'était que l'idée de réitérer l'expérience de la veille était infiniment tentante.

— Va pour une pizza, répondit-elle avec un soupir las.

Eteignant son ordinateur, elle se leva.

— Mais à une condition : pas d'anchois.

Prenant l'air faussement dépité, il se leva à son tour.

— Tu n'es pas tendre en affaires.

Kendra laissa échapper un petit rire.

— Je suis une Cavanaugh, n'oublie pas ! On est censés avoir du caractère.

— C'est ce que dit la légende, acquiesça-t-il, la laissant sortir la première. D'accord, pas d'anchois.

Lorsqu'elle eut franchi le seuil, il appuya sur le commutateur, plongeant la salle dans l'obscurité, à l'exception d'une unique veilleuse dans le bureau du lieutenant. Depuis quelque temps, on avait demandé à chacun de veiller aux économies d'énergie.

Il respectait donc la recommandation à la lettre — ici, au travail. Car, s'agissant de son domicile, tout au moins pour ce soir, il n'entendait pas économiser quelque énergie que ce soit…

14

Quelques jours s'écoulèrent, chargés d'une frustration presque palpable pour les deux partenaires. L'enquête piétinait. L'adolescent qui avait utilisé la carte de Ryan Burnett n'avait plus fait parler de lui, et Burnett lui-même demeurait introuvable. Ils avaient expressément demandé à ses voisins et collègues de les avertir sur-le-champ s'il refaisait surface.

Mais personne ne s'était manifesté.

Matt avait imprimé de nombreuses copies de la photo de l'adolescent, qu'ils avaient fait distribuer dans toutes les succursales bancaires du comté, ainsi que dans celles des comtés environnants, dans l'espoir que la cupidité inciterait le jeune homme à opérer un nouveau retrait d'espèces.

Mais une semaine s'était écoulée et cela n'avait toujours rien donné.

Ils commençaient à être à court d'idées.

— Nom d'un chien !

L'exclamation, formulée à mi-voix, attira l'attention de Kendra. Quittant des yeux le document qu'elle était en train de lire, elle regarda son partenaire. En dépit de la malchance qui semblait s'acharner contre eux dans cette affaire, son expression s'adoucit instantanément. L'enquête était peut-être au point mort, mais pas leur histoire à eux, à en juger par la tournure qu'avaient prise les choses.

Non qu'elle sache précisément où cela les mènerait,

mais, pour l'instant, tout fonctionnait si bien qu'elle s'éveillait chaque matin avec le sourire aux lèvres, en dépit de la frustration grandissante qu'elle connaissait sur le plan professionnel.

Leur journée de travail terminée, peu importait qu'ils quittent le poste de police ensemble ou bien séparément, ils se retrouvaient toujours le soir.

Dans les bras l'un de l'autre.

Kendra refusait d'analyser ce qui se passait, de se projeter dans le futur parce qu'elle savait d'expérience qu'à tout moment sa vie pouvait voler en éclats. Donc, elle se disait qu'elle ne s'était pas investie, qu'elle profitait simplement de ce que la vie lui offrait et du fait que le très bel homme qui était assis en face d'elle, dans les locaux de la brigade criminelle, était un amant extraordinaire.

Et cela, ne cessait-elle de se répéter, lui suffisait.

Si elle se demandait parfois comment lui voyait les choses, elle se forçait à ravaler ses questions et à penser à autre chose. A n'importe quoi d'autre. Dans cette situation particulière, l'ignorance était un cadeau du ciel — parce que la connaissance apporterait presque à coup sûr son lot de chagrin et de dévastation, ce qu'elle préférait éviter, dût-elle se cacher la tête dans le sable.

De plus, se rappela-t-elle, rien ne la poussait à croire à une quelconque notion de permanence entre eux. Matt avait un passé de don Juan impénitent qui passait d'une conquête à l'autre sans états d'âme. Et quelque chose lui soufflait que leur relation devait déjà avoir dépassé la date de péremption.

Mais, si elle feignait l'ignorance et ne disait rien, peut-être ne s'en apercevrait-il pas… Et peut-être que le moment qu'ils partageaient se prolongerait pendant encore un certain temps.

Son plan n'allait pas au-delà de cette simple réflexion.

— Encore une impasse ? questionna-t-elle en désignant le téléphone du menton.

Relevant la tête, le regard perdu dans le vague, Matt écarquilla les yeux, repassant dans sa tête la question qu'elle venait de lui poser.

— Pardon ?

— Tu viens de dire : « Nom d'un chien ! » Donc, je te demande si tu as abouti à une nouvelle impasse… concernant notre enquête, explicita-t-elle en détachant les mots comme il la regardait toujours d'un air perplexe. Tu te souviens ? Le corps dans l'appartement ? L'utilisation de la carte bancaire au distributeur de billets…

Elle l'étudia, la tête penchée sur le côté.

— Ça t'évoque quelque chose ?

— Oui, oui, grommela-t-il, balayant ses questions d'un revers de main.

Ses préoccupations étaient ailleurs pour l'instant. Il ne s'agissait pas de leur affaire, mais d'un sujet beaucoup plus personnel. Un sujet qui était pour lui une perpétuelle source de tracas. Pourquoi, au nom du ciel, ne pouvait-il pas avoir une mère normale ? Une mère qui partait en excursion avec des amies et allait jouer deux fois par an à Las Vegas ?

— Elle ne répond toujours pas, annonça-t-il, sa contrariété transparaissant dans sa voix.

— Elle ne répond pas ? Mais… de qui parles-tu ?

— De ma mère, qui d'autre ? répliqua-t-il, exaspéré non pas tant par sa question que par celle qui était à l'origine de son inquiétude. Je ne cesse de lui laisser des messages, mais elle continue à ne pas répondre et elle ne rappelle pas.

— Peut-être qu'elle s'est absentée pour quelque temps…

Il secoua la tête.

— Pas sans m'avoir prévenu.

Elle partit d'un petit rire.

— Tu te rends compte que tu parles comme si c'était toi, sa mère ?

D'aussi loin qu'il se souvienne, c'était toujours lui qui avait agi en personne responsable, toujours lui qui avait veillé sur sa mère et non le contraire.

— C'est ce que j'ai toujours un peu été, pour elle.

Il fourragea dans ses cheveux d'une main nerveuse, emmêlant un peu plus ses mèches sombres.

— A l'exception d'un message expéditif sur ma boîte vocale voilà au moins cinq jours, je n'ai pas eu de nouvelles d'elle de toute la semaine.

— Que disait le message ? demanda Kendra.

— Merci. Juste merci, répondit-il comme s'il considérait le mot comme une insulte.

Kendra sourit et hocha la tête d'un air entendu.

— Ah.

Ce qui captura instantanément l'attention de Matt.

— Qu'est-ce que ça signifie, Ah ? Est-ce que c'est un code de langage spécifiquement féminin que je ne saisis pas ?

C'était une facette de sa personnalité que Kendra trouvait amusante et curieusement attendrissante, même si elle se gardait bien de le lui dire.

— En quelque sorte, admit-elle.

Puis, décidant de lui dessiller les yeux ou, du moins, de lui faire part de la façon dont elle interprétait ce message, elle poursuivit :

— Je pense que ta mère te remercie de l'avoir emmenée au brunch chez le chef de la police, le week-end dernier.

— D'accord.

Il continua à la dévisager, attendant d'autres éclaircissements, ne voyant toujours pas où elle voulait en venir.

— D'accord, répéta-t-il. Et… ?

Elle poussa un soupir.

— Et, à mon avis, la rencontre entre ta mère et mon père a dû porter ses fruits.

Son instinct protecteur subitement en éveil, Matt questionna, une arête dans la voix :

— Que veux-tu dire exactement par « porter ses fruits » ?

Elle ne tenait pas à analyser plus avant la situation ni à trop s'avancer. Le terrain paraissait glissant.

— Je ne sais pas, mais j'ai l'impression que ta mère est heureuse. Et j'ai surpris mon père en train de siffloter l'autre jour quand je suis passée au laboratoire pour lui donner une photo de notre possible suspect. Mon père ne siffle jamais, expliqua-t-elle. Du moins plus depuis que ma mère est morte.

— Alors, tu penses que ton père et ma mère…

— Ont passé un bon moment ensemble, acheva-t-elle, se retranchant derrière un euphémisme.

Puis, comme elle ne parvenait pas à déchiffrer l'expression de son partenaire, elle poursuivit, prenant la défense de leurs deux parents :

— Ecoute, ils sont adultes et consentants…

Elle laissa sa phrase en suspens, ne voulant pas entrer dans les détails.

— Ma mère a connu beaucoup de déboires sur le plan émotionnel, protesta Matt.

Kendra s'efforça de ne pas se formaliser — et de se concentrer sur le fait que son partenaire s'inquiétait pour sa mère, pas qu'il se montrait sans le vouloir insultant vis-à-vis de son père.

— Et mon père n'est pas le genre d'homme à s'autoriser une aventure sans se soucier des conséquences — contrairement à certains.

Il y eut un temps d'arrêt. Les yeux verts de son partenaire se rétrécirent tandis qu'il la dévisageait.

— Est-ce que je dois prendre ça pour moi ?

Au point où ils en étaient, il était inutile de nier.

— Pour autant que je sache, il n'y a que toi et moi ici.

Ce fut à cet instant que le signal d'alarme résonna dans la tête de Kendra. A quoi jouait-elle ? Depuis quand avait-elle ce comportement « typiquement féminin », comme le disait l'un de ses frères, qui consistait à vouloir savoir « où cette relation les menait » ? Ce n'était pas elle. Du moins, ça ne l'était plus. Parce qu'elle ne voulait pas d'une relation, avec toutes les complications et ramifications que ce mot sous-entendait. Elle n'espérait rien d'autre que vivre l'instant présent, sans se poser de questions, se convainquit-elle.

— Désolée, oublie ce que j'ai dit, répondit-elle en agitant la main. Je suis un peu sur les nerfs, c'est tout. Tout ce que je voulais dire, c'est que je pense qu'il n'y a pas lieu de te faire du souci pour ta mère. Si mon père et elle se voient, je te garantis qu'elle ne risque rien. Il est très vieille école — chevaleresque à l'excès même, ajouta-t-elle comme Matt paraissait toujours dubitatif.

Le téléphone se mit à sonner sur le bureau de Matt au même instant, empêchant son partenaire de lui répondre.

— Abilene, lança-t-il d'un ton impatienté en soulevant le combiné.

Kendra guetta sa réaction et estima que ce n'était pas sa mère qui le rappelait enfin. Elle vit une lueur d'intérêt s'allumer dans son regard ; il devait s'agir de leur enquête.

— D'accord, nous arrivons, promit-il avant de raccrocher.

Matt la contempla.

— On l'a repéré.

Elle sauta immédiatement sur ses pieds, attrapant ce dont elle avait besoin en un éclair et fourrant le tout dans les poches de sa veste.

— Il a opéré un nouveau retrait d'argent liquide dans un guichet ? Est-ce qu'il est encore sur place ?

Matt secoua la tête.

— Le vigile de la banque a aperçu un jeune devant le

guichet, à travers la vitre. Mais, le temps qu'il se rende compte qu'il ressemblait à la personne recherchée et qu'il sorte, le gosse s'éloignait au volant d'une voiture.

Kendra poussa un soupir dépité.

— Génial, grommela-t-elle en reposant d'un geste las sa veste sur le dossier de son siège.

— En fait… Oui, plutôt.

Elle redressa vivement la tête, reprenant sa veste.

— Vas-y, je t'écoute.

— Le vigile a eu le temps de relever une partie de la plaque d'immatriculation, expliqua-t-il tandis qu'ils se dirigeaient rapidement vers la sortie.

— Tu aurais pu commencer par là, souligna-t-elle, exaspérée. La moindre information a son importance.

Elle essaya de ne pas trop s'emballer. Cette nouvelle piste pouvait très bien les conduire encore une fois dans le mur.

D'instinct, Matt devina qu'elle n'allait pas attendre patiemment l'ascenseur. Il s'orienta donc d'emblée vers la cage d'escalier.

Entendant son pas sur ses talons, Kendra ne put s'empêcher de sourire. Il commençait à bien la connaître.

— Je suis désolé, s'excusa pour la énième fois le vigile, ex-policier en retraite du département de police d'Aurora. C'était pendant ma pause… Je rentrais dans le bâtiment quand j'ai vu le jeune que vous recherchez. Il avait presque terminé et, le temps que je sorte, il repartait déjà au volant de sa voiture.

Le vigile leur avait donné le feuillet sur lequel il avait eu le temps de noter en partie le numéro de la voiture.

— C'était l'un de ces minuscules véhicules… vous savez, qui ressemblent à des voitures miniatures.

— Une Smart ? suggéra Matt.

L'homme secoua la tête.

— Non. C'est une Mini quelque chose.

— Une Mini Cooper ? dit Kendra.

— Oui, c'est ça. Une Mini Cooper, confirma-t-il, soulagé. Bleu marine et blanche.

Kendra hocha la tête.

— Il nous faudrait l'enregistrement de la caméra de surveillance, indiqua-t-elle.

— Bien sûr, j'ai déjà demandé à la directrice adjointe de le tenir à votre disposition, les informa-t-il en les précédant dans l'agence bancaire.

La chance semblait être de leur côté, cette fois.

La voiture de l'adolescent était garée juste derrière lui, pendant qu'il procédait à son retrait d'espèces. Et, lorsqu'ils confièrent le film à la technicienne du laboratoire de police, elle eut tôt fait de supprimer le reflet d'une vitrine, rendant en un clin d'œil visible la partie manquante du numéro.

A partir de là, l'identification devenait un jeu d'enfant.

— Enchanté, Scott Randall, déclara Matt en consultant le fichier d'immatriculation des véhicules.

Armé du nom du jeune homme, ils effectuèrent une rapide recherche dans le fichier des permis de conduire.

Ce fut alors que la chance les abandonna de nouveau.

A en juger par la date de naissance indiquée, la personne répondant au nom de Scott Randall était un homme d'âge mûr.

— Si ce type est un adolescent, alors, moi, je suis en petite section de maternelle, observa Kendra, dépitée, en contournant le bureau pour venir examiner la photographie du permis de conduire par-dessus l'épaule de son partenaire.

— C'est peut-être le père du gamin, suggéra Matt.

— Ou son grand-père, objecta-t-elle en secouant la

tête. En tout cas, il commence à y avoir pas mal de monde impliqué dans cette affaire.

Retournant à son bureau, elle soupira, prit son arme et la plaça dans son holster.

— Eh bien, il ne nous reste plus qu'à rendre une petite visite à M. Randall pour lui demander s'il sait qui a fait usage de son véhicule.

Tandis qu'elle se dirigeait vers la sortie, elle passa en revue dans sa tête les pires scénarios qui pouvaient se présenter. Levant les yeux au ciel, elle conclut d'un ton maussade :

— Et, si jamais il nous dit qu'il s'apprêtait justement à signaler le vol de sa voiture, je me mets à hurler.

— Dans ce cas, sois gentille, préviens-moi, tu veux bien ? lança Matt en reprenant une fois de plus la direction des escaliers.

La voiture en question n'était pas stationnée devant la maison qui correspondait à l'adresse figurant dans le fichier.

Tu parles d'une surprise, songea ironiquement Kendra en sortant de la Crown Victoria. Elle s'arma d'autant de patience qu'elle le pouvait pour se préparer aux dénégations qu'elle sentait venir.

Matt appuya sur la sonnette. La porte s'ouvrit quelques instants plus tard sur un homme corpulent, à l'air un peu ahuri, avec une crinière blanche échevelée, qui les regarda par-dessus ses lunettes sans monture.

— Bonjour, que puis-je pour vous ? dit-il, la main sur la poignée de la porte indiquant sans équivoque qu'il se tenait prêt à la refermer d'un instant à l'autre.

— Bonjour, monsieur Randall, répondit Kendra de son ton le plus lénifiant. Posséderiez-vous par hasard une Mini Cooper bleu marine et blanche ? Numéro d'immatri…

L'homme éleva la main devant lui.

— Inutile de me le réciter. Je n'arrive jamais à le retenir… Il faut que je le voie écrit noir sur blanc.

Trop heureuse de pouvoir le prendre au mot, Kendra lui tendit le morceau de papier sur lequel était inscrit le numéro.

L'homme regarda le papier, puis releva les yeux.

— Quel est le problème avec ma voiture ? demanda-t-il, prudent.

— Donc, c'est bien la vôtre, intervint Matt, tenant à clarifier les choses d'entrée de jeu.

Les yeux de Randall se rétrécirent derrière les lunettes.

— Puis-je vous demander qui vous êtes ?

— Inspecteur Abilene et inspectrice Cavanaugh, répondit Kendra en désignant son partenaire d'un signe de tête et en sortant sa plaque d'identification.

Pour la forme, Randall examina les badges qu'ils lui présentaient, puis il poussa un profond soupir.

— Alors, dites-moi, qu'a-t-il encore fait ?

Kendra et Matt échangèrent un regard.

— Il ? De qui parlez-vous ?

— De Scottie, mon petit-fils, répondit l'homme d'une voix accablée, comme si chaque mot qu'il prononçait pesait une tonne.

Kendra tira de sa poche la photo de l'adolescent et la lui montra.

— Est-ce votre petit-fils ? questionna-t-elle, croisant mentalement les doigts.

Elle retint son souffle, attendant la réponse.

— Oui, c'est Scottie.

— Est-ce que Scottie vit avec vous ? s'enquit à son tour Matt.

Le vieil homme laissa échapper un petit rire amer.

— Eh oui, depuis le jour où sa mère, ma fille, l'a laissé sur le pas de ma porte. Il avait trois jours.

Il haussa les épaules d'un air résigné.

— Ça valait peut-être mieux ainsi… Cette gamine n'a jamais su prendre soin d'un être vivant. Plusieurs animaux domestiques en ont fait les frais. Elle oubliait de leur donner à manger, confia-t-il.

Puis son expression se fit plus sérieuse.

— De quoi s'agit-il ? demanda-t-il, l'air maintenant soucieux. Scottie n'est pas un méchant garçon, vous savez, mais il n'arrive pas à se prendre en main.

Kendra prit le vieil homme en pitié, mais le règlement était clair : on ne discutait pas d'une enquête en cours. Elle se vit donc forcée d'ignorer sa question.

— Est-ce que Scottie est ici ? demanda-t-elle.

Un pli barra le front du vieux monsieur.

— Non. Vous le trouverez au magasin Fashions for less, sur Windom and Halladay. Il y travaille comme manutentionnaire. Oh ! ce n'est pas qu'il ne soit pas travailleur, mais il a du mal à se stabiliser. C'est son cinquième emploi depuis le début de l'année, confessa-t-il, embarrassé.

Il planta de nouveau son regard sur l'un, puis sur l'autre.

— S'il vous plaît, dites-moi ce qu'il a fait.

Kendra le rassura de son mieux.

— Avec un peu de chance, rien de grave.

— Demandez-lui de m'appeler quand vous l'aurez trouvé, leur lança l'homme comme ils s'éloignaient.

Kendra se retourna.

— Entendu, nous essaierons, promit-elle, espérant de toutes ses forces pouvoir tenir parole. Le pauvre, murmura-t-elle en déverrouillant la voiture.

Son partenaire marqua une pause et la regarda par-dessus le toit du véhicule.

— Tu joues les dures à cuire, mais, au fond, tu es un cœur tendre.

N'ayant guère envie de l'entendre se mettre à extrapoler sur la question, elle s'empressa de rétorquer :

— Je le plains simplement de se retrouver dans cette situation. Il fait une bonne action, il s'occupe de l'enfant que sa fille a abandonné…

Elle s'interrompit brièvement, secouant la tête.

— Et, en guise de récompense, il va peut-être découvrir que le petit-fils qu'il a élevé est devenu un tueur.

Même si, pour l'instant, elle n'en était nullement convaincue.

— Peut-être pas. Peut-être qu'il n'a été que le dindon de la farce dans cette histoire, observa Matt.

Cette fois, ce fut Kendra qui haussa les sourcils. Elle profita du feu qui passait au rouge pour lui jeter un regard étonné. Etait-ce bien Abilene qui tenait ce langage ?

— Ça alors ! Je suis ravie de constater qu'il y a un fond d'optimisme caché en toi, quelque part, répliqua-t-elle en souriant.

Il haussa les épaules.

— C'est peut-être bien toi qui m'as contaminé, nota-t-il d'un ton léger. J'aurais dû faire faire mes piqûres de rappel avant que nous… commencions.

— Peut-être, acquiesça-t-elle.

Et, pendant qu'ils y étaient, ajouta-t-elle à part soi, elle aussi aurait dû se faire immuniser — contre Abilene. Parce que la façon dont il hantait constamment ses pensées confinait à l'obsession. Preuve en était que, alors qu'ils abordaient un tournant peut-être crucial de leur enquête, elle n'avait qu'une chose en tête : se retrouver seule, ce soir, avec lui.

Quelque chose n'allait vraiment pas dans tout ça. Et elle allait le payer cher si elle ne faisait pas plus attention.

15

— Un meurtre ? Quel meurtre ? Qui a été tué ? bredouilla Scottie Randall, les yeux exorbités, sa voix s'envolant dans les aigus sous l'effet de la panique.

Sa tête dodelinait dans tous les sens, donnant l'impression qu'elle allait faire un tour complet, comme dans un film d'horreur de série B.

Kendra et Matt avaient trouvé le jeune homme de dix-neuf ans là où son grand-père l'avait dit, occupé à déballer des cartons de marchandises. Ils emmenèrent Scottie pour l'interroger au poste et, sur le moment, il parut presque heureux de quitter le local sans fenêtres dans lequel il travaillait.

Mais il ne tarda pas à déchanter lorsqu'ils furent arrivés et que le ton changea ; son sourire affable s'effaça, remplacé par de l'appréhension, puis de l'effroi.

— Puisque je vous dis que je n'ai tué personne ! continua-t-il à répéter, tremblant de peur.

Son regard se fit implorant.

— Je vous assure… Il faut me croire !

Leur suspect était au bord de l'hystérie, songea Matt. Il était temps de changer de tactique. Il adopta un ton calme, posé, faisant de son mieux pour apaiser l'adolescent. S'il s'effondrait, ils ne pourraient plus rien tirer de lui.

Matt se leva et vint se placer à côté de lui.

— Nous sommes tout prêts à te croire, Scottie.

Seulement, ce compte sur lequel tu as retiré de l'argent, ce n'est pas le tien.

Scottie secoua la tête et, l'espace d'une seconde, Kendra vit en lui quelqu'un qui était incapable de mentir pour sauver sa vie.

— Non, reconnut-il.

— Il appartient à quelqu'un qui a disparu, déclara Kendra en venant se poster de l'autre côté du jeune homme.

— Il n'a pas disparu ! se récria Scottie en se démanchant le cou pour regarder tour à tour l'un puis l'autre policier. Il est là-bas, chez lui.

Il se passa la main sur la nuque d'un geste nerveux.

— Bon sang, il avait dit qu'il n'y aurait aucun problème.

— Attends un peu, l'interrompit Matt. Chez lui ? Tu lui as apporté l'argent chez lui ? A quelle adresse ?

Scottie indiqua l'adresse de l'immeuble de Ryan Burnett. Les autorités de police locales avaient reçu l'ordre de les prévenir s'il rentrait à son domicile. A ce jour, on ne leur avait rien signalé.

— Et tu n'as pas trouvé étrange que Burnett te charge de retirer du liquide à sa place ? s'enquit Kendra.

Le jeune garçon haussa les épaules d'un air accablé.

— Il a dit qu'il était très occupé et que, si j'acceptais de lui rendre ce service, il me donnerait une… une… il a appelé ça une commission, acheva Scottie, son regard s'éclairant tandis qu'il répétait l'expression.

Comme un chiot tout heureux d'avoir fait plaisir à son maître, il les contempla de nouveau tour à tour.

— Et il était bien vivant quand il a pris l'argent que je lui rapportais, conclut fermement Scottie.

— Quand était-ce ?

— Aujourd'hui, reprit Scottie d'un ton plaintif. Juste après le deuxième retrait que j'ai effectué pour lui.

Il baissa le ton, comme pour leur livrer une confidence.

— Je lui ai fait remarquer qu'il aurait été plus rapide

d'aller chercher l'argent lui-même, mais il a dit que ça irait très bien.

Il haussa de nouveau les épaules.

— Je me suis dit qu'il devait avoir ses raisons.

Kendra lui présenta la feuille de papier sur laquelle était inscrite l'adresse de Ryan Burnett.

— Et c'était bien cette adresse-là ?

Scottie contempla fixement le nom de la rue et hocha la tête.

— Oui.

— Tu en es absolument sûr ? le pressa Matt en l'épinglant du regard.

— Mais… oui, répondit-il. Pourquoi ?

Devant l'insistance des policiers, il redevenait nerveux.

Au lieu de répondre, Kendra tira de sa poche la photographie de Burnett et la lui présenta.

— C'est bien l'homme pour qui tu es allé retirer de l'argent ?

Scottie regarda fixement la photographie pendant un long moment. Finalement, il leva la tête.

— Non, ce n'est pas Ryan Burnett.

— Quel est le numéro de l'appartement dans lequel tu t'es rendu ? questionna Kendra.

— J'ai une meilleure idée, intervint Matt. Tu vas nous y conduire.

Scottie secoua la tête.

— Ce n'est pas possible.

Ah, nous y voilà, songea Kendra. Peut-être, en définitive, le garçon était-il meilleur dissimulateur qu'elle ne l'avait cru et jouait-il la comédie depuis le début, sous ses airs d'innocence épouvantée…

— Ah bon ? Pourquoi donc ?

— Parce que vous m'avez emmené dans votre voiture et que vous avez laissé la mienne dans le parking, gémit Scottie.

Kendra échangea un regard avec Matt, lequel, manifestement, pensait la même chose qu'elle. L'adolescent, de toute évidence, ne brillait pas par sa vivacité d'esprit.

— Pas de problème, le rassura Kendra en posant la main sur son épaule. Nous allons t'emmener. Allez, en route.

— D'accord, mais est-ce que vous pourrez me raccompagner à mon travail, ensuite ? C'est ma première semaine et je ne voudrais pas qu'ils me renvoient déjà.

Déjà.

Ce dernier mot amusa Matt. Le garçon s'arrangeait apparemment pour ne pas trop travailler. Ce qui faisait de lui la proie idéale pour un esprit ingénieux en quête d'un bouc émissaire.

La question était maintenant de savoir qui, au juste, tirait les ficelles.

— Une voiture de patrouille te reconduira lorsque nous en aurons terminé, promit Kendra.

Quoique encore un peu mal à l'aise, l'adolescent n'avait plus l'air paniqué. Scottie Randall, estima Kendra, était simplement un jeune un peu paumé et beaucoup trop confiant — ce qui, là aussi, faisait de lui la cible parfaite pour quiconque voulait opérer en coulisse.

Peut-être étaient-ils enfin sur la bonne voie. Du moins l'espérait-elle de toutes ses forces.

Lorsqu'ils arrivèrent dans l'immeuble où le corps de Summer Miller avait été retrouvé, Scottie les conduisit tout droit au troisième étage, celui où était situé l'appartement de Ryan Burnett. Mais, lorsque Matt et elle se dirigèrent vers la gauche, Scottie s'immobilisa et les regarda avec curiosité.

— C'est par là, observa-t-il en indiquant la direction opposée.

L'adolescent pointait l'appartement du jeune acteur qui s'était montré si amical.

Les multiples tours et détours de cette affaire finiraient-ils par les conduire quelque part ? se demanda Matt.

Scottie sonna à la porte.

— C'est nous qui prenons le relais, maintenant, décréta Matt en écartant doucement l'adolescent tandis que Kendra sortait son téléphone.

Une musique assourdissante leur parvenait depuis l'intérieur de l'appartement.

— J'appelle des renforts, annonça-t-elle, se demandant comment on pouvait supporter un tel niveau de décibels.

La porte ne s'ouvrant toujours pas, Matt cogna de nouveau sur le battant, plus fort cette fois.

Alertés par radio, deux agents qui patrouillaient dans le secteur arrivèrent.

— Pouvez-vous reconduire ce jeune homme ? demanda Kendra à l'un des deux hommes. Il vous guidera.

Se tournant vers l'adolescent, elle ajouta :

— Et toi, Scottie, ne quitte pas la ville.

Scottie s'empressa d'acquiescer, tout excité par la mise en garde officielle qu'elle venait de lui signifier.

— D'accord… Super.

Super, se répéta Kendra intérieurement. Elle secoua la tête d'un air désabusé. Il en fallait pour tous les goûts.

Dans l'intervalle, Matt et l'autre policier avaient continué à tambouriner sur la porte. Enfin, le volume de la musique s'abaissa d'un coup. Un instant plus tard, ils entendirent le bruit d'une serrure qu'on déverrouillait.

Un homme d'environ trente-cinq ans leur apparut. Calé contre le chambranle pour s'aider à rester à la verticale, il plissa les yeux et les contempla tour à tour d'un œil vitreux. Son regard s'arrêta sur Kendra.

— C'est vous, le numéro d'animation ?

L'idée, manifestement, n'était pas pour lui déplaire.

De son ton le plus officiel, Kendra répliqua, brandissant sa plaque sous son nez en même temps que Matt lui présentait la sienne :

— Inspecteurs Cavanaugh et Abilene.

L'homme sourit largement.

— Oui, c'est bien vous, conclut-il, titubant légèrement comme il reculait pour leur ouvrir grand la porte.

Il lorgna du côté de Kendra.

— Dites donc, il va vous falloir un moment pour vous débarrasser de tous ces vêtements.

— Plus que vous ne l'imaginez, rétorqua-t-elle froidement.

— Hé, Tyler… Tes stripteaseurs sont là ! lança l'homme par-dessus son épaule.

— Quoi ? demanda Tyler Blake en s'avançant vers l'entrée.

Kendra vit le sourire cordial de l'acteur se désagréger quelque peu lorsqu'il les aperçut. Mais il se reprit en un clin d'œil et s'exclama, plaquant une expression amicale sur son visage :

— Inspecteurs ! Vous me faites l'honneur de venir assister à mon enterrement de vie de garçon ? Je me marie samedi, déclara-t-il, répétant l'information qu'il leur avait déjà fournie lors de leur première visite. Ecoutez, vous serez les bienvenus à la cérémonie, mais je dois retourner à mes invités… C'est mon témoin de mariage qui a tout organisé et je ne voudrais pas paraître impoli.

Matt abattit une main sur son épaule comme l'acteur faisait mine de tourner les talons.

— Nous vous rédigerons un mot d'excuse, énonça-t-il. Pour l'instant, ma partenaire et moi avons quelques questions à vous poser.

Blake se retourna lentement et contempla Matt.

— Ça ne peut pas attendre ?

— Non, assura Kendra. Vous devez nous accompagner au poste.

Avec un soupir résigné, Blake grommela :

— Très bien, d'accord.

Il fit signe à un autre homme, apparemment tout aussi alcoolisé que celui qui leur avait ouvert la porte.

— Jeffrey, je dois parler avec ces personnes. Veille à ce que la fête continue.

— Compte sur moi, Ty, répondit l'intéressé avec un grand sourire idiot.

Tandis qu'ils s'en allaient, Kendra entendit le son de la musique qu'on augmentait. Les voisins n'allaient pas tarder à prévenir la police, se dit-elle — si ce n'était déjà fait.

— Alors, de quoi s'agit-il ? questionna Blake lorsqu'il eut pris place dans l'une des salles d'interrogatoire.

Pendant tout le trajet, le comédien au chômage avait gardé le silence, comme s'il réfléchissait à la meilleure façon de jouer cette scène. Lorsqu'il ouvrit enfin la bouche, Matt le trouva étonnamment maître de lui.

— Je crois que vous le savez, répondit-il calmement en plantant son regard vert dans les prunelles extrêmement bleues de Blake.

Des lentilles de contact, décida Matt tout en continuant à dévisager l'homme pour le déstabiliser. Cela parut fonctionner car la façade soigneusement étudiée de Blake commença soudain à se craqueler.

Il ne semblait pas en mesure de mener à bien la performance d'acteur qu'il s'était fixée.

— Pourquoi ne pas me le dire, juste pour information ? demanda-t-il finalement.

— D'accord, répondit obligeamment Matt. Alors, juste pour information... Pourquoi avez-vous en votre possession la carte bancaire de Ryan Burnett et pourquoi êtes-vous en train de vider son compte en banque ?

Blake se redressa brusquement contre le dossier de sa chaise, l'image même de l'indignation.

— Qui vous a dit ça ? questionna-t-il avec colère.

— Scottie Randall, répondit Matt sans se départir de son calme.

Puis, pour faire bonne mesure, il ajouta :

— Il a été filmé par la caméra de surveillance en train de retirer de l'argent au guichet de banque. Il nous a expliqué que c'était vous qui lui aviez donné la carte en vous faisant passer pour Ryan Burnett.

Ne s'attendant visiblement pas à voir l'histoire révélée si vite au grand jour et n'ayant pas préparé de scénario pour sa défense, Blake céda à la panique.

— Il ment ! s'écria-t-il.

Kendra secoua la tête.

— Scottie n'est pas assez malin pour inventer une histoire pareille. Maintenant, dites-nous la vérité : où est Burnett ?

Cherchant à gagner du temps, Blake regarda Kendra, puis Abilene.

— Ryan est au Costa Rica. J'étais censé lui envoyer l'argent là-bas aussitôt qu'il serait retiré. J'ai oublié à cause de cette fête d'enterrement de ma vie de garçon, mais je m'en occuperai dès demain, je vous assure.

— Voulez-vous que je vous dise ? reprit Matt en regardant Blake bien en face. Je pense que vous mentez.

— Non, pas du tout, protesta l'acteur avec force. Ryan m'a demandé de lui rendre ce service juste avant son départ.

Matt se pencha en avant sans le quitter des yeux.

— Il se trouve qu'un système de climatisation très performant a été installé dans nos locaux récemment. Il fonctionne si bien qu'il faudrait au moins trois heures à un sachet de petits pois surgelés pour décongeler… Or vous transpirez à grosses gouttes, monsieur Blake.

— C'est un dérèglement de mon organisme, expliqua

Blake, une note de désespoir perçant dans sa voix. J'ai toujours été comme ça. Demandez à ma fiancée… Ça la rend folle.

Kendra inclina la tête en signe d'acquiescement.

— Ça arrive parfois lorsqu'on est nerveux… Notamment lorsqu'on ment.

La voix de Blake grimpa d'une octave.

— Mais je ne mens pas !

— Non ? rétorqua Kendra d'un ton doucereux sans jamais rompre le contact visuel, ainsi que Matt l'avait fait avant elle. Si j'appelle les compagnies aériennes, savez-vous ce qu'on va me répondre ? Qu'aucun billet n'a jamais été délivré pour le Costa Rica au nom de Ryan Burnett.

— Il a pris un vol privé, prétendit Blake. Il a un ami qui possède un avion. Je ne sais pas comment il s'appelle.

— Peu importe, répliqua doucement Kendra. Pour votre gouverne, sachez qu'aucun avion, privé ou non, ne décolle sans avoir signalé son plan de vol à la tour de contrôle.

— Facile à vérifier, confirma Matt en hochant la tête.

Voyant que l'histoire qu'il avait inventée s'écroulait comme un château de cartes, Blake se pencha en avant, la tête dans les mains, comme si elle pesait soudain beaucoup trop lourd.

Il se mit à respirer plus fort, avec difficulté.

— Bon sang ! proféra-t-il tout à coup.

— Vous voulez revenir sur vos déclarations ? s'enquit Kendra, rapprochant sa chaise.

— Ça ne devait pas se passer comme ça. Mon plan était si simple…

Il avait l'air de ce qu'il était désormais. Un homme acculé, qui voyait avec effroi son avenir, sa vie entière lui échapper.

— Si elle m'avait épousé un peu plus tôt, rien de tout cela ne serait arrivé. Ce n'aurait pas été nécessaire. Mais elle disait qu'elle voulait « être sûre ». Je ne pouvais pas attendre… Il me fallait cet argent tout de suite.

— Nécessaire ? répéta Kendra, incrédule. Depuis quand l'assassinat d'un être humain est-il nécessaire ?

— Il fallait donner l'impression que Ryan avait tué sa petite amie et que, dépassé par les événements, il avait pris peur et s'était enfui.

Les coudes sur la table, Matt s'inclina en avant.

— Mais il ne l'a pas tuée, n'est-ce pas ?

Comme Blake demeurait silencieux, il répéta :

— N'est-ce pas ?

Tête baissée, Blake contemplait ses chaussures.

— Non, finit-il par murmurer.

— Mais Burnett est mort, lui ? insista Matt.

Refusant de les regarder, Blake gardait les yeux obstinément fixés sur la table devant lui.

— Je vous ai demandé si Burnett était mort, répéta Matt d'une voix sèche indiquant clairement qu'il était en train de perdre patience.

L'acteur releva brusquement la tête. Une expression désespérée se lisait dans son regard.

— Je ne voulais pas le tuer ! gémit-il. Vous devez me croire. Mais je n'avais pas le choix. Ils allaient me coincer si je ne leur donnais pas l'argent. Et Burnett était la seule personne que je connaisse — à part ma fiancée — à avoir de l'argent sur son compte en banque.

— Attendez un peu, l'interrompit Kendra. Reprenons : qui allait vous coincer si vous ne leur donniez pas quel argent ?

Un soupir saccadé s'échappa des lèvres de l'acteur. Les épaules de Blake s'affaissèrent.

— L'argent que je devais à ce requin. Il s'intitulait « intermédiaire financier », mais ce n'est rien d'autre qu'un usurier.

La tristesse emplit son regard en même temps que les larmes lui venaient.

— Je ne jouais jamais auparavant. Mais, tout d'un coup, c'est devenu comme une drogue… Je n'arrivais plus à m'arrêter. Au début, je gagnais. Et puis je me suis mis à perdre et à perdre encore.

L'histoire était si classique que Kendra avait du mal à l'écouter. Comment les gens pouvaient-ils saccager leur vie de la sorte ?

Blake se tordait les mains maintenant.

— Je ne savais pas comment m'en sortir… Je ne mangeais plus, je n'avais même plus le goût de jouer la comédie. Je n'avais plus qu'une idée en tête : gagner.

— Mais vous avez continué à perdre, devina Matt.

Le virus du jeu l'avait mordu une ou deux fois alors qu'il vivait à Las Vegas avec sa mère, mais il avait eu la sagesse de mettre très vite un terme à ce qu'il savait être un engrenage sans fin.

— Oui, reconnut Blake d'une voix défaite. J'attendais cette main gagnante, celle qui allait tout changer pour moi, et qui était là, juste à portée de main, mais qui persistait à ne jamais, jamais vouloir sortir, en dépit de tous mes efforts.

Il leva la tête et regarda Matt.

— J'ai joué jusqu'à mon dernier sou — et même au-delà — jusqu'à être tellement endetté qu'il m'était devenu impossible de m'en sortir.

— Pourquoi n'avez-vous pas tenté d'emprunter de l'argent par le biais des canaux habituels ?

Blake laissa entendre un ricanement amer.

— Vous me prêteriez de l'argent si vous étiez banquier ? De plus, la somme à rembourser était bien trop importante. Je dois presque un demi-million de dollars. Qui m'aurait prêté une somme pareille ?

— Donc, vous avez préféré tuer pour obtenir cet argent, souligna Kendra, n'en croyant pas ses oreilles.

Blake ne répondit pas, comme s'il n'arrivait pas à reconnaître tout haut le crime dont il s'était rendu coupable.

— Où est le corps ? questionna Matt.

— Sur un chantier. Le grand centre commercial où la chaîne de salles de sport est en train de construire son nouveau gymnase. Il est enterré là.

Un sourire empreint d'une grande tristesse doublée d'ironie se fit jour sur ses lèvres.

— Il a toujours été un fervent adepte de l'exercice physique. Alors je me suis dit que c'était le bon endroit pour sa dernière demeure. Ils vont couler les fondations demain matin.

— Les travaux sont retardés, annonça Kendra en empoignant son téléphone pour avertir le chef des inspecteurs. Si quelqu'un pouvait obtenir le report de la mise en route de la construction, c'était lui.

— Ecoutez, je comprends la raison qui vous a amené à tuer Burnett, reprit Matt. Mais son amie ? Pourquoi l'avoir assassinée, elle aussi ? Est-ce qu'elle vous a surpris en train de commettre votre crime ?

Il secoua la tête.

— Non, elle est arrivée après. Il fallait que je trouve un motif justifiant la disparition de Burnett. S'il avait tué Summer, il avait toutes les raisons de ne pas s'attarder dans le coin…

Matt secoua la tête, s'étonnant une fois de plus des chemins tortueux que pouvait prendre l'âme humaine.

— Peut-être auriez-vous dû suivre vous-même ce conseil, suggéra-t-il en sortant les menottes. Levez-vous, ordonna-t-il.

Blake s'exécuta, tête basse.

— Tyler Blake, vous êtes en état d'arrestation pour les meurtres de Summer Miller et de Ryan Burnett, commença-t-il avant de lire ses droits à l'acteur dont la chance venait définitivement de tourner.

Jetant un regard à Kendra, il la vit qui reposait le combiné.

— Le chef va demander à l'entreprise de B.T.P. qui s'occupe du chantier de suspendre les travaux le temps que nous recherchions le corps.

Elle jeta un coup d'œil à Blake.

— Vous pouvez fournir une indication quant à l'emplacement précis du corps de Burnett ?

L'acteur semblait doucement glisser dans un monde intérieur. Le regard vague, il murmura :

— Cherchez des valises.

Génial, songea sombrement Kendra. *Il a découpé le corps en morceaux.*

16

— Seigneur, quelle affreuse journée, soupira Kendra le lendemain soir. Je n'avais qu'une hâte : la voir se terminer.

Elle devait lutter non seulement contre la fatigue, mais aussi contre le sentiment de révulsion que le caractère particulièrement sinistre du crime de Burnett lui avait laissé. Au petit matin, armés d'un ordre de suspension des travaux et aidés de chiens de détection de la brigade canine, Matt et elle s'étaient présentés sur le chantier, accompagnés de deux autres inspecteurs et de plusieurs agents de police recrutés pour procéder aux fouilles. Au terme de leurs recherches, quatre valises avaient été déterrées, contenant le corps démembré de Ryan Burnett.

Chacune d'elles avait été dûment photographiée à l'endroit exact de sa découverte avant d'être envoyée au médecin légiste, assortie de leurs commentaires. Le corps du défunt comptable avait alors été reconstitué, tel un puzzle géant, jusqu'à ce qu'il ne subsiste plus aucun doute quant à son identité.

Elle sentait encore l'horrible odeur qui leur avait sauté au visage à l'ouverture de la première valise, cinq heures plus tôt.

— J'ai l'impression que je ne me débarrasserai jamais de cette odeur, observa-t-elle d'un ton las.

Elle la poursuivait, quoi qu'elle fasse, où qu'elle se tourne.

— C'est dans ta tête que ça se passe, tu sais, lui dit gentiment Matt.

— Je serais plutôt tentée de dire « dans mes narines », maugréa-t-elle.

Matt lui sourit depuis l'autre côté du bureau.

— C'est parce que tu as une vive imagination. Ça passera, promit-il avec assurance pour la réconforter. En attendant, j'irai voir si je peux te trouver des bougies à la vanille en sortant du bureau…

Il s'interrompit en voyant Kendra qui le dévisageait, médusée.

— Quoi ? Qu'y a-t-il ?

Elle secoua la tête.

— Rien. C'est simplement que j'ai du mal à me représenter Matt Abilene en train de choisir des bougies parfumées.

Elle l'aurait cru assez macho pour ignorer jusqu'à l'existence de telles bougies.

— C'est ta façon de me dire que tu me trouves insensible ?

Sa voix ne laissait rien transparaître. Kendra n'avait aucun moyen de savoir s'il avait pris ombrage de sa remarque ou s'il la taquinait. Elle esquiva en répondant :

— Non, c'est ma façon de dire que je ne t'imaginais pas faisant ce genre d'achat typiquement « féminin ». Moi-même, je n'en achète jamais, c'est dire.

Et c'était vrai. Jamais de sa vie elle n'avait allumé une bougie parfumée, voyant dans ce type d'objet un risque potentiel d'incendie plutôt qu'un accessoire servant à créer une ambiance romantique.

— Alors tu as peut-être besoin d'un petit cours de rattrapage, souligna-t-il en lui décochant l'un de ces sourires ravageurs dont il avait le secret.

Consultant sa montre, il ajouta :

— Que dirais-tu de nous en tenir là pour aujourd'hui ? Ça a été une longue journée.

Il arqua les sourcils, attendant sa réponse.

Je dirais : « Oui, mille fois oui », songea Kendra. Mais elle fit semblant de vérifier l'heure et d'atermoyer avant de finalement déclarer d'un ton neutre :

— O.K., tu as raison… Allons-y.

Matt réprima un sourire. Il était sûr qu'elle était aussi impatiente que lui.

Comme il se levait, son téléphone se mit à sonner. Il s'en saisit, et Kendra le vit hausser les sourcils en lisant le nom de l'appelant sur l'écran. Il jeta un coup d'œil dans sa direction et murmura, juste avant de prendre l'appel :

— C'est ton père.

— Quoi ? Ce n'est pas Burnett que nous avons trouvé ?

Ce fut la première idée qui lui vint à l'esprit. Elle ne voyait pas quelle autre raison son père pouvait avoir d'appeler Matt. Seulement, c'était elle, l'inspectrice responsable dans cette enquête, son père le savait. Pourquoi ne l'avait-il pas appelée, elle ?

Elle eut beau tendre l'oreille pendant l'échange entre Matt et son père, elle n'apprit rien de plus.

— Très bien. Entendu, monsieur, dit finalement Matt avant de raccrocher.

Répondant à la question muette qu'il lisait dans le regard de Kendra, il annonça tout en l'invitant d'un geste à le précéder hors du bureau :

— Il veut nous voir.

Mais l'affaire était pour ainsi dire close. Alors, pourquoi ce mystérieux appel de dernière minute ?

— Que se passe-t-il ? Ne me dis pas que ce n'était pas le corps de Burnett dans les valises…

— Je ne sais pas. Il a seulement dit qu'il voulait nous voir. Mais nous serons bientôt renseignés.

Elle soupira et appuya sur le bouton d'appel de l'ascenseur. Le laboratoire technique et scientifique se trouvait au sous-sol du bâtiment. Lorsque les portes s'ouvrirent, elle entra la première et enfonça le bouton marqué 1.

— Je ne crois que je supporterais un nouveau rebondissement dans cette enquête. En tout cas, pas ce soir. Je n'ai pas souvenir de m'être jamais sentie exténuée à ce point !

Est-ce que cela sonnait aussi pleurnichard aux oreilles de Matt que cela l'était aux siennes ?

Au demi-sourire qui incurva les lèvres sensuelles de Matt, elle comprit que lui se remémorait l'avoir vue plus éreintée encore.

Elle n'eut pas besoin de demander à quoi il pensait.

— Pas un mot, lui intima-t-elle avant de tourner les talons et de s'engager résolument dans le couloir qui conduisait au laboratoire.

— Nous voilà, annonça-t-elle à son père en poussant la porte.

A en juger par les locaux déserts, l'équipe de jour était apparemment déjà partie et celle de nuit, pas encore arrivée. A moins qu'ils n'aient tous été appelés sur une scène de crime. Quoi qu'il en soit, c'était pour voir son père qu'elle était venue.

— Alors, quel est le problème ?

Sean la considéra d'un air surpris.

— Le problème ? Depuis quand es-tu tellement pessimiste ?

Ce n'était pas difficile. Kendra pouvait sans hésitation mentionner l'heure et le lieu exacts expliquant ce drastique changement de perspective de sa part.

— Depuis qu'un homme en apparence charmant a décidé de découper en quatre morceaux son voisin pour éviter que l'usurier à qui il devait de l'argent ne lui fasse subir, à lui, le même sort. Ça te convient, comme réponse ?

— Vu sous cet angle, évidemment, je comprends mieux. C'est simplement que je n'ai pas l'habitude de te voir aborder les choses d'un point de vue aussi sombre.

Sean contourna la table métallique sur laquelle il travaillait et se posta devant eux.

— Mais, en réalité, ce n'est pas à propos de votre enquête que je voulais vous voir.

Ce fut au tour de Kendra de le regarder, surprise.

— Alors, c'est à quel propos ?

Ce fut à Matt, plutôt qu'à elle, qu'il s'adressa :

— J'ai pensé que vous deviez être les premiers à savoir…

Il marqua une pause et secoua la tête, embarrassé.

— Je crains de manquer d'un peu d'entraînement pour ce genre d'exercice, confessa-t-il, un peu penaud.

Si Matt continuait à le contempler, perplexe, Kendra avait déjà deviné la suite. En temps normal, son père était la confiance en soi personnifiée. Une seule chose pouvait avoir ébranlé ainsi son assurance.

Elle contempla son père, stupéfaite.

— Serais-tu en train de chercher comment demander à Abilene la permission de sortir avec sa mère ?

— Non, répondit Sean sans détour. Nous sortons déjà ensemble. Mais je voulais que vous sachiez que ça devient sérieux entre nous.

— Sérieux à quel point ? s'enquit Matt.

Son intonation parfaitement neutre ne trahissait pas la moindre émotion.

Sean le regarda bien en face.

— Sérieux, répéta-t-il comme si ce simple mot suffisait à lui seul à tout dire.

Puis il ajouta, passant à la vitesse supérieure :

— En fait, je commence à songer à la demander en mariage.

Kendra en resta bouche bée. L'espace d'un moment, elle ne sut si elle devait féliciter son père ou lui demander s'il n'avait pas perdu la tête. Tout cela allait beaucoup trop vite.

— Tu plaisantes.

— Non, assura-t-il solennellement.

Il avait tout autant droit au bonheur que n'importe

qui, songea Kendra. Plus, même. Mais il était novice en la matière.

— Tu ne crois pas que c'est un peu précipité ?

Sa formulation amusa son père. Il eut un petit rire.

— Si j'avais ton âge, ce le serait peut-être. Mais, au mien, c'est différent. On n'a plus autant de temps devant soi. En tout cas, pas autant qu'il vous en reste, à vous…

Il regarda Kendra, puis Matt.

— Je voulais simplement m'assurer que vous n'y voyiez pas d'objection majeure.

— Et si c'était le cas ? demanda Matt.

Sean répondit avec franchise.

— Eh bien, j'écouterais ce que vous avez à dire et nous en discuterions.

Au moins le père de Kendra n'essayait-il pas de lui jeter de la poudre aux yeux ou de détourner son attention, se dit Matt. C'était apparemment un homme qui avait le courage de ses opinions. Et ça lui plaisait.

— Je n'en demande pas plus, répondit-il à Sean avec un sourire compréhensif. Tout ce que je veux, c'est que ma mère soit heureuse.

— Moi aussi, Matt, croyez-moi. Eh bien, voilà… C'est tout ce que j'avais à vous dire, conclut-il en retournant de l'autre côté de la table où il se tenait à leur arrivée. Je ne veux pas vous retenir trop longtemps…

Il consulta sa montre.

— D'ailleurs, moi aussi, je dois m'en aller. Je dois retrouver votre mère dans ce petit restaurant italien qu'elle adore.

Sean leur adressa un large sourire et ôta sa blouse blanche qu'il alla suspendre à un crochet, sur la porte.

— Nous nous verrons au prochain repas de famille.

Kendra revint brusquement à la réalité.

— Donc, tu n'avais rien de nouveau à nous apprendre

concernant le cadavre qui a été morcelé en plusieurs parties ?

— Seulement que c'est bien l'homme que vous recherchiez, confirma-t-il avant de refermer la porte.

Son père sortait avec la mère d'Abilene, et c'était du sérieux. Les mots tournaient en boucle dans sa tête.

Elle eut vaguement conscience que son partenaire l'entraînait hors du laboratoire.

Cette relation qui était née entre leurs parents allait-elle changer la donne entre eux ? se demanda-t-elle. Matt semblait apprécier son père, mais il y avait un monde entre apprécier le directeur du laboratoire de la police scientifique et technique et apprécier l'ami de sa mère.

L'idée lui vint qu'elle ne voulait pas que les choses changent entre eux. Pour quelque raison que ce soit. Elle ne voulait pas que cette expérience qu'ils étaient en train de vivre prenne fin, même si elle se préparait depuis le début à cette éventualité. Le statu quo, tout à coup, lui devenait très important.

Le silence, entre eux, était assourdissant. Ils n'avaient pas échangé un mot depuis cinq minutes qu'ils roulaient. Finalement, ne le supportant plus, elle déclara :

— Tu es en colère ?

Matt continua à regarder la route, devant lui.

— Non. Pourquoi veux-tu que je le sois ?

N'était-ce pas évident ?

— Eh bien, tu ne dis rien.

— Ça n'implique pas forcément que je sois en colère.

Elle était prête à le croire, dès lors qu'il lui expliquait la raison de son silence. Pourquoi ne lui parlait-il pas ?

— Bien. Alors, qu'est-ce que tu as ?

— Je réfléchis.

A l'affaire ? A leurs parents ? Il ne pouvait pas la laisser dans tant d'incertitude.

— A quoi ? s'enquit-elle, impatientée.

La réponse qu'il lui apporta ne fut pas celle qu'elle attendait.

— A nous.

Avait-elle raison ? Cherchait-il un moyen de mettre fin à… ce qui existait entre eux ? La gorge subitement sèche, ce fut d'une voix un peu voilée qu'elle demanda :

— Eh bien, quoi, nous ?

— Ce qu'a dit ton père, tout à l'heure, m'a donné à réfléchir. Je ne sais toujours pas précisément où nous allons, confessa-t-il, faisant référence à leur situation. Mais je crois que je commence à savoir ce que je veux véritablement.

Pourquoi ces mots engendraient-ils en elle un tel sentiment de panique ? s'interrogea Kendra. Quelle que soit leur signification… Si Matt lui annonçait qu'il voulait voir leur relation prendre une tournure plus sérieuse, elle était terrifiée à l'idée que la déception puisse l'attendre au bout du chemin — comme cela avait été le cas avec Jason. Mais, s'il déclarait avoir besoin de « prendre du recul », alors cette déception tant redoutée serait là, juste devant elle.

Dans un cas comme dans l'autre, elle n'était pas gagnante.

— Oh ! releva-t-elle, s'efforçant d'adopter un ton dégagé. Tu peux développer ?

Cette fois, le regard de Matt s'appesantit longuement sur elle.

— Est-ce vraiment nécessaire ?

Elle prit sa réponse au pied de la lettre.

— Disons que j'aimerais bien savoir ce que tu as en tête.

Matt secoua la tête tandis qu'il bifurquait à gauche.

— Non, ce que je voulais dire, c'est que je n'ai pas besoin de le formuler à voix haute… parce que je pense que tu sais très bien ce qu'il en est.

Cela ne changeait rien. Que les choses se dessinent dans un sens ou dans l'autre, cela la rendait nerveuse. Elle ne voulait pas avoir à préciser la nature de ce qui se passait entre eux, ne voulait pas avoir à y apposer une étiquette — parce que les relations clairement désignées comme telles finissaient toujours par vous décevoir, au bout du compte. Et elle avait déjà eu le cœur brisé une fois.

— Est-ce qu'on peut… simplement en rester où nous en sommes pour l'instant ? demanda-t-elle. S'il te plaît ?

— Tu n'as pas à avoir peur, tu sais.

Oh ! que si. Parce que tu finiras par me faire souffrir. Terriblement. Si on lui avait dit dix-huit mois plus tôt qu'elle retomberait amoureuse, elle ne l'aurait pas cru. Et pourtant, c'était arrivé. De façon totalement inopinée, sans qu'elle ne voie rien venir.

Parce qu'elle l'aimait, parce qu'elle voulait que ni l'un ni l'autre ne soit blessé, elle essaya de lui faire comprendre ce qu'elle ressentait.

— Ecoute, je suis déjà passée par là… Tout a déjà capoté une fois… Je…

Par le choix de ses mots, Kendra lui avait tendu la perche qu'il attendait, se dit Matt.

— Absolument, l'interrompit-il. Une fois, en effet. Quand tu étais fiancée à Jason. Mais, flash d'information, Cavanaugh…

Il avait utilisé à dessein son nouveau nom pour lui rappeler combien les choses pouvaient évoluer dans la vie.

— Je ne suis pas Jason. Je n'ai pas le complexe du héros qui a de sa propre personne une image idéalisée. Je n'ai pas d'attentes irréalistes ni me concernant, ni te concernant.

— C'est bon à savoir.

Il y avait une pointe de sarcasme dans son intonation. Matt continua comme s'il ne l'avait pas remarqué. Ce qu'il avait à dire était trop important pour souffrir une interruption.

— Tu fais déjà plus que combler tous les désirs que j'ai pu avoir dans mes rêves les plus fous, assena-t-il d'un ton définitif. Il me suffit de poser les yeux sur toi pour savoir que tu m'es aussi nécessaire que l'air que je respire.

— C'est vraiment bon à savoir, répéta-t-elle, rectifiant sa réponse initiale — en en éliminant l'inflexion sarcastique.

— Ce que je voulais dire, poursuivit Matt, c'est que je ne sais pas où nous allons, mais que j'entends bien faire en sorte que ce soit dans la bonne direction.

Profitant de ce qu'ils étaient arrêtés à un feu rouge, il la contempla avec intensité.

— J'ai envie de faire le parcours avec toi.

— Moi qui croyais que c'était ce que nous étions en train de faire !

Elle se cachait derrière une désinvolture de façade. Comme souvent… Ainsi que Matt l'avait peu à peu compris, c'était l'un de ses mécanismes de défense.

— Je parle d'un autre parcours, répliqua-t-il en riant avant de reprendre son sérieux. Un grand parcours, du genre de celui qu'envisage ton père avec ma mère.

Kendra réussit à articuler :

— Est-ce que… c'est une demande en mariage ?

— Pas encore, répondit-il avec franchise. Mais il y a de grandes chances pour que nous revenions sur ce sujet dans un futur pas très lointain. Puis, sans lui laisser le temps de protester, il ajouta : Je sais par quoi tu es passée et je ne veux pas te bousculer. Et je n'oublie pas ce que je pensais du mariage — avant d'être avec toi. Les choses changent, et pas toujours pour le pire.

Il attendit qu'elle réponde, mais, comme rien ne venait, il finit par dire :

— Alors ?

— Accélère.

— Pardon ?

— Accélère, répéta-t-elle fermement. Je voudrais continuer cette conversation chez moi et, de préférence, sans tous ces vêtements qui nous entravent.

Elle ponctua sa phrase d'un clin d'œil malicieux qui fit se contracter l'estomac de Matt.

— Kendra, je parle sérieusement.

Oui, de cela, elle ne doutait plus, songea-t-elle, notant qu'il venait de l'appeler par son prénom pour la première fois.

— Je sais, répondit-elle à voix basse, le regard braqué sur lui.

Avec un grand sourire chargé de promesses, elle souligna :

— Moi aussi.

Matt appuya sur la pédale d'accélérateur.

Epilogue

A la minute où Kendra claqua derrière elle la porte d'entrée, les vêtements se mirent à voler, tombant sur le sol comme autant de petits cailloux balisant leur itinéraire à travers son appartement.

Quand ils arrivèrent à la chambre, il ne leur restait plus que le désir plus intense que jamais de s'abandonner aux délices qu'ils en étaient venus à découvrir dans les bras l'un de l'autre.

Durant le temps — relativement court — qu'ils avaient été ensemble, Kendra avait appris une infinité de façons de faire l'amour, de décliner leurs rituels intimes selon toutes sortes de variations, et elle était extraordinairement impatiente de revisiter chacune de leurs techniques, chacun de leurs mouvements.

Le cœur battant la chamade, elle s'offrit à ses ferventes caresses, échafaudant déjà des plans pour renverser les rôles. Le premier point culminant qu'elle atteignit survint moins de dix minutes après leur retour. D'autres suivirent, mais elle avait déjà perdu toute notion de temps et d'espace, n'ayant plus pour repères que l'enivrante chaleur de leurs deux corps mêlés et leurs transports exaltants.

Jamais elle ne s'était sentie si merveilleusement épuisée.

— Ce n'est pas du jeu, protesta-t-elle, haletante. Tu as un temps d'avance sur moi.

— Tu vas pouvoir te rattraper, promit Matt d'un

murmure sensuel qui courut sur la peau tendre de son cou. Je voulais juste te prouver que j'étais vraiment sérieux.

— Moi aussi, je le suis, souffla-t-elle.

Galvanisée par un soudain regain d'énergie, elle changea de position et se plaça au-dessus de lui, s'efforçant de faire jeu égal en affolant ses sens autant qu'il avait embrasé les siens.

Alors, tout à coup, au milieu de ce tourbillon insensé de sensations partagées, un bruit incongru se fit entendre.

Une sonnerie.

— Bon sang, c'est mon portable, grommela-t-elle à mi-voix. J'aurais dû le plonger dans un verre d'eau en arrivant à la maison.

— Tu devrais décrocher… On ne sait jamais, suggéra Matt.

Son conseil aurait sans doute été mieux entendu s'il n'avait pas été en train de lui mordiller le lobe de l'oreille tout en pressant voluptueusement son corps contre le sien.

S'arrachant non sans difficulté à la torture délicieuse de ses caresses, Kendra lutta pour s'éclaircir les idées et tâtonna sur la table de nuit, à la recherche de son téléphone.

— Cavanaugh, déclara-t-elle dans l'appareil.

Il lui fallut se faire violence pour forcer la portion de son cerveau qui était encore susceptible de fonctionner à se concentrer.

Puis, tout à coup, ses yeux s'écarquillèrent.

— Tu peux répéter ?

L'instant suivant, elle poussait un soupir résigné.

— Bonté divine. D'accord. Tiens-moi au courant si tu as du nouveau. Merci.

Son téléphone à peine refermé, il lui glissa des doigts, déjà oublié.

Mais le bref échange avait piqué la curiosité de Matt.

— Qu'est-ce que c'était ? demanda-t-il, ses lèvres traçant un chemin de feu le long de la courbe de son épaule.

Un autre soupir, plus profond, précéda sa réponse.

— L’acteur s’est échappé.

Il leva brusquement la tête.

— Quoi ?

Elle se résigna à lui fournir plus de détails, refoulant à grand-peine le désir qu’il avait rallumé en elle, savourant par anticipation la magie de ce qui allait suivre.

— Blake a réussi à s’échapper, déguisé en gardien de prison. Personne ne sait où il est. Wong et Ruiz s’en occupent pour le moment, mais ils n’ont pas beaucoup d’espoir.

— Ils veulent qu’on vienne à la rescousse ?

— Pas pour l’instant.

Ils n’avaient pas fini d’entendre parler de Tyler Blake, songea-t-elle à part soi.

Mais, pour l’heure, rien de tout cela n’avait d’importance. Tout ce qu’elle voulait, c’était sentir le corps de Matt lové contre le sien, continuer à se sentir incroyablement… vivante.

— Dans ce cas, nous pouvons reprendre là où nous en étions, conclut Matt.

Un sourire satisfait s’épanouit sur les lèvres de Kendra comme elle se tournait lascivement vers lui.

— Bonne idée.

— La meilleure, murmura-t-il à son oreille en l’enveloppant de ses bras.

Ce furent les derniers mots qu’ils prononcèrent de la très longue et délectable soirée qui s’ouvrait devant eux.

C. J. CARMICHAEL

Un fils à retrouver

BLACK *ROSE*

éditions HARLEQUIN

Titre original : RECEPTIONIST UNDER COVER

Traduction française de VANESSA AUCANOT

83-85, boulevard Vincent-Auriol, 75646 PARIS CEDEX 13.
Service Lectrices — Tél. : 01 45 82 47 47
www.harlequin.fr

1

Nadine regarda l'imprimante du bureau recracher un exemplaire de son diplôme. Il prouvait sa réussite aux cours de détective privé en ligne qu'elle avait suivis durant ces six derniers mois. Lindsay Fox, sa patronne et fondatrice de l'agence de détectives Fox & Fisher, se trouvait dans son bureau, juste à côté. C'était le moment si elle ne voulait pas passer le reste de sa vie à travailler comme réceptionniste.

La copie du diplôme encore chaude dans ses mains, elle se dirigea d'un pas décidé vers le bureau de Lindsay. Elle frappa un coup sec contre la porte, puis l'ouvrit.

Lindsay n'était pas seule. Son associé et fiancé, Nathan Fisher, était assis dans le fauteuil généralement réservé aux clients, tandis qu'elle faisait les cent pas dans la pièce, pieds nus.

Malgré son arrivée, ils continuèrent à débattre, de manière civilisée mais passionnée.

— Tout ce que je dis, Fox, c'est que des invitations en papier font plus chic qu'un mail.

— La préservation des arbres me préoccupe davantage que ce qui est « chic ».

Puis, se tournant vers elle :

— Qu'en pensez-vous, Nadine ? Devrions-nous envoyer des invitations vieux jeu en papier pour notre mariage, ou des invitations par mail, plus rapides, moins coûteuses et qui respectent l'environnement ?

— Qu'est-ce qu'une dizaine d'invitations représentent ? l'interrompit Nathan. Une brindille ? Et puis, nous pouvons utiliser du papier recyclé.

— Nadine ? insista Lindsay.

— Oh ! non. Je ne tomberai pas une nouvelle fois dans ce piège.

Il était hors de question qu'elle donne son opinion. Prendre parti pour Lindsay ou Nathan durant l'une de leurs « discussions » n'était jamais une bonne idée.

Ils avaient beau s'aimer passionnément et faire d'excellents partenaires sur le plan professionnel, ils avaient des idées opposées sur de nombreux sujets… en particulier leur mariage.

Et tous deux boudaient comme des enfants si elle choisissait un camp plutôt que l'autre.

— Nous avons trop attendu pour nous en occuper. Le mariage est dans deux mois.

Lindsay feuilleta les pages de son agenda.

— Avons-nous même le temps de faire imprimer quoi que ce soit ?

— Notre retard est uniquement dû au fait que tu ne cesses de tout remettre au lendemain.

Nathan se pencha en avant dans son fauteuil et planta ses deux mains sur ses cuisses musclées.

— L'une de mes amies possède une boutique de graphisme à deux blocs d'immeubles d'ici, sur Amsterdam Avenue. Si nous y allons tout de suite, elle propose de nous aider à choisir un modèle. Nous devrions recevoir les invitations en trois jours.

Lindsay grimaça, puis poussa un soupir.

— D'accord, céda-t-elle. Mais le gâteau de mariage sera au chocolat.

Nathan semblait sur le point de débattre davantage, mais il se ravisa finalement et hocha la tête.

— Invitations en papier et gâteau au chocolat.

Lindsay ramassa ses chaussures sur le sol.

— Très bien. Nous ferions bien d'aller parler à ton amie.

Nadine sursauta. Elle était sur le point de perdre sa chance de leur parler — encore une fois.

— Heu, avant que vous ne partiez, j'aurais souhaité vous parler.

— Qu'y a-t-il ? s'enquit Lindsay pendant qu'elle enfilait ses chaussures à talons.

Nadine lui montra le diplôme qu'elle tenait à la main.

— J'aimerais commencer à travailler sur mes propres affaires. Je crois être prête.

Les deux associés échangèrent un regard rapide. Sentant leur scepticisme, Nadine se hâta d'ajouter :

— Je sais que vous m'avez fait une faveur lorsque vous m'avez embauchée comme réceptionniste alors que je n'avais aucune expérience professionnelle.

Elle ne possédait à l'époque qu'une formation en linguistique, ainsi que son expérience pour organiser des dîners et des galas de charité. Son père avait toujours prévu qu'elle travaillerait à la Fondation Waverly après la remise des diplômes. Mais, à la dernière seconde, Nadine s'était rebellée.

Elle avait un rêve, que ses parents jugeaient ridicule, irresponsable et potentiellement dangereux.

Elle voulait être détective privée.

— Malgré mon manque d'expérience, je crois avoir fait du bon travail.

— Excellent même, renchérit Lindsay. Cependant, la différence est énorme entre passer ses journées derrière un bureau et traiter une affaire du début à la fin.

— Vous effectuez déjà beaucoup de recherches et vous tapez de nombreux rapports, ajouta Nathan. Par ailleurs, vous vous chargez de prendre les appels des clients et de faire le suivi pour nous quand nous sommes en train d'enquêter sur le terrain. L'agence ne pourrait pas fonctionner sans vous.

Nadine les comprenait et appréciait leur reconnaissance pour son travail, mais elle ne renoncerait pas. Pas cette fois-ci.

— Est-ce parce que je n'ai pas reçu de formation policière ?

Lindsay, Nathan et leur troisième associée, Kate Cooper, avaient tous les trois travaillé au sein d'un même département de la police de New York avant la création de Fox & Fisher.

— Je me suis renseignée, poursuivit-elle. Il y a d'excellents détectives privés dans cette ville qui n'ont pas commencé leur carrière dans la police.

— C'est vrai, dit Lindsay en passant une main dans ses cheveux blonds. Je ne suis simplement pas certaine que vous soyez prête.

— Mais nous sommes submergés de travail, fit remarquer Nadine. Et Kate sera bientôt en congé de maternité.

— Qui s'occuperait de répondre au téléphone et d'accueillir les clients si vous n'étiez pas là ? reprit Lindsay.

La gorge de Nadine se serra. Elle ne se sentait pas de suggérer que l'un d'eux pourrait le faire à sa place si elle devait s'absenter.

Nathan jeta un coup d'œil à sa montre.

— Nous devons y aller. Reparlons-en plus tard, quand nous aurons plus de temps, d'accord ?

C'était toujours la même histoire, songea Nadine en soupirant dès qu'ils furent partis. Elle ne se faisait aucune illusion sur ce qui se passerait plus tard. Pour la forme, ils montreraient de l'intérêt à l'idée de lui confier davantage de responsabilités, puis ils embaucheraient quelqu'un de nouveau pour remplacer Kate quand elle partirait en congé de maternité.

Elle s'enfonça dans son fauteuil, frustrée. Travailler

chez Fox & Fisher lui plaisait. Elle considérait Lindsay, Nathan et Kate comme des amis, pas simplement des collègues.

Elle n'avait aucune envie de s'en aller, mais elle avait un rêve et elle se sentait prête.

Faire du café, répondre au téléphone, vérifier des informations sur internet et rédiger des rapports, oui, elle était très douée pour ça, mais ce n'était plus suffisant désormais.

Les opinions de Lindsay, Nathan et Kate étaient faussées par le milieu dont elle était issue, par sa famille fortunée et son éducation privilégiée.

Ils se demandaient tous pourquoi elle se donnait la peine d'avoir un « vrai » travail. Elle n'avait jamais été à l'aise avec la situation de sa famille. Loin de lui donner une confiance supplémentaire, l'argent l'avait handicapée. Elle voulait être estimée en tant que personne, non comme une héritière. Raison pour laquelle elle utilisait le nom de jeune fille de sa mère au travail et parlait rarement de ses liens avec la famille Waverly.

Elle était déterminée à prouver — aux autres et à elle-même — qu'elle était capable de traiter une affaire. Mais comment le pouvait-elle s'ils ne la laissaient pas essayer ?

Il faudrait certainement un bon moment à Lindsay et à Nathan pour tomber d'accord sur un modèle d'invitation, songea-t-elle en étudiant le planning de la journée sur son ordinateur. Quant à Kate, elle s'était rendue à son bilan de santé du huitième mois avec son mari, Jay.

Elle serait donc seule à l'agence pendant une heure ou deux.

Et si — simple supposition — un client franchissait la porte durant cet intervalle ?

Ce n'était pas très souvent que quelqu'un se présentait sans rendez-vous, mais cela arrivait. Généralement, si tout le monde était sorti, elle notait un rendez-vous et demandait au client potentiel de repasser plus tard.

Et si, cette fois-ci, elle ne lui demandait pas de revenir ultérieurement ?

Nadine posa une main sur sa poitrine. Son cœur battit soudain la chamade, et une montée d'adrénaline lui donna des picotements dans les doigts.

Oserait-elle ?

Il le fallait. Elle n'avait pas d'autre choix. Le prochain client qui franchirait la porte serait le sien.

Patrick O'Neil resserra les pans de son manteau, non pour se protéger lui-même de la pluie de novembre — comparé à l'Alaska, où il avait effectué des recherches et rédigé son dernier livre, le temps new-yorkais était doux — mais pour abriter les lettres rangées dans sa poche intérieure.

Il s'arrêta devant un bâtiment en grès brun. Agence Fox & Fisher.

Se sentant étrangement embarrassé, il jeta un coup d'œil à gauche, puis à droite. Personne ne lui prêtait la moindre attention. La plupart des passants étaient sous leurs parapluies et, de toute façon, les New-Yorkais ne se mêlaient jamais de ce qui ne les regardait pas.

Il monta les six marches qui menaient à la porte d'entrée. Puis, après avoir vérifié les plaques des différentes sociétés installées dans l'immeuble, il prit l'escalier pour se rendre à l'étage supérieur où se trouvait l'agence de détectives Fox & Fisher.

Le nom était inscrit sur le verre d'une porte semi-translucide. Il lut les horaires affichés : l'agence était bien ouverte. Evidemment. Quelle compagnie ne le serait pas à 3 heures de l'après-midi, un mardi ?

Il tourna la poignée de la porte et entra.

Une femme était assise derrière le bureau de l'accueil. Menue, avec des cheveux bruns, elle avait des yeux encore plus sombres et de jolies lèvres rouges. Son sourire était censé être accueillant, mais elle paraissait légèrement nerveuse.

— Bonjour, je n'ai pas de rendez-vous, annonça-t-il. Quelqu'un peut-il néanmoins me recevoir ?

Trois secondes plus tôt, il ne savait pas s'il irait au bout de sa décision. Il n'était pas du genre à engager quelqu'un pour résoudre ses problèmes.

D'un autre côté, il n'avait jamais eu d'ennui comparable à celui-ci auparavant.

— Oui, aucun problème.

— Parfait. J'ai de la chance.

Elle avait une façon de parler élégante et raffinée. Elle avait très certainement reçu une bonne éducation.

Ce qui n'était pas son cas, mais n'avait jamais constitué un obstacle. Il avait appris la vie par le travail et l'expérience.

Glissant une main à l'intérieur de sa veste, il passa au-delà du livre qu'il venait de recevoir de son éditeur pour toucher une enveloppe en papier kraft. Elle était encore sèche, constata-t-il avec soulagement.

Il ôta son manteau et le plia soigneusement par-dessus son bras.

— Voulez-vous le suspendre dans le placard ?

Il secoua la tête, et les muscles de ses bras se tendirent d'instinct.

— Je préfère le garder avec moi.

— Entendu.

Il la regarda ramasser un tas de dossiers et, sans aucune raison apparente, les déplacer à l'autre bout de son bureau.

— En quoi puis-je vous aider ?

Malgré la situation surréaliste, il s'efforça de ne pas se sentir idiot. Il n'aurait jamais imaginé avoir la moindre raison de solliciter les services d'un détective privé.

Pourtant, il se trouvait bien là.

— Mon nom est Patrick O'Neil. J'aimerais m'entretenir

avec l'un de vos détectives. J'ai… j'ai besoin de retrouver quelqu'un.

— Retrouver des personnes disparues est l'une de nos spécialités. Je serais ravie de vous aider. Je m'appelle Nadine Kimble.

— Vous ? Mais… je supposais que vous étiez la réceptionniste.

— Je la remplaçais juste temporairement pendant qu'elle prend sa pause. Allons poursuivre cette conversation dans la salle de conférences. Aimeriez-vous une tasse de café ?

Il acquiesça d'un signe de tête. La situation devenait de plus en plus étrange. Un café l'aiderait. Elle lui en versa une tasse, dans laquelle il ajouta un peu de crème, avant de la suivre dans un petit couloir jusqu'à une pièce sur la gauche.

A l'image de l'accueil, le décor de la salle de conférences était moderne et minimaliste. Il jeta un œil aux étranges photos en noir et blanc accrochées au mur : elles représentaient des gros plans de trombones.

— Je vous en prie, asseyez-vous et mettez-vous à l'aise.

Elle ouvrit un bloc-notes devant elle et sortit un stylo.

— Je vous écoute, dites-moi qui vous souhaitez retrouver.

Bien que saisi d'une forte envie de l'interroger sur ses références, il se ravisa. Ce serait probablement sexiste de sa part. Qu'elle soit petite, mignonne et extrêmement féminine ne signifiait pas qu'elle n'était pas une détective hors pair. Et puis, cette agence lui avait été recommandée.

Il vida avec soin la poche intérieure de son manteau, en commençant par le livre, puis saisit l'enveloppe en papier kraft.

Elle le suivait du regard, puis observa l'ouvrage, retourné, et la photo clairement visible.

— Est-ce que c'est vous ?

Elle tendit la main vers le livre.

— Puis-je regarder ?

Action et Aventure en Nouvelle-Zélande était son sixième livre. Même si cela aurait dû lui passer, il ressentait toujours un élan de fierté à la vue de sa photo et de son nom sur la couverture.

— Mais certainement, répondit-il. Je viens de recevoir cet exemplaire de mon éditeur. Le livre ne sera pas disponible en magasin avant un mois encore.

— Alors, vous êtes écrivain, spécialisé dans les récits de voyages.

Elle avait l'air impressionnée, nota-t-il.

Beaucoup de femmes l'étaient.

Ressaisis-toi, il ne s'agit pas d'une fille à qui tu essaies de faire du charme dans un bar.

Nadine feuilleta le livre, s'arrêta même pour regarder certaines photos, avant de lui adresser un sourire contrit.

— Je suis désolée, je m'égare.

Elle mit le livre de côté, puis croisa les bras sur la table et se pencha vers lui.

— Dites-moi pour quelle raison vous êtes ici, reprit-elle en jetant un coup d'œil à l'enveloppe en papier kraft d'un air inquisiteur.

Il recouvrit l'enveloppe d'une main protectrice tandis qu'une boule venait se loger dans sa gorge. Il avait déjà décidé que cette solution était la plus expéditive, mais soudain il n'était plus tout à fait certain de pouvoir partager sa situation très personnelle avec une étrangère.

Il se ressaisit.

Quel autre choix avait-il ? Les révisions de son manuscrit sur l'Alaska devaient être terminées et envoyées à son éditeur dans trois semaines. Il n'avait pas le temps de s'occuper de ce problème en personne. Et, à dire vrai, il n'était même pas certain de savoir comment s'y prendre.

— J'ai besoin de votre aide pour…

Sa voix se brisa. Il but une gorgée de café pour s'aider à aller au bout de sa phrase.

— … pour retrouver mon fils.

2

Le regard fixé sur l'enveloppe, Nadine sentit ses pieds devenir aussi froids que de la glace.

Allait-elle être capable de traiter cette affaire toute seule ? Que ferait-elle si ce n'était pas le cas ?

Elle avait espéré que son premier client serait une vieille dame à qui l'on aurait dérobé un bijou de valeur, ou un mari inquiet que sa nouvelle épouse soit infidèle — cette dernière ne l'était évidemment pas dans son imagination… A la place, elle se retrouvait avec cet homme fort et énergique, débordant de vitalité masculine.

Patrick O'Neil ne semblait pas complètement sauvage, mais il n'en était pas loin avec ses cheveux châtains, épais et indisciplinés, et son corps tout en muscles.

Elle n'avait jamais rencontré quelqu'un comme lui et se sentait hors de son élément face à cet aventurier. Dans le livre qu'elle venait de feuilleter, il y avait une photo d'un homme qui s'élançait d'une falaise en parapente, c'était certainement lui…

Mais elle ne devait pas lui montrer qu'elle était intimidée. Après tout, il était ici parce qu'il avait besoin d'aide.

— Votre fils a-t-il… fait une fugue ? demanda-t-elle en s'efforçant de se comporter comme si elle avait déjà tout vu et que plus rien ne la surprenait.

Il secoua la tête d'un air impatient.

— Pas vraiment. La situation est compliquée. Lorsque je suis parti en Alaska, pour raison professionnelle, il y a six semaines, j'ignorais même que j'avais un fils. A mon retour, j'ai trouvé cette enveloppe au milieu du courrier accumulé en mon absence.

De la grande enveloppe posée sur la table, il en sortit deux plus petites. L'une d'elles avait été ouverte. L'autre — adressée simplement à Stephen — était toujours cachetée.

Perplexe, Nadine attendit qu'il lui fournisse davantage d'explications.

— Ces lettres ont été écrites par une ancienne petite amie. La première m'était adressée, l'autre est destinée à un jeune homme prénommé Stephen.

Il passa une main dans ses cheveux décoiffés avant d'ajouter :

— Un jeune homme qu'elle prétend être mon fils.

Elle s'efforça une nouvelle fois de conserver une expression neutre, comme si elle était constamment confrontée à ce genre de situation.

— L'est-il ?

Il haussa les épaules.

— Je suppose que oui. June Stone et moi sommes sortis ensemble durant notre dernière année de lycée. Après avoir obtenu son diplôme, elle est allée étudier à l'université pendant que je travaillais afin de pouvoir m'offrir mon premier voyage en Europe. Nous avons toujours su que nos projets d'avenir étaient différents. Notre rupture était donc inévitable.

— Et le bébé, où se situe-t-il dans tout ça ?

— June était apparemment enceinte au moment de notre rupture.

— Vous l'ignoriez ?

— Oui. Dans sa lettre, elle explique avoir décidé de ne pas me mettre au courant parce qu'elle ne voulait pas donner l'impression de chercher à me piéger pour que je l'épouse.

— Je suppose donc qu'elle a gardé l'enfant.

— En effet. Elle a appelé notre fils Stephen et l'a élevé seule. Il a aujourd'hui dix-huit ans et ne sait même pas que j'existe.

— June a bien dû lui parler de son père.

— Apparemment, elle lui a laissé croire que son père était mort.

Il remua impatiemment sur son siège, puis reprit.

— Elle dit ne pas avoir eu le courage de lui raconter la vérité quand il était plus jeune. Et qu'une fois malade elle n'en a pas eu la force.

— Je vois.

June n'avait sans doute pas menti. Néanmoins, Nadine savait que son rôle était de se montrer sceptique et de ne rien accepter au pied de la lettre.

— Dans ce cas, pourquoi vous contacter maintenant ?

— D'une certaine manière, elle ne l'a pas fait. Cette lettre m'a été expédiée après sa mort.

Sentant ses yeux s'agrandir, Nadine baissa rapidement la tête afin qu'il ne voie pas son air surpris.

— Je suis désolée.

Il hocha la tête.

— Dès que j'ai lu la lettre qui m'était adressée, je suis allé sur internet et j'ai trouvé la nécrologie de June. Elle a succombé à un cancer il y a cinq semaines.

L'histoire de Patrick — émouvante et romantique — semblait tout droit sortie d'un film. Mais son travail était de se montrer objective et analytique, se rappela-t-elle.

— Pour quelle raison, selon vous, a-t-elle souhaité vous mettre au courant de l'existence de Stephen aujourd'hui ?

— Elle avait le sentiment que son fils aurait sans doute besoin d'un père maintenant qu'il avait perdu sa mère.

Il secoua la tête et poursuivit :

— Elle me demandait de le contacter et de lui remettre la seconde lettre en mains propres.

Nadine regarda l'enveloppe fermée. Pourquoi June

n'avait-elle pas demandé à ce qu'elle soit expédiée directement à Stephen ? Elle ne voyait qu'une seule explication.

— June ne voulait pas que son fils apprenne la vérité à moins que vous ne soyez prêt à le rencontrer.

— Exactement. Dans sa lettre, elle écrit que c'est à Stephen et moi que revient la décision de nouer ou non une relation, mais qu'elle me serait reconnaissante de l'aider à financer ses études universitaires, sa longue maladie ayant épuisé ses ressources.

— Je vois.

A la mention de l'argent, Nadine se redressa. June Stone savait-elle que Patrick était un auteur à succès ? Elle avait peut-être un peu — ou beaucoup — exagéré la vérité, dans le but de procurer une sécurité financière à son fils.

Patrick O'Neil, lui, ne semblait pas le moins du monde douter de son histoire.

— Vous dites que la lettre a été envoyée après sa mort. Par qui ?

— Je n'en ai aucune idée. L'adresse d'expédition est celle de l'ancien appartement de June, à Chelsea. Depuis, il a été loué à quelqu'un d'autre.

Il secoua la tête.

— Si seulement j'étais resté en contact avec elle. Après notre séparation, nous avons entretenu une correspondance pendant quelque temps. Je lui envoyais des cartes postales de mes voyages et, à chaque Noël, elle envoyait une carte de vœux au domicile de ma mère. Mais elle a arrêté au bout de quelques années. Et je n'ai plus eu de ses nouvelles jusqu'à cette lettre.

— Vous souhaitez donc engager nos services afin de localiser Stephen Stone ?

— Oui. Seulement, je n'ai aucune idée de l'endroit où il se trouve. La lettre ne fournissait ni adresse ni numéro de téléphone. Je ne suis même pas certain qu'il habite encore à Manhattan. Il a quitté l'appartement dans lequel il vivait avec sa mère. J'ai téléphoné au funérarium mentionné dans la nécrologie, mais ils n'ont pas pu m'aider.

— Je suppose que vous avez vérifié dans l'annuaire ?

Il acquiesça d'un signe de tête.

— J'ai appelé chaque S. Stone qui y était listé. J'ai aussi effectué des recherches sur internet, y compris sur Facebook. Aucune trace de lui.

— C'est étonnant pour quelqu'un de son âge. Il se sert peut-être d'un surnom sur Facebook. Beaucoup d'adolescents le font.

— J'y ai pensé. J'avoue être dans une impasse et je n'ai pas beaucoup de temps à consacrer à ces recherches. J'ai un délai serré à respecter pour mon prochain livre.

Il la regardait droit dans les yeux, il n'était pas totalement convaincu de s'adresser à la bonne personne, réalisa-t-elle.

— Comme je vous l'ai dit plus tôt, retrouver des personnes disparues est l'une des spécialités de notre agence. Etant entre deux affaires en ce moment, je pourrais commencer les recherches immédiatement.

C'était un mensonge, mais ça n'aurait pas d'importance tant qu'elle localiserait le fils de Patrick. Ce qu'elle était déterminée à faire.

Il soutint son regard un instant de plus, puis hocha la tête.

— Entendu. Faisons-le. Quelle est la première étape ?

Elle lutta pour contenir son excitation.

— Je vous fais signer un contrat standard, et vous versez une avance sur honoraires, expliqua-t-elle avant de le laisser seul dans la salle de conférences pour aller préparer les documents.

Quinze minutes plus tard, l'affaire était conclue.

— Je vous téléphonerai dans quelques jours et vous ferai part des progrès de l'enquête, promit-elle en lui remettant un exemplaire du contrat.

Il prit une profonde inspiration.

— Avez-vous une idée du temps qu'il vous faudra pour retrouver Stephen ?

— Cela dépend de plusieurs facteurs. En général, dans ce genre d'affaire, nous obtenons des résultats au bout de trois ou quatre jours.

Le soulagement se lut sur son visage, elle l'avait convaincu.

— Super, répondit-il. J'ai hâte d'avoir de vos nouvelles.

Tandis qu'ils échangeaient un dernier regard, elle ressentit de nouveau le pouvoir de sa présence. Elle avait le sentiment d'avoir devant elle une force de caractère assortie à la perfection d'un corps athlétique. Néanmoins, ce qu'elle trouvait le plus attirant chez lui, c'était ce soupçon de vulnérabilité que la lettre de son ancienne petite amie avait dévoilé.

Elle le raccompagna jusqu'à la porte et lui donna une poignée de main pleine d'assurance.

Dès qu'elle fut seule, elle s'autorisa enfin à croire ce qui venait de se passer.

Elle l'avait fait ! Elle avait signé son premier client.

Kate téléphona une demi-heure plus tard, à peine sortie de son rendez-vous chez le médecin.

— Je vais passer au bureau pour récupérer quelques dossiers avant de rentrer chez moi. De nouvelles affaires se sont-elles présentées, cet après-midi ?

— Pas vraiment, mentit Nadine, sa conscience au supplice.

Dès qu'elle eut raccroché, elle réarrangea les dossiers sur son bureau, afin que sa plaque où figurait son nom soit de nouveau en vue. Plus tôt, elle avait commis l'erreur de ne pas la dissimuler assez rapidement. Par chance, Patrick ne semblait pas s'en être rendu compte.

Elle retourna ensuite dans la salle de conférences pour

débarrasser les deux tasses à café. Patrick avait oublié son livre sur la table. Elle l'emporta jusqu'à son bureau, s'assit dans son fauteuil et étudia la photo imprimée au dos.

Il n'y avait aucun doute sur le sujet : Patrick était incroyablement viril, avec son corps tout en muscles, sa peau bronzée et des yeux aussi bleus que le ciel de Nouvelle-Zélande qui était en couverture.

Elle lui rendrait l'ouvrage à leur prochain rendez-vous. En attendant, elle devait s'affairer à retrouver son fils… ou, du moins, le garçon que June Stone affirmait être son fils.

Lindsay et Nathan lui avaient enseigné à ne rien prendre au pied de la lettre. A vérifier chaque fait au moins une fois, sinon deux. Et à ne jamais prendre de raccourcis.

Avec leurs conseils à l'esprit, elle commença à établir un plan d'action.

Vingt minutes plus tard, elle fut interrompue par l'arrivée de Kate. La détective portait un trench-coat qu'elle avait acheté dans une boutique de vêtements de grossesse au rabais. Malgré la coupe astucieusement dessinée du vêtement, rien ne pouvait dissimuler son énorme ventre.

— Bon sang, je suis épuisée.

Elle ôta son manteau et le suspendit sur son cintre habituel. Sa voluptueuse chevelure rousse était nouée en bataille à l'arrière de sa tête. Quant à son maquillage, il n'en restait pratiquement plus une trace. Néanmoins, elle avait le teint éclatant, songea Nadine.

Kate s'approcha d'elle et jeta un coup d'œil à son écran d'ordinateur, en fronçant les sourcils.

— Qu'est-ce que c'est que ça ?

— De simples recherches que j'effectue pour Nathan.

Les mensonges semblaient lui venir de plus en plus facilement.

— Lindsay et lui ont accepté de me confier davantage de responsabilités concernant le traitement d'affaires individuelles. Si jamais vous voulez que je vous donne un coup de main sur l'un de vos dossiers…

— J'y penserai, Nadine. Merci pour votre offre.

Kate sortit une bouteille de jus de fruits du frigo, puis alla dans son bureau, situé en face de la salle de conférences.

Nadine soupira intérieurement.

Kate ne lui demanderait jamais de l'aide pour quoi que ce soit. Si elle le faisait, il s'agirait uniquement d'un travail de recherche élémentaire, du genre qui pouvait être effectué depuis la sécurité de son bureau, à l'agence.

Or elle mourait d'envie d'aller sur le terrain, d'effectuer du travail de surveillance, d'interroger des témoins…

L'affaire Patrick O'Neil l'amènerait-elle à faire ce genre de choses ? Elle voulait retrouver Stephen rapidement, mais pas trop facilement. Nathan conseillait toujours de démarrer une affaire en dressant une liste des faits connus, puis d'en faire une seconde de ceux qui restaient à découvrir.

Elle travaillait encore sur la première liste quand Lindsay et Nathan revinrent à l'agence.

— Avez-vous choisi les invitations ? leur demanda-t-elle avec circonspection.

Tous deux paraissaient plutôt détendus et enjoués. Avec un peu de chance, tout s'était bien déroulé.

— Oui, elles seront expédiées lundi, annonça gaiement Nathan. Vous devriez recevoir la vôtre la semaine prochaine.

— Nous en avons également profité pour commander le gâteau.

Lindsay pendit sa veste sur un cintre, puis alla se servir une tasse de café.

— Nous en aurons deux, poursuivit-elle. Un au chocolat blanc et un second aux deux chocolats.

— J'en ai déjà l'eau à la bouche, sourit Nadine.

Nathan, qui était pratiquement végétarien et évitait

au maximum la nourriture chargée de gras ou de sucre, faisait grise mine.

— Pas moi. Mais je suis ravi que ça vous plaise, les filles.

Il embrassa Lindsay, et tous deux échangèrent un sourire tendre.

Puis Lindsay se tourna vers elle :

— Il y a eu des messages ?

Elle leur tendit à tous les deux un morceau de papier.

— Y a-t-il eu d'autres appels ? s'enquit Nathan.

Sa gorge se serra. Le voilà qui arrivait — un autre mensonge.

— Non. Juste ces trois-là.

Lindsay était déjà retournée dans son bureau, et Nathan commençait à se diriger vers le sien, quand il remarqua le livre de Patrick O'Neil, posé à côté de l'ordinateur de Nadine.

— Il me semblait bien avoir entendu dire que Patrick O'Neil avait écrit un nouveau livre sur la Nouvelle-Zélande. Où avez-vous trouvé ceci ?

Bon sang !

— On m'en a fait cadeau, improvisa-t-elle.

— Voyez-vous un inconvénient à ce que j'y jette un coup d'œil rapide ? Lindsay et moi envisageons d'aller passer notre lune de miel en Nouvelle-Zélande.

Elle ne trouva aucune manière de refuser qui n'aurait pas l'air suspect.

— Je vous en prie, répondit-elle tout en s'admonestant de ne pas avoir caché le maudit livre dans un tiroir.

Si elle comptait garder secrète l'affaire de Patrick jusqu'à ce qu'elle soit résolue, elle allait devoir commencer à se montrer beaucoup plus prudente.

*
* *

A 18 heures, Nadine éteignit son ordinateur à contrecœur et rangea ses notes sur l'affaire O'Neil dans le dernier tiroir de son bureau, sous la paire de chaussures à semelles plates qu'elle gardait sur place pour les cas d'urgence.

Le contrat de Patrick s'y trouvait également. De même que son chèque, qu'elle ne remettrait pas tout de suite à Nathan. Elle attendrait d'abord d'avoir résolu l'affaire et d'avoir avoué ce qu'elle avait fait.

Comme elle avait hâte de voir leur expression à tous lorsqu'ils se rendraient compte qu'elle était capable de gérer une affaire toute seule !

Elle était gonflée à bloc et n'avait aucune envie d'arrêter de travailler. Seulement, elle avait promis à sa mère d'assister à un gala de charité. La cause du jour était la sauvegarde de la forêt tropicale amazonienne. Ce n'était pas qu'elle s'en moquait, ni des autres causes méritantes pour lesquelles sa mère prenait fait et cause, mais ils feraient mieux, pensait-elle, de supprimer ces soirées et de faire don des milliers de dollars nécessaires à leur organisation.

Sa mère et elle ayant des avis différents sur ce sujet et de nombreux autres, elle avait le choix entre donner son avis et se brouiller avec elle, ou garder ses opinions pour elle-même.

Par amour pour sa mère, elle avait opté pour la seconde solution. Elle se rendait à ces soirées, portait des robes magnifiques et sortait avec les hommes que ses parents lui présentaient. C'était plus simple ainsi.

Deux heures plus tard, vêtue d'une robe noire sans bretelles, elle entrait dans la salle de bal du Waverly Hotel, situé sur Park Avenue. L'homme dont elle tenait le bras, Trenton Oberg, était un avocat plein d'avenir qui avait travaillé pour son père.

Il prit deux coupes de champagne sur le plateau d'un serveur qui passait à côté d'eux. Il lui en donna une, puis fit tinter sa coupe contre la sienne.

— A une merveilleuse soirée en compagnie d'une merveilleuse femme, dit-il avec désinvolture, sans une trace de sincérité.

Elle sourit poliment, puis but une longue gorgée. Parfois, c'était la seule chose…

Sa pensée s'interrompit brusquement lorsqu'elle aperçut un homme avec une tignasse de cheveux châtain foncé aux reflets roux. Bien qu'il lui tournât le dos, la coupe de son costume — ces larges épaules et cette taille incroyablement mince — fit apparaître en un éclair dans son esprit l'image de l'homme qu'elle avait rencontré plus tôt, à l'agence.

Pour quelle raison Patrick O'Neil assistait-il à un gala de charité organisé par la haute société ? Elle tira sur la manche de Trenton.

Fronçant légèrement les sourcils, ce dernier se pencha vers elle.

— Qu'est-ce qui ne va pas ?

— Savez-vous qui est chargé de prononcer un discours ce soir ?

Il nomma un dignitaire local, ami de la famille de Nadine depuis aussi longtemps qu'elle pouvait se le rappeler.

— Quelqu'un d'autre ?

— Eh bien, cet auteur de récits de voyages : Patrick O'Neil. Mais je doute que vous ayez entendu parler de lui.

Patrick O'Neil. Seigneur ! Elle sentit des picotements dans sa nuque. Il fallait qu'elle sorte d'ici avant qu'il ne remarque sa présence.

A peine cette pensée lui traversa-t-elle l'esprit qu'il se retourna, avec un instinct étrange, comme s'il avait senti qu'elle pensait à lui. Et il la regarda droit dans les yeux.

3

Patrick s'était préparé à passer une soirée ennuyeuse, mais porter une tenue habillée était encore plus inconfortable qu'il ne l'avait imaginé. Ses pieds — habitués aux chaussettes épaisses en laine mérinos et aux chaussures à grosses semelles en caoutchouc — souffraient dans ces mocassins en cuir fins. Et les boutons de sa chemise semblaient se resserrer autour de son cou au fil des minutes.

Il parcourut la pièce des yeux à la recherche d'une distraction pour oublier son supplice. Boire ne serait pas intelligent quand il devait prendre la parole d'ici une heure.

De très belles femmes assistaient au gala, mais il éprouvait peu d'intérêt à essayer de lier connaissance avec l'une d'elles. Cette lettre de June l'avait vraiment assommé et il…

Un visage dans la foule retint brutalement son attention.

Une jeune femme brune, aux yeux sombres étincelants, qui se tenait dans un coin de la pièce. Elle était mince et incroyablement féminine… telle une princesse des temps modernes dans une robe sans bretelles, qui mettait en valeur sa peau parfaite et exposait un intrigant soupçon de décolleté.

Sa beauté délicate surpassait celle des autres femmes présentes au gala, mais ce n'était pas l'unique raison pour laquelle elle avait attiré son attention. Il avait le sentiment de l'avoir déjà rencontrée.

Cela lui revint soudain. Bon sang, c'était la détective de Fox & Fisher. Nadine Kimble.

A l'instant même où il la reconnut, elle jeta un coup d'œil à travers la foule et croisa son regard. A moins que cela n'ait été le fruit de son imagination car, une seconde plus tard, elle regardait légèrement sur sa gauche. Puis elle baissa les yeux et but une très longue gorgée de champagne.

Plus tôt, à l'agence, elle avait eu l'air complètement différente, vêtue d'une jupe classique et d'un pull-over à col montant. Elle était maquillée légèrement, et ses cheveux lisses étaient noués en chignon à l'arrière de sa tête.

Néanmoins, il s'agissait bien de la même femme.

Il commença à se frayer un chemin à travers la foule, curieux de savoir ce qu'une détective privée faisait au milieu des habitants les plus fortunés et les plus influents de New York. Le billet d'entrée pour le gala s'élevait à mille dollars par personne, une somme qui n'entrait certainement pas dans le budget de la femme moyenne.

Peut-être qu'elle avait un petit ami riche.

Il l'aperçut au même instant — un homme de grande taille, à l'air intellectuel et qui approchait la trentaine. Il avait des yeux ternes et une expression dépourvue de bonne humeur. Nadine se hissait sur la pointe des pieds pour lui parler à l'oreille. L'homme hocha la tête, prit la coupe de champagne qu'elle lui tendait et se dirigea vers le bar.

Bien qu'elle ne regardât plus dans sa direction, elle était manifestement consciente de son approche.

Pourquoi était-ce si important pour lui de lui parler ? Il ne s'était pas écoulé suffisamment de temps pour qu'elle ait des informations concernant son fils.

Néanmoins, il poursuivit son chemin parmi les petits groupes d'invités. Dès qu'il fut suffisamment proche d'elle, il effleura légèrement son épaule.

— Monsieur O'Neil, dit Nadine en se tournant vers lui.

Elle frissonna, malgré le contact chaud de ses doigts sur sa peau.

— Je viens juste d'apprendre avec surprise que vous étiez l'un des orateurs de ce soir.

Elle joignit ses mains derrière son dos pour en dissimuler leur tremblement. Il fallait à tout prix qu'elle se débarrasse de lui. Et vite. Trenton serait bientôt de retour. Elle serait alors forcée de faire les présentations et serait démasquée.

Elle n'avait aucun mal à imaginer la réaction de son client dès qu'il découvrirait que son père était l'un des propriétaires de cet hôtel et que sa mère était membre du comité de collecte de fonds qui avait organisé cet événement.

— Je vous en prie, appelez-moi Patrick. Croyez-moi, ce n'est pas mon milieu habituel.

Il tira sur son nœud papillon.

— Mon agent publicitaire s'est donné beaucoup de mal pour arranger ma participation à ce gala et a menacé de me jeter en pâture aux lions si je ne venais pas.

— Bon timing, j'imagine. Avec votre nouveau livre qui sort bientôt.

Elle jeta un coup d'œil par-dessus son épaule : Trenton n'était pas encore en vue.

— Vous avez raison, répondit-il. Cependant, c'est ironique, n'est-ce pas ? Ce genre de soirée exorbitante — avec tous les invités en tenue hors de prix, en train de déguster de la nourriture exotique. Si nous nous préoccupions sincèrement de la forêt tropicale, nous consommerions moins. Et puis, c'est tout !

Elle éprouvait exactement le même sentiment mais ne pouvait prendre le temps d'échanger des points de vue politiques et sociaux avec lui. Elle devait partir sur-le-champ.

— Je dois admettre que j'ai été surpris de vous voir ici, poursuivit-il.

Il attendait probablement une explication, et une lui traversa l'esprit au même instant. Elle se rapprocha plus près de lui et murmura :

— Je suis ici pour affaires. Malheureusement, je ne peux pas entrer davantage dans les détails.

— Oh.

Les yeux de Patrick s'agrandirent.

— Vous êtes sous couverture ?

Elle acquiesça d'un signe de tête.

— Dans ce cas, je ne voudrais pas tout faire rater.

— Merci beaucoup pour votre compréhension.

Elle pressa légèrement son bras, dans un geste d'adieu, et, même si elle savait qu'il était en excellente condition physique, elle fut néanmoins surprise de sentir la résistance contractée de ses muscles sous le tissu de son smoking.

— Nous parlerons bientôt, promit-elle avant de s'esquiver dans la foule.

Le lendemain matin, Nadine se rendit à l'agence de bonne heure. Elle n'avait pas beaucoup dormi. Sa grand-mère paternelle avait l'habitude de dire qu'avoir la conscience tranquille était essentiel à une bonne nuit de sommeil, et elle savait désormais que c'était vrai. Elle n'avait jamais autant affabulé de sa vie qu'au cours des vingt dernières heures.

Rencontrer Patrick au gala, la veille, avait été une complication inattendue, exigeant encore plus de mensonges de sa part. Elle aurait pu facilement se faire prendre. Heureusement, elle était parvenue à s'éclipser rapidement.

Néanmoins, une partie d'elle-même aurait aimé rester

et entendre Patrick s'adresser aux invités. Après le dîner, il l'aurait peut-être cherchée pour l'inviter à danser. Elle imaginait l'orchestre en train de jouer un morceau lent et romantique tandis qu'il aurait resserré ses bras autour de sa taille…

Oh ! seigneur ! Qu'est-ce qu'il lui prenait ? Rêvasser au sujet d'un client n'était absolument pas professionnel.

Elle était enfoncée jusqu'au cou dans la supercherie. L'unique manière pour elle d'en sortir était de retrouver le fils de Patrick, et le plus tôt serait le mieux.

Raison pour laquelle elle était arrivée d'aussi bonne heure à l'agence. Avec un peu de chance, elle aurait l'endroit pour elle seule pendant au moins une heure, avant que les autres n'arrivent.

Elle s'installa à son bureau, puis commença à passer en revue le plan d'action qu'elle avait élaboré la veille. La première étape consistait à effectuer des recherches sur la mère de Stephen — l'ancienne petite amie de Patrick —, June Stone.

Elle commença par lire attentivement sa nécrologie sur internet. Les parents de June étaient décédés, eux aussi, et elle laissait derrière elle un fils, Stephen, ainsi qu'une sœur à Boston et la famille de cette dernière.

Nadine nota le nom de la sœur, puis poursuivit sa lecture. Le passage concernant la vie de June était court. Il soulignait sa carrière de professeur à l'université de Columbia et mentionnait son diplôme obtenu à l'université de New York. Puis il se terminait sur une note personnelle…

« Durant son temps libre, June aimait skier avec son fils et faire des randonnées avec ses amis dans les Berkshires. »

C'était tout ce que la nécrologie avait à offrir comme informations.

Après quelques minutes de recherches, Nadine parvint à retrouver la dernière adresse connue de June, celle d'un appartement à Chelsea. Qu'était-il arrivé à son mobilier et à ses effets personnels ? Etait-ce son fils qui les avait en sa possession ?

Elle écarta une mèche de cheveux de ses yeux et essaya de réfléchir à quoi faire ensuite. N'ayant pas de numéro de téléphone ou d'adresse où elle pouvait joindre Stephen, le plus intelligent serait sans doute de tenter de contacter sa tante, la sœur de June.

Elle était sur le point de chercher son numéro dans un annuaire de Boston, quand la porte s'ouvrit. Le visage rosi par le froid, à moins que ce ne soit par l'effort, Kate entra dans l'agence.

Une main sur son ventre, elle marqua une pause et soupira.

— Bon sang, je regrette que nous ne soyons pas installés au rez-de-chaussée.

Nadine fut soudain saisie d'une terrible envie de lui confier ce qu'elle était en train de faire. Lindsay, Nathan et Kate faisaient souvent du brainstorming ensemble au sujet de leurs affaires respectives. Malheureusement, c'était un luxe qu'elle ne pourrait se permettre.

— Plus que quatre semaines, dit-elle d'un ton encourageant. Ensuite, vous serez en congé de maternité avec un beau bébé.

— J'ai hâte.

Nadine enviait légèrement son bonheur. Kate avait tout : un mari fantastique, une carrière géniale et bientôt un enfant. Elle aussi désirait toutes ces choses, mais elle voulait les mériter, pas que ses parents les lui servent sur un plateau d'argent.

Sa mère ne comprenait pas. A ses yeux, Nadine aurait dû se réjouir de pouvoir travailler comme administratrice au sein de la fondation caritative de la famille et fréquenter les jeunes hommes convenables que ses parents lui présentaient.

Ils ne voyaient pas d'inconvénient à ce qu'elle travaille chez Fox & Fisher, mais Nadine espérait surtout qu'ils finiraient par accepter que c'était la voie qu'elle avait choisie et qu'ils seraient fiers d'elle.

Dès que Kate fut installée dans son bureau, elle reprit sa recherche sur internet. Elle dut suivre un chemin tortueux pour trouver le numéro de téléphone de la sœur de June, mais finit par y parvenir. Elle commençait à taper les chiffres sur son portable quand Nathan arriva à son tour.

Eteignant rapidement son téléphone, elle fit glisser les documents de l'affaire O'Neil sous une pile de dossiers.

— Bonjour, Nathan. Lindsay n'est pas avec toi ?

Ils avaient l'habitude d'arriver à l'agence ensemble.

— Je l'ai convaincue de faire la grasse matinée. Elle a passé une mauvaise nuit. Avec les préparatifs du mariage, elle est un peu stressée.

Il rangea son manteau dans le placard, puis alla se verser une tasse de café.

— Je suis désolé que nous ayons dû précipiter la fin de notre conversation, hier. Lindsay et moi en avons discuté. Vous êtes très importante au bon fonctionnement de cette agence. Vous le savez, n'est-ce pas ?

— C'est bon de l'entendre. Mais…

— Mais vous êtes prête pour davantage, ce que nous comprenons, et vous obtiendrez davantage. Néanmoins, cela se fera progressivement. Nous en rediscuterons après la naissance du bébé de Kate. Vous pourrez peut-être la remplacer sur quelques affaires.

Il y avait encore trop de peut-être dans sa proposition au goût de Nadine. Néanmoins, elle sourit et le remercia. Nathan, Lindsay et Kate se rendraient bientôt compte qu'elle était beaucoup plus capable qu'ils ne le pensaient.

*
* *

Deux jours plus tard, Nadine se trouva confrontée à son premier gros problème. Elle avait enfin obtenu des résultats concrets et devait organiser un rendez-vous avec Patrick afin de les partager avec lui. Mais elle ne pouvait pas le voir à l'agence, au risque qu'on les surprenne.

Après avoir passé ses options en revue, elle envoya un texto à Patrick pour lui proposer d'aller boire un café à la fin de sa journée de travail. Si elle fermait l'agence à 17 heures et prenait un taxi plutôt que le métro, elle devrait pouvoir être sur place à 18 heures.

Elle venait d'appuyer sur la touche d'envoi, quand Lindsay sortit de son bureau.

— Avez-vous envie de finir plus tôt aujourd'hui ? Comme Nathan prévoit de travailler tard, il se chargera de fermer l'agence. Ma sœur Meg et moi allons faire les magasins pour acheter ma robe de mariée et des chaussures assorties. Ensuite, nous irons dîner.

Mince, cela avait l'air amusant. Elle vérifia l'écran de son téléphone. Patrick allait-il bientôt répondre ?

— J'adorerais, mais…

Lindsay l'avait vue jeter un coup d'œil à son portable.

— Avez-vous quelque chose de prévu avec votre famille ? lui demanda-t-elle.

La gorge de Nadine se serra. Décidément, elle devait mentir très souvent, plus qu'elle ne l'avait prévu. Cela ne lui plaisait vraiment pas. Heureusement, son téléphone se mit à sonner au même instant. Elle leva une main pour faire patienter Lindsay, le temps de lire le message de Patrick.

D'accord pour 18 heures.

La réponse prompte de Patrick lui donna un élan d'excitation. Elle avait hâte de le voir, et pas juste au sujet de l'affaire. Beaucoup d'hommes avaient fière allure en costume, mais ,lui, il avait eu l'air vraiment très séduisant, l'autre soir, au gala. Non pas que cela ait de l'importance. Seulement… elle n'arrêtait pas de penser à lui.

Il fallait absolument que cela cesse, songea-t-elle en pressant une main contre sa poitrine. Les détectives professionnels ne pensaient certainement pas à leurs clients de cette manière.

Lindsay la dévisagea avec un sourire malicieux.

— Non, ce n'est pas avec votre famille que vous avez des projets. C'est avec un homme, n'est-ce pas ? Allez-y, acceptez, Nadine. Nous dînerons ensemble une autre fois.

— Mais, votre robe et vos chaussures…

— Ne vous inquiétez pas, j'ai déjà choisi la robe. Je la montre simplement à Meg pour qu'elle ait l'impression que je lui ai demandé son avis.

— Et qu'en est-il de Kate ?

— La pauvre est trop fatiguée. Elle a un rendez-vous dans une demi-heure, puis elle rentrera directement chez elle pour s'allonger et se reposer un peu.

— Etes-vous sûre de ne pas avoir besoin de moi, ce soir ?

— Certaine. Sortez et amusez-vous. Nous nous verrons demain.

Dès que Lindsay fut partie, Nadine répondit au message de Patrick :

Rendez-vous à 18 heures, à l'entrée du Subway A, dans la 14e Rue.

Sa réponse lui parvint moins d'une minute plus tard :

OK. A tout à l'heure.

Elle ne pouvait plus reculer à présent, songea-t-elle, la gorge serrée.

4

Nadine partit de l'agence à 17 heures précises, anxieuse d'arriver à l'heure pour son rendez-vous secret avec Patrick O'Neil.

Elle avait choisi de le retrouver à Chelsea pour plusieurs raisons. Premièrement parce que la station de métro se situait à seulement deux blocs d'immeubles de l'appartement où avaient vécu June Stone et son fils. Cela intéresserait probablement Patrick d'y passer. Et, si ce n'était pas le cas, elle le ferait seule après leur rendez-vous.

Plus important encore, elle était relativement certaine de ne pas tomber sur l'une de ses connaissances là-bas. Aucun des membres de Fox & Fisher ne vivait dans le secteur. Et il était très improbable qu'elle y croise quelqu'un de sa famille ou des amis de ses parents, lesquels la trahiraient sur-le-champ.

Tandis qu'elle s'installait à l'arrière d'un taxi, il se mit à pleuvoir légèrement et, lorsqu'elle arriva au lieu de rendez-vous, la pluie s'était transformée en neige. Elle tapa des pieds sur le trottoir pour se tenir au chaud, espérant que Patrick ne serait pas en retard. Elle portait une robe en laine et des leggings sous son manteau, ainsi qu'un chapeau et des gants en cuir. Néanmoins, un frisson humide parcourut son corps tout entier.

Patrick arriva à 18 heures tapantes. Son manteau était déboutonné et, bien que n'ayant ni écharpe ni chapeau, il ne paraissait pas le moins du monde avoir froid. Elle le regarda approcher et fut une nouvelle fois frappée par sa beauté sauvage et la grâce athlétique de son corps. Probablement à cause des effets du soleil et du temps, il faisait bien ses trente-six ans. Son âge était mentionné dans la petite biographie qui se trouvait au début de son livre. Il n'avait cependant aucun cheveu gris et possédait plus d'énergie que n'importe qui qu'elle ait jamais rencontré.

Quand il arriva à sa hauteur, ils échangèrent une poignée de main. Ses yeux bleus se rivèrent aux siens.

— C'est bon de vous revoir. Je ne m'attendais pas à des résultats aussi rapidement.

Il était un peu nerveux, réalisa-t-elle. Bien. De cette manière, il ne remarquerait peut-être pas qu'elle l'était également.

— Nous sommes à quelques blocs d'immeubles de l'ancien appartement de June Stone. Je me demandais si vous aimeriez y jeter un œil avant que nous allions boire un café.

— Absolument. Je me doutais que votre suggestion de nous retrouver ici n'était pas une coïncidence.

Sans perdre de temps, ils se mirent en route.

— Je vous ai cherchée l'autre soir, reprit-il. Au gala, après les discours…

— Je suis désolée. J'aurais aimé entendre le vôtre, mais j'ai dû partir avant que le dîner ne soit servi.

Manifestement intrigué, il jeta un coup d'œil dans sa direction.

— Vous ne pouvez pas me donner de détails à propos de l'affaire, je suppose ?

— Je crains que non. Chez Fox & Fisher, nous sommes très stricts sur la confidentialité.

— Ce qui est une bonne chose.

Il posa une main contre son coude tandis qu'ils traversaient la rue. C'était un geste courtois et plutôt gentil, mais inattendu de la part d'un homme qu'elle soupçonnait n'avoir guère d'intérêt pour les règles du savoir-vivre.

D'un autre côté, il avait paru très à l'aise dans son costume, l'autre soir.

— Assistez-vous à beaucoup de galas de charité ? demanda-t-elle.

— J'essaie d'éviter. D'ailleurs, à la fin de la soirée, j'ai appelé mon agent publicitaire pour lui dire que c'était le dernier. Les personnes qui se rendent à ce genre d'événement sont pleines de bonnes intentions, j'en suis sûr. Mais elles écoutent mon discours et ne se rendent même pas compte que leur mode de vie fait partie du problème.

Ayant lutté avec les mêmes questions durant la majeure partie de sa vie, Nadine était d'accord avec lui. Sa mère faisait pression sur elle pour qu'elle soit présente à ces réceptions, mais chacune semblait lui demander davantage d'efforts que la précédente.

— Nous y sommes, annonça-t-elle soudain.

Elle s'arrêta devant un immeuble à trois étages.

— Je crois que c'est l'appartement où June et Stephen vivaient, dit-elle en indiquant une fenêtre située à l'angle, au dernier étage.

Il enfonça ses mains dans ses poches et la fixa un long moment. Les rideaux étaient tirés, mais les lumières à l'intérieur de l'appartement étaient allumées et, de temps à autre, une ombre passait.

— Mon fils a grandi ici, murmura-t-il d'une voix rauque.

Il promena son regard sur l'immeuble, puis sur le commerce de proximité situé de l'autre côté de la rue, et le café qui faisait l'angle. Deux endroits où June — et Stephen — avait probablement passé beaucoup de temps.

Il indiqua le café d'un geste de la main.

— Voulez-vous essayer cet endroit ?

— D'accord.

Elle commença à marcher dans la direction de l'établissement, puis s'arrêta et se retourna. Patrick avait toujours le regard fixé sur la fenêtre du troisième étage.

— Je suppose que June croyait me faire une faveur en choisissant d'élever seule notre fils. Mais elle aurait dû me mettre au courant.

Elle s'approcha, sentant le besoin qu'il avait de s'épancher.

La mort de June l'affectait profondément. Elle n'était pas la première de ses connaissances à décéder, mais c'était encore plus difficile à accepter pour elle.

Elle avait été son premier amour. Et voilà qu'il découvrait à présent qu'elle était également la mère de son enfant.

June était honnête, intelligente et pragmatique. A dix-huit ans, elle était mignonne, mais ce n'était pas tant sa beauté qui l'avait attiré que sa personnalité extravertie et son amour du sport.

Leur rupture l'avait rendu assez triste, mais pas très longtemps. A l'époque, il travaillait dans un magasin de vélos afin de gagner suffisamment d'argent pour se rendre en Europe. Il avait toujours eu un désir ardent de voyager.

June, elle, était partie étudier à l'université. Désormais, il savait que sa première année ne s'était pas déroulée comme elle l'avait prévu, parce qu'elle était tombée enceinte. D'après ses calculs, le bébé avait dû naître en mars.

Trois mois après qu'elle lui eut envoyé une carte de Noël en lui disant que tout allait bien.

Une autre ombre passa devant la fenêtre, à l'intérieur de l'appartement.

Il détourna le regard, puis se ressaisit.

— Merci d'avoir attendu, dit-il en avançant vers elle.

— Aucun problème. Cela a dû vous faire un choc. Non seulement de découvrir que vous aviez un fils, mais qu'il a dix-huit ans.

— Oui. J'aimais June, c'était quelqu'un de bien et je ne veux pas lui faire de reproches. Néanmoins, si elle m'avait donné une chance, j'aurais voulu faire partie de la vie de Stephen.

— Peut-être même que vous vous seriez mariés.

— Peut-être, répondit-il d'un air sceptique.

L'intérieur du café était accueillant. L'éclairage lui donnait une atmosphère chaleureuse et intime.

Une serveuse les dirigea vers une table pour deux, située près d'un mur en briques.

Patrick aida Nadine à ôter son manteau, puis il retira sa veste en cuir et les accrocha sur un portemanteau à proximité.

D'habitude, il ne prêtait pas beaucoup attention aux vêtements que portaient les gens, mais il ne put s'empêcher de remarquer que la robe de Nadine moulait parfaitement sa silhouette menue.

Puis elle enleva son chapeau. Ses épais cheveux bruns étaient tirés en arrière, noués en queue-de-cheval. Cela mettait en valeur ses oreilles délicates auxquelles pendaient des boucles d'oreilles assez longues pour se balancer à chaque mouvement de sa tête.

Ce qui lui rappela à quel point elle avait été ravissante au gala. Comme si elle avait cela dans le sang. Etre capable de s'intégrer au décor était un talent certainement utile quand on exerçait son métier.

Il s'efforça d'attendre qu'ils aient tous les deux commandé un café pour demander :

— Je vous écoute, qu'avez-vous découvert ?

Nadine s'éclaircit la gorge.

— J'ai contacté la sœur de June, qui vit à Boston.

Diane — dont il se rappelait très vaguement — était mentionnée dans la nécrologie.

— Je voulais également lui téléphoner, mais son numéro n'était pas répertorié dans l'annuaire, expliqua-t-il.

Nadine hocha la tête, remettant ses boucles d'oreilles en mouvement.

— Bien qu'elle soit mariée, elle a conservé son nom de jeune de fille. J'espérais que son mari et elle posséderaient une maison et j'ai eu de la chance. En vérifiant les registres des impôts fonciers de Boston, j'ai été en mesure de retrouver leur adresse et leur numéro de téléphone.

— L'avez-vous appelée ? L'avez-vous informée que je vous avais engagée pour retrouver Stephen ?

— Pas exactement. Je lui ai donné mon nom, puis je lui ai dit que j'habitais à Manhattan, que je venais d'apprendre le décès de sa sœur et que je tentais de retrouver Stephen.

— Vous ne m'avez pas mentionné ?

— A ce stade, j'ai jugé bon d'en dire le moins possible. Diane m'a d'ailleurs facilité la tâche, car elle n'a pas posé beaucoup de questions. J'imagine qu'elle a dû répondre à de nombreux appels depuis la mort de sa sœur. Elle a donc probablement supposé que j'étais une amie.

Il s'avança légèrement au bord de son siège.

— Vous a-t-elle parlé de Stephen ? Vit-il avec elle désormais ? Après tout, il n'a que dix-huit ans.

Nadine soupira, ce qui ne lui parut pas bon signe.

— Stephen a passé deux semaines chez eux après l'enterrement. Puis il a décidé de se rendre dans les Rocheuses, au Canada, en compagnie d'un ami, dans l'espoir d'y trouver un emploi. Ils sont tous les deux moniteurs de ski diplômés.

— Au Canada ? Bon sang, ce n'est pas la porte à côté.

Il avait espéré retrouver Stephen à Boston, à trois cents kilomètres en somme. Cette complication était aussi inattendue que décevante.

— N'aurait-il pas pu trouver un travail un peu plus près ? Il y a suffisamment de stations de ski en Nouvelle-Angleterre.

— D'après Diane, Stephen vit assez mal la mort de sa

mère. Ce n'est pas surprenant, d'ailleurs… Il a eu envie de s'éloigner, d'aller dans un endroit vide de souvenirs. Et puis, peut-être qu'il avait un besoin maladif d'aventure… comme son père.

La remarque de Nadine l'ébranla. Jusqu'à présent, son fils lui avait paru plus abstrait que réel. Mais Stephen et lui partageaient le même ADN. Et, même si ce n'était pas logique, il éprouva une pointe de fierté.

— Diane a déposé Stephen à l'aéroport il y a environ deux semaines, reprit Nadine. Son ami et lui ont pris l'avion pour Calgary, où ils prévoyaient d'acheter une voiture bon marché pour se rendre dans les Rocheuses.

— Et alors, que fait-on maintenant ?

Depuis qu'il avait découvert l'existence de son fils, il avait été incapable de dormir une nuit complète. Il avait besoin que les recherches aboutissent. Et vite.

— C'est grand le Canada. Comment allons-nous le trouver ? insista-t-il.

Au même instant, la serveuse s'approcha de leur table pour savoir s'ils souhaitaient commander quelque chose à manger. Il ne parvint pas à dissimuler son impatience face à cette interruption, mais Nadine semblait affamée.

— Je prendrai le plat de pâtes du jour, s'il vous plaît.

Il se contenta de secouer la tête et attendit qu'ils soient de nouveau seuls pour reprendre leur conversation.

— Alors, quel est votre plan ?

— Nous devons découvrir où travaille Stephen. Il paraîtrait logique qu'il ait décidé de tenter sa chance dans une grande station de sports d'hiver de renommée internationale, et non pas dans une simple station de ski locale. Les recherches que j'ai effectuées m'ont fait aboutir à trois possibilités, à deux ou trois heures de route de Calgary.

Elle sortit une feuille de papier de son sac et lui lut la liste.

— Sunshine Village à Banff, Lake Louise et Kicking Horse à Golden.

Il prit le temps de réfléchir.

— Etes-vous sûre que Stephen sera dans l'un de ces endroits ?

— Plutôt certaine, oui.

— Avez-vous tenté de contacter ces stations par téléphone ?

— J'ai appelé, mais sans succès jusque-là. Apparemment, ils font beaucoup de recrutements au début du mois de novembre et la liste complète de leur effectif ne sera pas rentrée dans leurs ordinateurs avant encore quelques semaines.

— Bon sang !

Il remua impatiemment sur son siège pendant que la serveuse apportait son plat à Nadine.

— Je recommande de patienter une quinzaine de jours, reprit-elle. Passé ce délai, je rappellerai les stations.

— C'est beaucoup trop long, répliqua-t-il. Vous devez prendre l'avion et vous rendre sur place pour le chercher en personne.

— Moi ? Me rendre au Canada ?

Nadine se pinça les lèvres. Elle aurait dû s'attendre à cette suggestion. Bien sûr ! Patrick n'était clairement pas un homme patient.

— Je ne peux pas attendre deux semaines de plus à ne rien faire, lança-t-il.

— Nous pourrions engager un détective de Calgary pour s'en occuper, proposa-t-elle.

Il fronça les sourcils.

— L'idée de travailler avec quelqu'un que je n'ai pas rencontré en face à face ne m'emballe pas.

Elle chercha une troisième option, mais n'y parvint pas. Peut-être en évoquant la question de l'argent…

— Cela risque de coûter cher, entre les billets d'avion, les chambres d'hôtel et les voitures de location. Par ailleurs, je serai forcée de facturer les repas, en plus de mes honoraires réguliers.

— Evidemment, l'avance que je vous ai versée sera loin de suffire. Je peux vous faire un autre chèque tout de suite.

Il sortit un carnet de chèques de son portefeuille, remplit un chèque et le lui tendit.

Cinq mille dollars ! Nom d'un chien !

— Voilà qui devrait couvrir la totalité des frais, lui dit-il.

Elle s'efforçait de masquer sa stupeur… et son embarras. Elle était désormais à court d'excuses. Elle n'avait plus d'autre choix que de se rendre au Canada — mais comment allait-elle faire ? Elle n'avait pas du tout prévu de se soustraire à ses obligations de réceptionniste.

Sa gorge se serra. Elle allait devoir trouver une excuse pour justifier son absence auprès de Lindsay et Nathan.

— Bien, j'imagine que je pars pour le Canada.

Il se frotta le menton.

— Nous devrions peut-être y aller tous les deux.

— Je vous demande pardon ? Je croyais que vous aviez un livre à terminer ?

— Je peux écrire aussi bien dans un avion et une chambre d'hôtel qu'ici, dans mon appartement. Si je fais le voyage avec vous, je serai sur place pour rencontrer Stephen dès que vous le trouverez.

Oh ! seigneur, non. Ce travail allait être assez difficile sans avoir son client qui voyageait avec elle — et serait aux premières loges pour voir toutes ses erreurs.

— Je vous téléphonerai dès que je l'aurai retrouvé, tenta-t-elle. Vous n'aurez qu'à prendre le premier avion…

— Calgary est de l'autre côté du continent. Même si je

réussis à obtenir une place sur le premier vol disponible, je perdrai encore une journée à voyager. Et je sais que je serai au bord de la crise de nerfs pendant tout ce temps. Non, ce plan est vraiment le meilleur. En plus, j'en profiterai pour voir s'il y a suffisamment de potentiel pour un livre sur les Rocheuses canadiennes.

Elle retint un soupir d'effroi. Elle ne trouvait plus rien à dire qui pût le dissuader.

Le regard baissé sur son dîner pour lequel elle n'avait soudain plus d'appétit, elle lui jeta un coup d'œil furtif. Il était en train de la dévisager. Son front était ridé et ses yeux paraissaient inquiets, comme s'il se demandait s'il avait commis une erreur en l'engageant.

Elle se posait exactement la même question.

5

Le lendemain matin, la sonnerie du portable de Nadine retentit avant qu'il ne fasse jour. Elle s'extirpa de ses chaudes couvertures et attrapa son téléphone sur la table de chevet. Sa mère adorant l'appeler tôt le week-end, elle le gardait toujours à proximité de son lit.

— Bonjour… maman, bafouilla-t-elle.

— Heu… C'est Patrick O'Neil à l'appareil. Je cherche à joindre Nadine Kimble.

L'adrénaline se mit à couler à flots dans les veines de Nadine, la tirant de son sommeil avec plus d'efficacité que n'importe quel réveil.

— Oh ! C'est moi, oui.

Elle se redressa et posa les pieds sur le petit tapis en laine, le téléphone toujours collé à son oreille.

Patrick O'Neil. La veille, elle lui avait donné le numéro de son domicile afin qu'il puisse la contacter dès qu'il aurait pris toutes les dispositions pour leur voyage au Canada. Mais elle ne s'était pas attendue à avoir de ses nouvelles aussi tôt. Il n'était même pas 8 heures, constata-t-elle en jetant un coup d'œil à son réveil.

— J'ai réussi à obtenir deux billets sur un vol à 11 heures. J'espère que cela vous laisse suffisamment de temps pour faire vos valises.

— 11 heures, ce soir ? Ce sera serré, mais je devrais y arriver.

— 11 heures, ce matin.

Bon sang ! Etait-il sérieux ?

— Je peux passer vous prendre dans une heure, reprit-il.

— Vous plaisantez, n'est-ce pas ?

Il demeura silencieux un instant.

— Sauf erreur de ma part, nous étions convenus de prendre le premier vol disponible.

— C'est exact. Mais…

— Tant que vous avez votre carte de crédit et votre passeport, c'est le principal.

Elle courut jusqu'à la salle de bains et s'inspecta dans le miroir. Ses cheveux avaient besoin d'être lavés, mais elle n'aurait jamais le temps de le faire convenablement. Et puis, où avait-elle mis son passeport ?

— Vous ne perdez vraiment pas de temps, pas vrai ? dit-elle tandis qu'elle mettait le téléphone sur haut-parleur pour pouvoir étaler du dentifrice sur sa brosse à dents.

— Plus tôt nous nous y mettons, mieux c'est.

Evidemment. Mais la prévenir une heure avant ? Elle commença à réfléchir à tout ce dont elle aurait besoin — manteaux, grosses chaussures et pull-overs épais.

— Encore une chose, poursuivit-il, essayez de vous limiter aux bagages à main. Nous devons prendre une correspondance à Toronto, et le timing est plutôt serré. Tous les détails sont réglés, il ne me manque plus que votre adresse.

Pour qu'il puisse passer la prendre, réalisa-t-elle. Seulement, elle ne pouvait pas le laisser faire. Son adresse dans le quartier très chic de l'Upper East Side l'amènerait indubitablement à poser des questions auxquelles elle n'avait aucune envie de répondre.

— Je dois récupérer mon dossier au bureau. Pourquoi ne passeriez-vous pas me prendre là-bas ?

A la pensée de tout ce qu'elle avait à faire en à peine une heure, elle eut l'estomac retourné.

Elle devait chercher ses papiers d'identité, préparer

son sac, annuler le dîner du lendemain avec ses parents, prévenir tout le monde à l'agence qu'elle s'absentait pour quelques jours…

Bon sang ! Cette dernière partie allait être la plus compliquée. Elle devrait sans doute se contenter de laisser un message sur le répondeur de l'agence. D'un autre côté, cela mettrait Lindsay et Nathan au pied du mur. Ils ne seraient pas du tout prévenus qu'elle ne viendrait pas travailler lundi.

Et qui devait-elle appeler — Nathan ou Lindsay ? Elle se sentirait davantage coupable de mentir à Nathan. Il était tellement respectueux des règles. Mais Lindsay la cuisinerait et elle n'avait pas le temps d'inventer une super histoire.

Finalement, elle composa le numéro du portable de Nathan. Il accepterait certainement son « besoin de s'absenter quelques jours pour raison personnelle » sans poser de questions.

Pendant qu'elle attendait qu'il réponde — ou, mieux encore, d'être redirigée vers sa messagerie —, elle commença à fouiller son tiroir à sous-vêtements à la recherche de son passeport.

C'est alors que la voix de Lindsay retentit dans son oreille.

— Fox à l'appareil.

— Oh ! bonjour, Lindsay. Je croyais avoir composé le numéro de Nathan.

— Il est sous la douche. Quoi de neuf ?

Nadine prit une profonde inspiration et s'arrêta de chercher son passeport. Elle avait besoin de toute sa concentration.

— J'appelais simplement pour vous prévenir que je dois m'absenter pour une raison personnelle et que je ne pourrai pas venir travailler lundi et mardi. Je ne suis pas sûre pour mercredi non plus. Je suis vraiment désolée de vous prévenir aussi tard.

— Aucun problème. A vrai dire, c'est le moment idéal pour que vous preniez quelques vacances. Dès que Kate sera en congé de maternité, vous n'en aurez pas beaucoup l'occasion.

— Vous avez raison. Bon, j'imagine que je ferais bien de me mettre en route…

— Où allez-vous ?

Nadine avait espéré raccrocher, mais Lindsay parla plus vite.

— Nulle part… de spécial.

— Votre voix semble étrange, Nadine.

Bon sang, elle savait qu'elle la cuisinerait.

— Votre voyage a-t-il un rapport avec cet homme avec qui vous échangiez des messages l'autre jour, à l'agence ?

Nadine faillit rire de soulagement. Enfin une question à laquelle elle pouvait répondre sans mentir.

— Oui.

— Eh bien, les choses progressent vite, n'est-ce pas ?

C'était effectivement le cas…

— Je suis certaine que vous savez ce que vous faites, ajouta Lindsay. Néanmoins, soyez prudente. Vous ne pouvez pas juger les gens sur les apparences.

Dieu qu'elle avait raison, songea Nadine après avoir enfin pu raccrocher.

Nadine aurait aimé que son père puisse voir avec quelle économie elle avait fait ses valises. Il aurait été fier.

Elle s'était limitée à sa veste de ski Versace convertible qu'elle avait portée durant le dernier voyage en famille dans les Alpes suisses. Dans son bagage à main en cuir, elle était parvenue à comprimer quelques pantalons de ski noirs, plusieurs pulls à col roulé et une robe qu'elle pourrait porter en variant les collants, les écharpes et les bijoux.

Son porte-documents contenait son ordinateur portable, son téléphone, son appareil photo et le dossier avec les notes qu'elle avait accumulées jusque-là. Elle fut sérieusement tentée d'y ajouter son exemplaire du *Guide du détective privé pour les nuls*, mais si Patrick était amené à le voir…

Après avoir verrouillé la porte de son appartement, elle prit un taxi et arriva à l'agence deux minutes avant la limousine de Patrick.

Ce dernier la salua de manière désinvolte tandis qu'il descendait du siège arrière et prenait son sac.

— Merci. Faites attention, c'est plus lourd que ça en a l'air.

Le regard fixé sur elle, il haussa un sourcil. Puis il souleva sa valise comme si elle était remplie de plumes de duvet. Il la déposa dans le coffre à côté de son bagage à main qui n'avait plus l'air en très bon état.

— J'imagine que vous voyagez beaucoup, dit-elle dès qu'ils furent installés à l'intérieur de la voiture, en route pour l'aéroport de LaGuardia.

Elle avait visité de nombreux pays avec sa famille, mais la conception des vacances de ses parents devait être considérablement différente du genre de voyages qu'effectuait Patrick.

— C'est mon job de voyager. Depuis presque vingt ans maintenant.

— Etes-vous jamais fatigué d'être constamment sur la route ?

— La pensée ne m'a jamais traversé l'esprit, alors j'imagine que non.

Il tourna le regard vers la rue devant eux, le visage sombre.

Mal à l'aise, elle regretta une nouvelle fois de ne pas effectuer ce voyage sans lui. Il était beaucoup trop observateur à son goût. Elle devrait être sur ses gardes à chaque instant.

La limousine les déposa à l'aéroport quelques minutes plus tard. Patrick ayant leurs cartes d'embarquement téléchargées sur son téléphone portable, ils se dirigèrent directement vers la douane, avant de rejoindre leur porte d'embarquement. Ce n'est qu'une fois assise dans l'avion qu'elle se rendit compte qu'ils voyageaient en classe affaires.

Installée à la place contre le hublot, elle mit son porte-documents sous le siège devant elle.

— Lorsque l'on voyage aussi souvent que vous le faites, j'imagine que l'on mérite de petits luxes.

— Je voyage presque toujours en classe économique, rectifia-t-il. Mais, quand je demande à quelqu'un de quitter son domicile pour s'occuper de mes affaires personnelles, je me dis que la moindre des choses est de faire en sorte que le voyage soit aussi confortable que possible.

— C'est très confortable. Merci.

— Bien.

Il s'adossa à son siège et poussa un long soupir. Puis il se tourna vers elle.

— Je suis désolé si j'ai été un peu tendu ce matin. Je suis incroyablement nerveux.

— C'est parfaitement compréhensible.

— Je n'arrive pas à croire que je suis sur le point de rencontrer mon fils. Peut-être même dès ce soir.

Elle se sentit obligée de diminuer ses attentes.

— Mais ce ne sera probablement pas ce soir. Déjà, le temps d'arriver à Calgary… Et puis, nous avons trois stations de sports d'hiver à vérifier et n'avons aucune garantie qu'il n'ait pas changé d'avis au sujet de travailler au Canada cet hiver. Il a très bien pu rencontrer quelqu'un qui lui aura suggéré de postuler au Club Med pour passer l'hiver sur la plage.

— Bon sang, vous avez raison.

Cette éventualité parut le consterner.

— Vous devez également vous préparer à une autre chose, ajouta-t-elle. Vous n'aurez la certitude que Stephen Stone est bien votre fils qu'après avoir effectué un test ADN.

Il fronça les sourcils.

— Qui a parlé de test ADN ?

— Dans ce genre d'affaire, c'est la procédure standard, lui assura-t-elle.

Il secoua la tête fermement.

— June ne m'aurait pas envoyé cette lettre s'il y avait la moindre chance que Stephen ne soit pas mon fils.

— Vous lui faites autant confiance ?

— Absolument.

Elle fut surprise d'éprouver une pointe de jalousie envers cette June.

— Vous avez dû beaucoup l'aimer.

— En effet, reconnut-il.

Elle attendit qu'il en dise davantage et ne put réprimer un soupir de frustration quand elle comprit qu'il n'en ferait rien. Elle se réprimanda aussitôt en son for intérieur.

Lindsay lui avait rappelé à maintes reprises l'importance de ne pas s'impliquer de façon émotionnelle dans une affaire. Et voilà qu'elle éprouvait un léger béguin pour son tout premier client.

Elle devait se concentrer sur les attentes de Patrick à propos de ce garçon. Il serait probablement prêt à offrir une aide financière à Stephen même s'il n'était pas son fils biologique.

— Je suis désolée, Patrick. Mon intention n'était pas d'insulter June, vous pensiez manifestement beaucoup de bien d'elle, mais vous me payez pour me montrer objective. Et il me semble possible qu'elle ait pu apprendre que vous jouissiez d'un certain succès, et avoir décidé de tirer profit d'une amitié passée, si elle s'inquiétait pour l'avenir de son fils.

— Mais c'est justement ça — nous étions amis. Si elle avait eu besoin d'argent, elle n'aurait eu qu'à me le demander. De préférence avant de mourir.

— Sans doute avait-elle le sentiment que trop d'années s'étaient écoulées sans qu'il n'y ait eu le moindre contact entre vous.

— Elle ne pouvait s'en prendre qu'à elle-même sur ce point. Je n'avais de ses nouvelles que lorsque je recevais ses cartes de Noël.

— Peut-être qu'elle éprouvait le besoin d'aller de l'avant. Ou qu'elle s'inquiétait que vous ne découvriez l'existence de votre fils.

— C'est un secret qu'elle paraissait effectivement déterminée à garder. Je suppose que je devrais lui être reconnaissant de m'avoir permis de poursuivre la carrière dont je rêvais. Pourtant, d'une certaine manière, je n'éprouve que du ressentiment à son égard.

Il se tourna face à elle et la regarda de cette manière spéciale qui lui donnait toujours l'impression qu'il pouvait lire dans ses pensées les plus intimes.

La gorge serrée, elle prit conscience qu'elle était une nouvelle fois en train d'enfreindre la règle de Lindsay. Pas d'émotions. Pas d'implication personnelle.

Seigneur, c'était tellement plus dur que ce à quoi elle s'était attendue.

La détective privée qu'il avait engagée était la femme la plus féminine qu'il ait jamais rencontrée, sans doute parce qu'il était habitué à être avec des femmes qui partageaient des intérêts similaires aux siens — les sports extrêmes, l'escalade, le ski hors piste…

Les femmes qu'il connaissait, celles qu'il fréquentait, avaient les mains rêches et la peau qui avait beaucoup pris le soleil — comme lui. Elles ne portaient pas de chaussures à talons parce que ce n'était pas pratique. Idem pour le maquillage et le parfum.

Elles parlaient de sport, de la météo, de leurs régimes d'entraînement et… bien trop souvent… de leurs blessures.

Nadine ne leur ressemblait en rien et n'était définitivement pas son genre. Pourtant, elle ne cessait d'attirer son regard et de le faire sourire.

Il était stupéfait par la finesse de ses doigts et la grâce avec laquelle ses mains bougeaient quand elle parlait. Ses dents étaient d'une blancheur parfaite. Et ses cils étaient courbés de la manière la plus adorable qui soit.

Chaque détail à propos d'elle le fascinait, et il devait sans cesse se rappeler à lui-même qu'elle était une détective privée légitime, une femme qui avait les pieds sur terre et qui travaillait dur pour gagner sa vie. Elle méritait son respect, pas son désir secret et lascif.

A Toronto, ils changèrent d'avion et furent de nouveau installés en classe affaires. Nadine était toujours assise près du hublot. Pour cette étape plus longue de leur voyage, il sortit son ordinateur portable et commença à organiser ses notes concernant les révisions de son livre.

Nadine se mit également à travailler sur son ordinateur. Elle prenait des notes sur une affaire — son affaire. Il fut tenté de lui demander s'il pouvait les lire.

Puis elle ferma le document, et une carte apparut à l'écran. Il se penchait pour y jeter un coup d'œil quand il fut momentanément distrait par l'odeur douce et suave de son parfum. Elle sentait divinement bon.

— Nous commencerons par nous rendre à Sunshine, annonça-t-elle, manifestement consciente qu'il regardait la carte. La station se situe à environ deux heures de route de l'aéroport.

— Mais nous n'avons réservé aucune chambre, réalisa-t-il.

— Ne vous inquiétez pas. La saison n'ayant pas vraiment

encore démarré, nous ne devrions pas avoir de problème à en trouver une.

— Combien de temps pensez-vous avoir besoin de passer dans chaque endroit ?

— Une journée, peut-être moins.

— Ce voyage devrait donc être bref.

— Surtout si nous avons de la chance et trouvons Stephen à la première station de ski.

Elle lui sourit avec espoir, et il crut sentir quelque chose papillonner dans son ventre.

Etait-ce de la nervosité face à la possibilité de rencontrer son fils dès le lendemain ?

Ou de l'excitation à l'idée de passer les prochains jours en compagnie de la femme fascinante qui était assise à côté de lui ?

Juste avant d'atterrir, le pilote annonça qu'il neigeait à Calgary, et Nadine s'interrogea anxieusement sur l'état des routes.

Lorsqu'ils eurent récupéré la voiture que Patrick avait louée pour leur séjour, la visibilité était devenue un problème.

— J'ai conduit dans de pires conditions, lui assura-t-il.

Néanmoins, tandis qu'ils laissaient les lumières de la ville derrière eux, elle ne put s'empêcher d'être effrayée par l'obscurité complète qui les entourait.

Il était seulement 18 h 30 mais, à cette époque de l'année et aussi au nord, le soleil était couché depuis longtemps.

Entre l'obscurité de la nuit et la chute hypnotique des flocons de neige, elle était par moments incapable de distinguer les lignes sur l'autoroute. Les voitures continuaient néanmoins de rouler à des vitesses supérieures à la limite indiquée de 110 kilomètres/heure.

Elle jeta un coup d'œil à Patrick. Il semblait calme,

même si elle ne pouvait voir que son profil. Ses mains sur le volant étaient sûres et soudain elle ne se sentit plus du tout nerveuse. Pas au sujet des routes, en tout cas.

— Voulez-vous que je mette un peu de musique ? proposa-t-elle.

Ils découvrirent qu'ils aimaient tous les deux le jazz, et elle trouva une station de radio qui passait un morceau de Diana Krall. Elle ne connaissait pas le titre de la chanson, mais elle aurait reconnu ce doux contralto n'importe où.

Il régnait une atmosphère de plus en plus intime et chaleureuse dans la voiture. Elle inclina son siège et s'installa confortablement, puis elle jeta un nouveau coup d'œil en direction de Patrick. Il semblait aussi à l'aise ici qu'à New York. Elle le soupçonnait d'être ce genre d'homme qui était capable de trouver sa place où qu'il aille.

Elle se sentait en sécurité avec lui. Au sens physique, en tout cas. A un autre niveau, elle ne pourrait jamais complètement baisser sa garde en sa présence. Elle était en mission et, si elle voulait se montrer professionnelle, elle devait se rappeler d'être vive et observatrice à chaque instant.

Une autre leçon que Lindsay et Nathan lui avaient enseignée.

Cependant, il n'y avait pas grand-chose à observer à l'intérieur de la voiture. En dehors de Patrick.

— Avez-vous grandi à Manhattan ?

Comme si la question avait interrompu ses rêveries intimes, il remua légèrement sur son siège.

— Non. Plus au nord, mais dans l'Etat de New York.

— Oh ! dans l'une de ces charmantes petites villes avec une jolie église blanche, des maisons avec des palissades et de gentils voisins ?

Elle était consciente d'avoir une conception idéalisée de la vie en petite ville, principalement à cause de séries télévisées telles que *Gilmore Girls*.

— Certaines maisons avaient des palissades. Pas la nôtre, cependant.

Le ton de sa voix s'était-il assombri ou était-ce le fruit de son imagination ?

— Avez-vous des frères et sœurs ?

— Non. Juste ma mère et moi.

Il jeta un bref regard vers elle.

— Mon père est parti quand j'étais très jeune.

— Je suis désolée. Le voyez-vous encore ?

— Il a déménagé à Boston, où il a trouvé un meilleur emploi et une épouse plus jeune. Ensemble, ils ont eu deux enfants. Chaque fois que je leur rendais visite, leur immense maison semblait trop petite, et leurs invitations à venir les voir se sont espacées de plus en plus.

Nadine fut indignée. Un enfant ne devrait jamais avoir à attendre d'être invité à passer du temps avec son père.

— Etiez-vous proche de votre mère ?

— Très. Ce qui rendait encore plus difficile de voir comment elle vivait, comparé à la nouvelle épouse de mon père. Elle avait deux emplois, se portait volontaire pour les activités organisées à mon école, faisait pousser tous nos légumes sur un coin de terrain qu'elle louait à un voisin. Je ne l'ai jamais vue se détendre — elle prétendait qu'elle ne savait pas comment il fallait faire. Nous n'avions pas beaucoup d'argent, mais elle en trouvait toujours assez pour que nous nous amusions. C'est grâce à ses sacrifices que j'ai appris à skier.

— Je remarque que vous parlez d'elle au passé.

— Elle est morte il y a plusieurs années.

— Elle vous manque, j'imagine.

— Bien sûr. Elle était ma seule famille. Je n'ai qu'un regret : qu'elle soit tombée malade au moment où les ventes de mon livre commençaient seulement à décoller. Si elle avait vécu une année de plus, j'aurais sans doute été capable de lui rendre une partie de ce qu'elle m'a donné. Peut-être même de lui acheter une maison.

— Vous voir heureux et couronné de succès était probablement l'unique chose dont elle se souciait vraiment.

Elle hésita. Elle ne devait pas chercher à approfondir la question, mais elle ne put s'en empêcher.

— Et votre père ? Est-il encore en vie ?

La bouche de Patrick se durcit de nouveau.

— Oui. Il a fait envoyer des fleurs pour l'enterrement de ma mère. La belle affaire, hein ? Ce jour-là, je lui ai téléphoné et je lui ai demandé pour quelle raison il s'était donné la peine de le faire quand il ne l'avait jamais aidée pendant qu'elle était en vie. Nous ne nous sommes pas reparlé depuis.

Voilà pourquoi il était contrarié de ne pas avoir été mis au courant de l'existence de son fils, comprit-elle soudain. Son père avait pratiquement été absent de sa vie. Et à présent, par inadvertance, il avait fait la même chose à son propre enfant.

— Je me suis préparé à essuyer la colère de Stephen, dit-il, comme s'il savait exactement ce qu'elle pensait. Même si je n'avais aucun moyen de savoir qu'il existait, de son point de vue, j'ai été un père absent. Je sais combien c'est douloureux pour un enfant.

— Je me demande pour quelle raison June a choisi d'agir comme elle l'a fait.

— Moi aussi. J'aurais aimé avoir l'occasion de lui poser cette question en personne. J'imagine qu'elle a fini par s'en vouloir et regretter sa décision lorsqu'elle a su qu'il ne lui restait plus beaucoup de temps à vivre. C'est probablement pour cette raison qu'elle a décidé de m'annoncer la nouvelle dans une lettre après sa mort, plutôt que de son vivant.

Un choix plutôt lâche, d'une certaine manière, songea Nadine. Mais qui était-elle pour juger ? Jusqu'ici, à tout point de vue ou presque, elle avait eu une vie privilégiée, facile et heureuse. Elle n'avait eu aucun choix difficile à faire, aucun moment déterminant qui ait testé sa sagesse et son courage.

— Et vous, Nadine ? Vos parents sont-ils encore ensemble ?

Elle se tendit. C'était le danger d'interroger Patrick sur sa vie. Elle devait s'attendre à ce qu'il lui pose les mêmes questions. Elle réfléchit avec soin avant de répondre.

— Je ne pourrais pas les imaginer l'un sans l'autre. Ils sont tellement bien assortis.

— Vous avez de la chance.

— Oui.

C'était le cas pour beaucoup de choses, et cela s'accompagnait chez elle d'un certain sentiment de culpabilité. Pourquoi devrait-elle avoir autant, et les autres si peu ? Bien que n'ayant pas gagné l'argent que possédait sa famille, elle en jouissait de tous les avantages. Elle avait toujours eu du mal à accepter ce déséquilibre.

A la fin de ses études universitaires, elle avait annoncé à ses parents vouloir travailler, être embauchée pour elle-même et non parce qu'elle était une Waverly.

Ils avaient eu du mal à comprendre sa décision, persuadés que son seul but était de leur faire du mal.

— Des frères et sœurs ? poursuivit Patrick.

— Je suis enfant unique, moi aussi.

Il ralentit tandis qu'ils approchaient des grilles du Banff National Park. Elle vérifia le temps de trajet restant sur le GPS qu'il avait apporté avec lui. Encore une heure de route.

Que trouveraient-ils à leur arrivée à Sunshine Village ?

Son ventre se serra.

Le fils de Patrick y serait-il ?

6

Le lendemain matin, Nadine se réveilla dans le grand lit de l'une des chambres agréablement décorées du Mountain Lodge, à Sunshine Village. Elle s'étira tandis que la lumière vive du soleil entrait à flots depuis une fenêtre qui donnait sur la piste de ski principale.

Songeant à la journée qui l'attendait, elle se sentit soudain incroyablement nerveuse. La veille, Patrick et elle étaient convenus qu'il écrirait pendant qu'elle tenterait de retrouver son fils. Puis, à 15 heures, ils se retrouveraient au Lookout Bistro.

Elle décida de commencer par aller se renseigner auprès du service des ressources humaines de la station. Trop anxieuse pour avaler quoi que ce soit, elle fit l'impasse sur le petit déjeuner, s'habilla rapidement et se mit en route.

Le chaos régnait à l'intérieur du bureau lorsqu'elle arriva devant la porte. De nombreux jeunes gens, répartis sur plusieurs rangées, remplissaient des formulaires ou posaient des questions.

Après plusieurs minutes, elle put enfin parler à une responsable : une femme blonde, avec une coupe de cheveux courte et sportive, ainsi qu'une tendance à parler très vite.

— En quoi puis-je vous aider ?

Nadine lui remit une carte de visite.

— Mon nom est Nadine Kimble. J'essaie de retrouver un jeune homme pour le compte de sa famille : Stephen

Stone. Nous avons cru comprendre qu'il pourrait avoir postulé ici pour une place de moniteur de ski.

— Lui et un millier d'autres ! lança la responsable. Comme vous pouvez le constater, le mois de novembre est celui où nous effectuons la majeure partie de notre recrutement. Si vous pouviez revenir dans trois semaines, il me serait beaucoup plus facile de vous donner une réponse catégorique.

— J'ai fait le déplacement spécialement de New York. N'y a-t-il aucun moyen pour que vous puissiez m'aider maintenant ?

— Eh bien, je peux vérifier s'il est répertorié dans la liste des employés. Mais, s'il ne l'est pas, cela ne garantit pas pour autant qu'il ne travaille pas ici.

Elle indiqua une pile de documents sur son bureau.

— Il reste beaucoup de paperasserie qui n'a pas encore été traitée.

— Je n'aurais pas pu venir à un pire moment, n'est-ce pas ? reprit Nadine avec compassion. Cependant, si vous pouviez vérifier cette liste d'employés, je vous en serais très reconnaissante.

La femme hocha la tête, puis se tourna vers l'écran de son ordinateur. Tout en patientant, Nadine parcourut la pièce des yeux. La majeure partie des personnes qui l'entouraient approchaient la vingtaine ou étaient à peine plus âgées. Les garçons étaient plus nombreux que les filles, et elle distinguait différents accents, notamment australien et néo-zélandais.

Alors, elle prit conscience de l'énorme erreur qu'elle avait commise.

Elle avait fait tout ce chemin sans avoir la moindre idée de ce à quoi ressemblait Stephen Stone. Il pourrait se tenir à côté d'elle, à cet instant, sans qu'elle n'en sache rien.

Bon sang, quelle erreur de débutante !

Elle qui tenait tellement à impressionner Lindsay et

Nathan avec ses talents de super-détective, persuadée qu'ils avaient tort lorsqu'ils disaient qu'elle n'était pas prête…

Mais ils avaient raison. Elle s'efforça d'effacer la panique de son visage lorsque la femme des ressources humaines leva les yeux de son ordinateur.

— Je suis désolée, mais nous n'avons personne du nom de Stone répertorié dans notre effectif. Rappelez dans quelques semaines, sa candidature est peut-être toujours en train d'être examinée.

Elle tendit une carte à Nadine, qui la rangea dans sa poche avec un faible merci.

Bon sang, elle avait tout raté. Et Patrick avait déjà dépensé tellement d'argent, entre les billets d'avion, la location d'une voiture et leurs chambres. Allait-elle oser avouer ce qu'elle avait fait ?

Elle retourna en traînant des pieds jusqu'au bâtiment principal de la station et se rendit au bar.

Elle commanda un chocolat chaud et s'installa à une table près d'une fenêtre. Les montagnes étaient superbes contre le ciel bleu parfait en toile de fond, mais cette beauté incroyable fit seulement sombrer son humeur encore plus bas.

Elle n'avait aucun droit de faire passer ses ambitions avant les besoins d'un client. Patrick O'Neil s'était adressé à Fox & Fisher parce qu'il avait entendu dire qu'ils étaient une agence réputée, connue pour fournir des résultats rapides. Et voilà qu'elle lui faisait perdre son temps et son argent, à bâcler une mission que Kate, Lindsay ou Nathan auraient trouvée facile.

Elle s'en voulait énormément d'être aussi incompétente.

Il lui fallut une quinzaine de minutes pour réussir à changer un peu d'humeur.

Certes, elle avait peut-être commis l'erreur de ne pas chercher de photo de Stephen, mais elle était ici désormais. Alors, autant qu'elle en profite pour faire de son mieux.

Elle allait interroger le plus grand nombre de personnes possible, décréta-t-elle. Et la meilleure manière de s'y prendre était d'enfiler une paire de skis et d'aller sur les pistes.

Sa décision prise, elle alla s'acheter un forfait d'une journée — n'oubliant pas au passage d'interroger le vendeur au sujet de Stephen. Puis elle se rendit dans la principale boutique de location. Elle fit la queue, remplit les formulaires de renseignements au sujet de sa taille, de son poids et de son niveau de ski. Puis, quand vint enfin son tour, un jeune homme vêtu d'un sweat-shirt à capuche et d'un pantalon de ski l'aida à choisir des bottes et son équipement.

— Connaîtriez-vous par hasard un certain Stephen Stone ? demanda-t-elle tandis qu'elle luttait pour attacher la première botte de ski. Il a dix-huit ans. Il y a quelques semaines, il a effectué le voyage jusqu'ici à la recherche d'un job en tant que moniteur de ski.

— Je ne peux pas dire que ce soit le cas, répondit le jeune homme pendant qu'il se penchait pour l'aider. Est-ce que ça va, ce n'est pas trop serré ?

Elle se leva, remua les orteils et regretta aussitôt de ne pas avoir emporté ses bottes faites sur mesure qui se trouvaient chez elle, dans sa penderie.

— Ça va, soupira-t-elle.

— Bien. Nous allons régler vos fixations, puis vous serez prête à partir.

Il l'aida à retirer la botte et apporta la paire jusqu'au comptoir, où un autre jeune homme préparait les skis.

— Frank, est-ce que tu connais un Stephen Stone ?

— Il se fait peut-être appeler Steve, ajouta Nadine avec espoir.

Le type qui répondait au prénom de Frank leva les

yeux au ciel d'un air pensif pendant une seconde, puis secoua la tête.

— Non.

Dix minutes plus tard, Nadine n'était pas plus avancée dans ses recherches, mais elle était équipée pour dévaler les pistes.

A chaque télésiège et remonte-pente, elle interrogea les employés de la station au sujet de Stephen. Quand un surveillant d'aire de ski se trouvait à passer, elle s'arrêtait et reposait la même question.

Après trois passages de haut en bas de la montagne, elle eut le sentiment d'avoir parlé à tout le monde et commençait également à avoir faim.

Elle retourna au sommet et décida d'aller déjeuner au Goat's Eye Gardens — un charmant petit restaurant avec une vue imprenable sur la chaîne de montagnes.

Comme il faisait suffisamment chaud pour manger à l'extérieur, elle s'installa dans le patio.

Plusieurs jeunes s'y trouvaient également. Leurs badges les identifiaient comme moniteurs de ski. A ce stade, elle était presque résignée à l'échec mais, quand l'un d'eux lui sourit, elle sauta sur l'occasion.

— Puis-je vous poser une question ?

— Je vous écoute.

— Je me demandais si vous connaissiez un certain Stephen Stone. Il était censé venir ici à la recherche d'une place de moniteur de ski.

— Oui, ce nom me semble familier. Scott ?

L'autre moniteur souleva ses lunettes de protection, révélant des yeux marron chaleureux.

— C'est le rouquin de New York.

Il se tourna vers elle.

— Il avait plus ou moins le même accent que vous. Nous l'avons rencontré au bar, le week-end dernier.

Elle faillit s'étrangler d'excitation.

— Est-il ici ? A-t-il été embauché ?

Le dénommé Scott secoua la tête.

— Je ne crois pas. Toutes les places de moniteur de ski étaient déjà pourvues. Je lui ai conseillé d'aller tenter sa chance à Kicking Horse. Ils ne commencent pas leur saison aussi tôt qu'ici.

En voyant la neige fraîche sur les pistes, Patrick eut le plus grand mal à fermer les rideaux et à se mettre à écrire. Il le fit néanmoins. Son échéance était trop proche pour qu'il puisse se permettre de tirer au flanc.

Il passa commande au service de chambre pour le petit déjeuner et pour le déjeuner. A 13 heures, il atteignit enfin son objectif pour la journée et éteignit son ordinateur avec soulagement.

Bien que n'ayant le temps que pour quelques descentes avant son rendez-vous avec Nadine, il ne put résister plus longtemps à l'appel de la montagne.

Dès qu'il fut en tenue, il sortit acheter un forfait d'une demi-journée et louer l'équipement nécessaire. Puis il étudia une carte des pistes et se dirigea vers le télésiège. Personne n'y faisait la queue, et il se retrouva seul sur une banquette à quatre places pour effectuer la montée jusqu'au sommet de la montagne.

Il observa vaguement les skieurs en dessous de lui. Où pouvait être Nadine ? Il avait espéré qu'elle l'appellerait avec des nouvelles au sujet de Stephen, mais son téléphone portable était resté silencieux.

Heureusement, à chaque centimètre d'altitude qu'il prenait, il sentait ses préoccupations — au sujet de Stephen et de l'échéance pour son livre — diminuer. Etre dans les montagnes l'amenait toujours à une clarté mentale et à une paix émotionnelle.

Lorsqu'il atteignit enfin le sommet, il embrassa le panorama du regard avec empressement, puis il s'élança sur la piste. Le bruit des skis sur la neige remplit ses oreilles, et son corps prit un rythme naturel et joyeux.

Seules quelques âmes courageuses se trouvaient de ce côté de la montagne, probablement parce que la saison n'en était qu'à son début. Il dut éviter quelques parcelles sans neige, mais dans l'ensemble les conditions étaient fantastiques.

Après une brusque chute d'altitude, le chemin devant lui se divisait en deux, à l'angle d'un bosquet d'arbres à feuilles persistantes. Il était sur le point de virer sur la gauche, quand il remarqua une veste à l'air familier sur la droite.

La veste de ski de Nadine était de la même nuance de vert.

Il tourna à droite.

Bien qu'elle ait plusieurs centaines de mètres d'avance sur lui, il la rattrapa peu à peu. Sa silhouette était compacte et maîtrisée. Où diable avait-elle appris à skier de cette façon ?

Un sourire se dessina sur ses lèvres tandis qu'il s'arrêtait pour mieux la regarder. Elle dégageait tant de légèreté et de grâce. Ses mouvements, les grands arcs de cercle de ses skis, lui faisaient penser à des mouettes portées par une brise d'été.

Comme elle commençait à prendre beaucoup d'avance sur lui, il s'élança de nouveau sur la piste, veillant à maintenir une distance suffisante pour qu'elle ne le remarque pas.

Lorsqu'ils arrivèrent en bas, il marqua une pause et jeta un coup d'œil à sa montre. Il était déjà 14 h 45 ! Il vint se placer à côté de Nadine et souleva ses lunettes de protection. La lumière du soleil, reflétée sur toute cette neige blanche, était presque aveuglante.

— Hé ! Jolie technique de ski !

— Patrick.

Elle ne put masquer sa surprise.

— Je me rendais justement à notre rendez-vous, ajouta-t-elle.

Il faillit lui suggérer de faire d'abord une autre descente. Mais, maintenant qu'il était de retour sur terrain plat, ses préoccupations revenaient. Il mourait d'envie de savoir si elle avait du nouveau au sujet de son fils.

— Allons rendre notre équipement, dit-il. Ensuite, nous pourrons parler.

Jusqu'à ce qu'ils soient installés à l'intérieur du Lookout Bistro et qu'ils aient commandé des boissons et quelque chose à grignoter, Patrick ne posa aucune question. Il faisait preuve d'une patience impressionnante, pensa Nadine.

De son côté, elle se sentait mieux au sujet de sa mission. Elle avait bon espoir de pouvoir encore obtenir les résultats que Patrick souhaitait, et présenter son rapport à Lindsay et Nathan sans avoir l'air trop ridicule.

Tomber sur ces moniteurs de ski au sommet de la montagne avait été son premier coup de chance.

— Je crains que Stephen ne travaille pas ici, annonça-t-elle sans préambule. Mais, la bonne nouvelle, c'est que j'ai parlé à deux jeunes qui l'ont croisé dans un bar, le week-end dernier. Ils lui ont conseillé de tenter sa chance à Kicking Horse et lui ont dit que c'était la meilleure option pour décrocher un job de moniteur de ski à ce stade de la saison.

Patrick se frotta la mâchoire.

— J'imagine que c'était trop espérer de le trouver dans le premier endroit où nous cherchions.

— Au moins, nous savons qu'il était ici. Et ce n'est pas tout. Ces moniteurs ont mentionné que Stephen avait les cheveux roux.

Ce n'était pas aussi efficace qu'une photo, mais c'était un détail assez inhabituel pour être remarqué et, avec un peu de chance, pour que les gens s'en souviennent.

— Vraiment ?

Il baissa les yeux vers ses mains, posées sur la table de bois.

— Quand j'étais enfant, j'avais également les cheveux roux. Ils se sont assombris en grandissant.

C'était un point de ressemblance significatif, songea-t-elle. Mais toujours pas la preuve irréfutable que Stephen était vraiment son fils biologique.

— Beau travail, Nadine, la félicita Patrick. C'est bon de savoir que nous nous rapprochons du but.

Elle savoura ses éloges. Elle s'était montrée trop dure envers elle-même. Finalement, elle se débrouillait plutôt bien depuis leur arrivée.

La serveuse arriva avec leurs commandes. Nadine avait une faim de loup.

— C'est incroyable à quel point un peu d'exercice et d'air frais creusent l'appétit, fit-elle remarquer avant d'avaler une frite.

— Je suis entièrement d'accord. Au fait, où avez-vous appris à skier ainsi ? Je ne connais personne, ayant grandi à New York, qui possède une telle technique.

— Stephen y a grandi et est devenu moniteur, répliqua-t-elle. Quant à moi, mes parents aiment deux sports — le tennis et le ski. Nous avons passé la majeure partie de nos vacances de famille à pratiquer l'un ou l'autre.

— Il faut être bon pour maîtriser les pentes verglacées de Nouvelle-Angleterre, ajouta-t-il.

Elle se contenta de hocher la tête. Elle n'était pas prête

à lui dire qu'elle avait affiné son savoir-faire dans les meilleures stations de sports d'hiver du monde.

— Nous devrions plier bagage et nous mettre en route. Kicking Horse est à environ deux heures d'ici.

Il vérifia sa montre.

— Le soleil se couchera dans une heure et demie environ. Nous effectuerons une petite partie du trajet dans l'obscurité. Heureusement que la météo n'annonce pas plus de neige pour ce soir.

Patrick proposa une nouvelle fois de conduire, ce qui convenait parfaitement à Nadine. Elle s'installa sur le siège passager de la voiture de location avec les deux cafés à emporter qu'ils avaient achetés. Elle les plaça dans les supports près du levier de vitesses, puis mit sa ceinture de sécurité.

Le trajet démarra bien. Le soleil avait déjà disparu derrière les montagnes, mais il ne faisait pas encore nuit et les routes avaient été déblayées après la tempête de la veille.

Elle se sentait mieux que plus tôt dans la journée. Ses recherches pour retrouver Stephen progressaient bien. Elle doutait même que Lindsay, Nathan ou Kate aient pu faire mieux.

Skier avait également contribué à améliorer son humeur. Il n'y avait rien de comparable à une journée passée en montagne. Elle était aussi flattée que Patrick ait été impressionné par son niveau de ski. Voir l'approbation dans ses yeux quand il la regardait était une sensation agréable.

Bien sûr, il était lui aussi un skieur hors pair. Elle n'avait pas eu beaucoup l'occasion de l'observer sur la piste, mais, de ce qu'elle avait vu, il se déplaçait sur ses skis comme s'ils étaient un prolongement naturel de son corps.

Elle profita du fait qu'il était concentré sur la route pour l'étudier. Les traits de son visage étaient un peu rudes, mais cela lui plaisait. La couleur de ses cheveux était un mélange intéressant de châtain doré et de roux foncé. Il avait également un beau regard, des yeux qui semblaient exprimer davantage qu'il ne le faisait.

Il préférait poser des questions plutôt que d'y répondre, avait-elle remarqué. Mais, comme ils avaient une longue route devant eux, elle arriverait peut-être à le faire parler.

Ce serait un bon test, décida-t-elle. L'un des talents les plus importants d'un détective était la capacité à extraire des informations d'autres personnes.

Elle retira le couvercle de son gobelet de café et but une gorgée. Puis elle se tourna vers lui :

— Comment se sont passées les révisions de votre livre ?

— Très bien. Si je reste discipliné, je ne devrais avoir aucun mal à rendre le manuscrit à temps.

— Pensez-vous qu'un jour vous écrirez autre chose que des récits de voyages ?

Il parut surpris par la question.

— Je n'y ai jamais réfléchi.

— Pour quelle raison aimez-vous autant voyager ?

Il lui jeta un coup d'œil amusé.

— Vous êtes pleine de questions aujourd'hui.

— Nous avons un long trajet devant nous. Je me suis dit que nous pourrions en profiter pour discuter. A moins que vous ne préfériez écouter la radio.

— Je doute que la réception soit très bonne. Et parler ne me dérange pas. Pour vous répondre, je crois que j'aime autant voyager parce que je n'ai pas eu beaucoup l'occasion de le faire étant enfant.

— De nombreux enfants sont dans le même cas. Ils n'en deviennent pas tous pour autant auteurs de récits de voyages.

— Exact. J'imagine que j'ai toujours cherché la route

la moins empruntée. Donnez-moi le choix entre a, b ou c, et je choisirai toujours d.

Elle esquissa un sourire. Elle ne le connaissait pas depuis longtemps, mais cette description lui semblait exacte.

Elle l'interrogea ensuite sur les divers endroits qu'il avait visités et il parut heureux de répondre à ses questions. Il continua à parler durant les quarante-cinq minutes jusqu'à Lake Louise, puis la demi-heure supplémentaire jusqu'à une petite ville du nom de Field.

Le GPS indiqua alors qu'il leur restait encore une heure de route environ avant d'atteindre Golden.

Malgré la chaleur à l'intérieur de la voiture, Nadine fut parcourue d'un frisson.

— C'est terriblement sombre et désert par ici.

A peine eut-elle prononcé ces mots qu'un grondement retentit.

— Va-t-on avoir droit à un orage ?

Le bruit s'amplifia et des bouffées de neige arrivèrent en volant jusqu'au pare-brise. Patrick jeta un coup d'œil au rétroviseur, puis freina. La voiture ralentit rapidement et s'arrêta juste à temps pour ne pas foncer dans le mur de neige qui était soudain apparu sur l'autoroute, à peine visible dans la lumière des phares.

— C'est une avalanche, murmura doucement Nadine, le cerveau engourdi par le choc.

7

Patrick enclencha brusquement la marche arrière et recula d'une dizaine de mètres environ. La route devant eux était complètement bloquée par la neige.

— Il s'en est fallu de peu que nous soyons enterrés vivants.

Nadine fut parcourue d'un frisson tandis que le choc commençait à se dissiper.

Patrick effectua un demi-tour dans un crissement de pneus, puis repartit dans la direction par laquelle ils venaient d'arriver.

Nadine tremblait. Elle entendait encore dans sa tête le grondement sinistre de l'avalanche.

Patrick jeta un coup d'œil dans le rétroviseur.

— J'espère que personne n'a été piégé par la neige. Nous devrions signaler l'avalanche le plus tôt possible.

Elle sortit son téléphone portable, mais il n'y avait plus de réseau.

— Si nous avions quitté l'hôtel une minute plus tôt, nous aurions été…

— N'y pensez pas.

Il tendit le bras vers elle et posa une main sur la sienne.

— Nous sommes sains et saufs. C'est tout ce qui compte.

Il avait raison, mais elle n'arrivait toujours pas à s'arrêter de trembler.

— Ce qu'il nous faut à présent, c'est un plan de secours. Vous souvenez-vous avoir vu des motels le long du trajet ?

— Il n'y avait pas grand-chose après Field. Attendez une minute. J'ai bien remarqué un panneau pour la station d'Emerald Lake Lodge. Laissez-moi vérifier si le GPS fonctionne.

Approchant l'appareil de la vitre, elle fut soulagée de le voir capter un signal satellite.

— C'est à vingt minutes d'ici, annonça-t-elle.

— Allons-y.

Patrick ne s'attendait pas à grand-chose sur ce bout d'autoroute perdue, mais Emerald Lake Lodge se révéla être un trésor caché. Après qu'ils eurent laissé leur voiture de location sur un parking, un minibus les conduisit de l'autre côté d'un pont minuscule, jusqu'à un groupe de bâtiments comprenant un pavillon rustique et une dizaine de bungalows plus petits. Il flottait dans l'air une odeur accueillante de noyer blanc d'Amérique en train de brûler.

La chaleur d'un feu de cheminée et des effluves de nourriture gastronomique les accueillirent lorsqu'ils arrivèrent dans le hall principal.

L'une des deux jeunes femmes derrière le comptoir de la réception leur fit signe d'approcher.

— Il nous faudrait deux chambres pour la nuit. A vingt minutes à l'ouest d'ici, une avalanche nous a bloqués sur l'autoroute, expliqua Patrick.

La jeune femme adressa un signe de tête à sa collègue.

— Denise, tu ferais bien d'appeler le centre des avalanches pour le leur signaler.

Sa collègue acquiesça et décrocha aussitôt le téléphone.

— Vous avez dû avoir une peur bleue, reprit la réceptionniste.

Patrick baissa les yeux vers le badge discrètement épinglé au revers de la veste de la jeune femme, sur lequel était inscrit son nom.

— Cela a certainement été le cas, Andie. Heureusement, nous n'avons pas été blessés. J'espère également que personne d'autre ne l'a été. Il n'y avait pas beaucoup de circulation.

— Sans doute parce que nous sommes en basse saison. C'est une chance pour vous : nous avons plusieurs chambres de libres. Vous avez dit en avoir besoin de deux ? Aimeriez-vous qu'elles soient côte à côte ?

Il jeta un coup d'œil à Nadine.

— Ce serait bien, oui, répondit-elle.

Lorsqu'elle sourit au moment où leurs regards se croisèrent, il regretta soudain qu'ils ne soient pas ici pour des raisons complètement différentes. A dire vrai, il ne voulait pas du tout des chambres séparées.

Et peut-être que Nadine non plus, songea-t-il. Ses joues s'étaient légèrement empourprées, et elle fixait la composition florale sur le comptoir, comme pour penser à autre chose.

La réceptionniste l'interrompit dans ses pensées, en sortant un plan de la propriété. Elle leur indiqua comment rejoindre leurs bungalows.

— Ils sont situés juste en face du Jacuzzi en plein air. Souhaitez-vous que je vous réserve une table pour le dîner ?

De nouveau, il regarda Nadine. Elle acquiesça d'un signe de tête.

— Ce serait super, merci, répondit-il à la réceptionniste.

Munis de leurs clés, ils ressortirent du pavillon. Leurs bottes craquaient sur la neige, et leurs souffles formaient des nuages de cristaux, suspendus dans l'air immobile. Les bungalows étaient reliés par des chemins suffisamment larges pour permettre le passage des véhicules de la taille de voiturettes de golf dont se servait le personnel pour transporter les bagages et les provisions.

— Cet endroit a une certaine atmosphère européenne,

vous ne trouvez pas ? dit Nadine. On se croirait dans l'un de ces charmants villages suisses.

— Etes-vous déjà allée en Suisse ?

Elle lui avait posé tellement de questions sur ses voyages ! Elle ne devait pas avoir souvent quitté New York…

Soudain, elle perdit l'équilibre et il la rattrapa aussitôt par le bras. Un bras si fin, si délicat… Cela lui plaisait diablement de la tenir ainsi.

— Désolée, dit-elle. J'ai dérapé sur une plaque de verglas.

Il attendit qu'elle soit entrée à l'intérieur de son bungalow pour déverrouiller la porte du sien. La pièce était décorée dans un style de pavillon de montagne, avec des meubles fabriqués à partir de rondins et deux fauteuils en osier installés devant une cheminée.

Devant l'apparence rustique du mobilier, il jugea bon d'aller immédiatement tester le lit. Heureusement, il était extrêmement confortable.

Il allait passer une bonne nuit. S'il réussissait à oublier la possibilité de rencontrer son fils le lendemain…

S'il parvenait à cesser de penser à la femme qui dormirait dans le bungalow voisin du sien.

Nadine décida de porter sa robe pour le dîner. Elle recouvrit ses épaules nues avec l'une des écharpes qu'elle avait amenées avec elle, une écharpe noire avec des fils argent et or qui attrapaient la lumière des bougies.

A table, Patrick commanda du vin. Puis ils décidèrent tous les deux d'essayer la spécialité du jour : venaison avec un risotto aux canneberges et aux noisettes.

Elle passa une main sur la nappe blanche en lin pour défaire un pli.

— Je n'arrive pas à croire qu'un tel endroit existe ici… au milieu de nulle part.

— Le lac, situé à proximité, est réputé pour être l'un des plus beaux au monde.

— Vous devriez en parler dans l'un de vos livres.

Il hocha la tête.

— Entre l'héliski, le rafting en eau vive et l'alpinisme, je trouverais sans aucun doute de quoi intéresser mon public habituel.

Elle se pencha plus près de lui.

— Testez-vous toutes les activités sur lesquelles vous écrivez ?

— Oui, sans exception.

Elle vit son regard descendre le long de son cou, vers l'encolure de sa robe.

Instinctivement, elle resserra son écharpe autour d'elle, envahie par une chaleur inhabituelle.

Il y avait eu des hommes dans son passé — de nombreux rendez-vous arrangés par ses parents, auxquels elle s'était rendue par obligation, et quelques relations amoureuses avec des garçons de son école ou de l'université — mais aucun qui ne soit comparable à Patrick O'Neil.

A un certain moment, au cours de ce voyage… elle n'arrivait pas à mettre le doigt dessus avec précision… elle avait commencé à éprouver de l'attirance pour cet homme — une attirance magnétique. A dire vrai, elle éprouvait cela depuis leur rencontre à l'agence.

Et elle était presque certaine que le sentiment était réciproque.

Bien que ne sachant pas trop ce qu'un homme comme lui, avec son expérience et sa soif d'action, pouvait bien trouver à une fille de la ville comme elle, elle était complètement fascinée par lui. Elle appréciait le fait que rien — absolument rien — ne le décontenançait. Il ne semblait pas connaître la signification du mot peur.

Elle redressa la tête. Il était encore en train de la regarder. Il l'avait à peine quittée des yeux de toute la soirée, songea-t-elle, balayée par une nouvelle vague de chaleur.

Il tendit le bras en travers de la table et lui prit la main.

— J'espère que je ne vais pas trop loin en vous posant cette question mais… vous arrive-t-il de sortir avec vos clients ?

Traversée par une vague de désir, elle fut saisie d'une forte envie de répondre oui. Puis son bon sens reprit le dessus.

— Non. Du moins, je ne l'ai jamais fait.

Parce que, jusqu'à présent, elle n'avait jamais eu de client, ajouta-t-elle en son for intérieur.

Elle eut soudain la sensation de s'étrangler sur tous les mensonges qu'elle avait racontés au cours des derniers jours. Quelle serait la réaction de Patrick si elle lui avouait la vérité tout de suite ? Il comprendrait… n'est-ce pas ?

Etait-elle folle ? Bien sûr que non, il ne comprendrait pas. Ses enjeux dans cette affaire ne pouvaient être plus élevés. Il était à la recherche de son fils. Il serait en colère, contrarié… et il insisterait probablement pour qu'ils retournent immédiatement à New York.

Cela serait vraiment dommage. Ils étaient si proches de Stephen, elle pouvait le sentir. Non, elle lui raconterait tout plus tard.

— Ne pas avoir de relation avec ses clients paraît être une règle intelligente, poursuivit-il.

Il planta son regard puissant dans le sien.

— Mais j'ai toujours adoré enfreindre les règles, ajouta-t-il.

Son regard, tandis qu'il descendait le long de son cou, lui fit l'effet d'une caresse. Seigneur ! S'il arrivait à faire monter un tel désir en elle d'un simple regard, elle n'osait imaginer l'effet qu'aurait le contact de ses doigts sur sa peau.

Troublée, elle baissa les yeux sur ses couverts.

— Lorsque cette affaire sera terminée — que nous aurons retrouvé votre fils —, peut-être qu'à ce moment-là..., bredouilla-t-elle.

A condition qu'il ait encore envie de lui parler quand elle lui aurait révélé qui elle était vraiment.

Elle releva la tête timidement.

Il lui sourit avec grâce et résignation.

— Très bien. Je respecte votre intégrité.

Il attrapa la carte des desserts.

— Que diriez-vous d'une tarte au chocolat et aux framboises ?

Cela semblait appétissant, mais ce n'était rien comparé à ce qu'il venait de lui proposer.

Après avoir dîné, pris un dernier verre au bar, puis fait une partie de billard dans la salle de jeu au second étage, Patrick raccompagna Nadine jusqu'à son bungalow. Il en déverrouilla la porte et lui tendit la clé. Malgré son désir qui s'amplifiait au fil des minutes, il était déterminé à se comporter en parfait gentleman.

— Bonne nuit, Nadine. Cela vous convient-il de commencer tôt la journée, demain matin ?

— Définitivement.

Esquissant un sourire, elle se pencha soudain en avant pour l'embrasser sur la joue.

Sa peau était incroyablement douce, et son parfum lui rappela l'air printanier de Washington, quand les cerisiers sont en fleur. Désireux de prolonger le contact, il la saisit par la taille. Ses courbes étaient affolantes sous sa main, et son souffle terriblement chaud.

Il n'avait jamais connu une femme comme elle. Si féminine et si douce — de nature et d'apparence — mais aussi déterminée, capable, honnête et avec des principes.

Bien qu'ayant juré de ne pas le faire, il lui rendit son baiser. Sur la bouche, cette fois-ci.

Ses lèvres, charnues et chaudes, avaient un goût aussi doux que ce à quoi il s'était attendu.

Il entra à l'intérieur du bungalow, la portant presque avec lui, puis referma la porte avec son pied.

Seule une petite lampe était allumée sur la table de chevet, à côté du lit. La lueur se refléta dans les yeux de Nadine lorsqu'elle leva la tête vers lui. Il attendit qu'elle dise quelque chose. Oui. Non. N'importe quoi. Mais elle se contenta de le dévisager, et il ne put s'empêcher de l'embrasser une nouvelle fois.

Il lui retira son manteau, puis son écharpe, découvrant lentement ses épaules et son décolleté.

A son tour, elle lui ôta sa veste, sans décoller ses lèvres des siennes.

Puis elle glissa ses mains sous son pull-over et les fit remonter le long de son dos. Un frisson de plaisir et d'impatience le parcourut.

— J'ai envie de vous voir nue, murmura-t-il. D'admirer chaque centimètre de votre corps.

Elle hocha la tête, puis leva les bras. D'un grand mouvement, il lui enleva sa robe. Puis il s'écarta pour la regarder. Ses yeux rivés aux siens, elle dégrafa son soutien-gorge et le laissa tomber sur le sol, avant d'ôter sa culotte.

Elle était parfaite, s'extasia-t-il.

Il la fit s'allonger sur le lit et entreprit d'embrasser chaque parcelle de sa peau. Entre-temps, il ôta son pull-over et se débarrassa de son jean, pendant qu'elle explorait son corps de ses mains.

Elle l'embrassa, serrée contre lui. La sensation de son corps dans ses bras était si féminine, si précieuse... Il avait désespérément envie d'elle, mais encore plus de lui procurer du plaisir.

Il chassa de son esprit ses inquiétudes au sujet de la

neige, de l'avalanche et de sa rencontre imminente avec son fils.

Durant les prochaines heures, il ne voulait penser qu'à Nadine.

8

Patrick se réveilla avec le souvenir très net d'avoir passé la nuit dans le bungalow de Nadine. Il roula sur le côté et tendit les deux bras vers l'autre côté du lit.

Rien.

Il ouvrit les yeux. Où était-elle ? L'espace vide était encore chaud.

Tandis que ses sens se réveillaient lentement, il perçut du bruit dans la salle de bains.

Nadine en sortit une minute plus tard, vêtue d'un pull à col roulé de la même couleur chocolat que ses yeux, et d'un jean bleu foncé.

Elle croisa brièvement son regard, puis se frotta les mains l'une contre l'autre.

— Tu devrais te dépêcher de faire tes bagages. Ne souhaitais-tu pas commencer la journée de bonne heure ?

Sans attendre une réponse de sa part, elle se pencha au-dessus de sa propre valise, lui rappelant certains des plaisirs de la nuit passée.

— Ralentis une minute.

Il balança ses jambes jusqu'au sol et passa une main dans ses cheveux : il était tout décoiffé et avait également besoin de se raser.

Mais était-ce trop demander de commencer la journée par une étreinte ?

— Je ne peux pas ralentir, Patrick. Nous avons beaucoup à accomplir aujourd'hui. En premier lieu, nous devons nous renseigner sur l'état de l'autoroute. Si elle a été dégagée, il faut que nous partions dès que possible.

Il la regarda fourrer un sac dans sa valise, avant qu'elle ne change d'avis et décide de le mettre dans son porte-documents.

C'est alors qu'il comprit.

— Tu regrettes ce qui s'est passé la nuit dernière.

— Evidemment que je regrette.

Elle promena son regard autour d'elle. Ne trouvant rien d'autre à ranger dans sa valise, elle se redressa et se mit à faire les cent pas.

— Je t'ai dit que je ne pouvais pas avoir de relation avec un client. Et qu'est-ce que je fais ? Je passe aussi sec la nuit avec toi.

Elle s'arrêta et posa une main sur sa tête. Ses yeux étaient brillants de larmes.

— Je ne te fais pas de reproches, ajouta-t-elle plus doucement. C'est moi qui suis supposée fixer les limites. J'ignore ce qui ne tourne pas rond chez moi.

Elle donna un léger coup de pied dans son sac, éprouvant manifestement le besoin de se libérer de sa frustration.

— Es-tu certaine que c'est la vraie raison pour laquelle tu es contrariée ? Peut-être que tu ne t'es pas amusée. Peut-être que je n'ai pas…

— Oh ! si, soupira-t-elle. La nuit dernière a été merveilleuse en tout point. Je ne me rappelle pas la dernière fois où je me suis autant amusée. Ce qui explique probablement pourquoi je n'ai rien fait pour empêcher que ça se produise. Mais ce n'est pas une bonne chose pour autant.

— J'espère ne pas t'avoir donné l'impression que mes intentions étaient frivoles.

Elle secoua la tête.

— Absolument pas. Mais, par pitié, pouvons-nous éviter d'en parler ? Je sais que c'est idiot de faire comme s'il ne s'était rien passé. Mais pourrions-nous au moins essayer ?

Sa suggestion lui était étonnamment douloureuse. Et cela n'aidait pas qu'elle ait l'air aussi adorable, même quand elle était contrariée. Elle n'avait pas idée à quel point il mourait d'envie de la serrer dans ses bras et de l'embrasser.

D'un autre côté, il comprenait son besoin de rétablir une plus grande distance. Le moins qu'il puisse faire à présent était de respecter ses souhaits.

Et puis, il ne pouvait nier avoir très envie de se mettre à la recherche de son fils.

Il récupéra son jean sur le sol, l'enfila rapidement. Puis il fit de même avec son pull-over, ses chaussettes et sa veste.

— Très bien, Nadine, nous ferons les choses à ta façon. Je serai prêt à partir dans quinze minutes. Si l'autoroute est dégagée, nous devrions arriver à la station de Kicking Horse avant midi.

Dès que Patrick eut quitté sa chambre, Nadine se rendit à la réception. Malgré la terrible confusion de ses émotions, elle était déterminée à s'en tenir au plan A, à faire comme s'il ne s'était rien passé entre eux.

Plus tard, quand elle pourrait se le permettre, elle revivrait cette soirée dans les moindres détails, repenserait au plaisir merveilleux qu'elle avait ressenti dans les bras de Patrick, puis à son atroce culpabilité en réalisant qu'elle avait tout raté encore une fois.

Mais, pour l'instant, elle était Nadine Kimble, détective privée, en train de suivre une bonne piste avec l'espoir d'obtenir la découverte capitale qui justifierait les risques qu'elle avait pris jusque-là.

Elle tapa des pieds afin de faire tomber la neige collée à ses bottes, puis entra dans le bâtiment principal de la station. Un jeune homme, prénommé Tyler, se trouvait derrière le comptoir. Elle l'interrogea au sujet de l'avalanche, et il lui assura que personne n'avait été blessé, que les chasse-neige avaient fait leur travail et que l'autoroute était de nouveau ouverte.

— Puis-je me servir de votre téléphone ? J'aimerais appeler la station de Kicking Horse afin de les prévenir de notre arrivée.

— Je vous en prie.

Il l'invita à utiliser l'appareil situé dans une alcôve à l'écart, puis partit s'occuper d'autres tâches.

Elle prit une profonde inspiration. Elle croisa les doigts, puis composa le numéro qu'elle avait récupéré dans son dossier.

Une femme à la voix enjouée et avec un accent australien lui répondit au bout de quelques secondes.

— Bonjour, que puis-je faire pour vous ?

— Bonjour, j'aurais aimé prendre une leçon particulière de ski aujourd'hui. Je m'apprête à partir d'Emerald Lake Lodge et je devrais arriver aux environs de 11 heures.

— Avez-vous votre propre équipement ?

— Non. Il faudra que j'en loue un.

— Aucun problème. Est-ce que midi vous convient ? Le lundi, à cette heure-ci, les pistes sont tranquilles et agréables. C'est parfait pour une leçon.

— Entendu… Je me demandais également s'il était possible de choisir son moniteur.

— Bien sûr. Qui aimeriez-vous ?

— Stephen Stone.

— Stephen ?

Il y eut une pause à l'autre bout du combiné.

— C'est l'un de nos nouveaux moniteurs. Puis-je savoir comment vous avez entendu parler de lui ?

Nadine eut envie de se mettre à danser de joie. Il était là !

— Je suis originaire de New York, comme lui. Je connais son… sa famille.

— D'accord. Va pour Stephen. Après avoir loué votre équipement, passez à notre bureau pour signer une décharge.

Nadine raccrocha, puis alla au bar pour acheter des cafés et des muffins à emporter pour la route. Patrick la rejoignit juste au moment où on lui remettait sa commande.

— Petit déjeuner ? Merci.

Il accepta volontiers le café, et le muffin au son et aux myrtilles, qu'elle lui tendit.

— Es-tu prête à partir ? Nos chambres sont réglées et nos bagages ont été chargés dans le minibus.

Elle n'arrivait presque pas à l'écouter. Elle avait retrouvé son fils ! Elle était si heureuse qu'elle n'avait même pas besoin de son café du matin pour sourire.

— Oui. Je suis prête, se reprit-elle.

Il la regarda d'un air suspect.

— Tu es de très bonne humeur tout à coup.

Elle faillit lui parler de l'appel qu'elle venait de passer, puis se ravisa. Il valait mieux qu'elle rencontre d'abord Stephen et s'assure que c'était la bonne personne avant d'annoncer la nouvelle à Patrick. Avec un peu de chance, il n'y aurait pas d'erreur.

Une demi-heure plus tard, ils traversaient la zone d'avalanche où ils avaient été stoppés la veille. Les chasse-neige avaient entièrement déblayé l'autoroute, mais les traces de ce qui s'était passé étaient encore visibles.

Une boule se forma dans la gorge de Nadine tandis que Patrick accélérait. Elle ne se sentit complètement en sécurité que lorsque Golden fut en vue.

La ville n'était pas particulièrement impressionnante. La station de Kicking Horse serait-elle à la hauteur de sa réputation ? songea-t-elle.

Mais, quand ils y arrivèrent enfin, elle ne fut pas déçue.

— Cette partie du pays est remplie de bijoux cachés, dit Patrick. J'ai récupéré plusieurs brochures avant de partir ce matin.

Pendant qu'il s'occupait de leur enregistrement à l'hôtel, elle alla acheter un forfait de ski d'une demi-journée. A son retour, il lui tendit une clé.

— Tu es au second étage, annonça-t-il. Et moi, au troisième.

S'était-il délibérément arrangé pour que leurs chambres soient aussi éloignées ? se demanda-t-elle. Il n'entra pas dans les détails, et elle jugea bon d'en faire autant.

— Je vais aller m'attaquer à mes révisions, annonça-t-il.

— Je te téléphonerai si… si j'ai quoi que ce soit à signaler.

Elle était tellement excitée qu'elle en eut presque des vertiges pendant qu'elle enfilait sa tenue de ski. Après avoir loué son équipement, payé pour sa leçon et rempli les documents requis, elle se vit dirigée près de Pioneer Chair où l'attendrait son moniteur.

— Il portera une veste identique à la mienne, expliqua la femme à l'accent australien. Bonne chance et amusez-vous bien ! Il est tombé environ quinze centimètres de neige hier. Les conditions sont fabuleuses.

Dès qu'elle sortit du bâtiment, l'intensité de la lumière du soleil fut si forte qu'elle dut mettre ses lunettes de protection. Elle récupéra ses skis dans le casier près de la porte et les posa sur la neige. Puis elle enclencha avec un bruit sec ses bottes dans les fixations et poussa sur ses bâtons pour s'élancer en direction de Pioneer Chair.

Il ne lui fallut pas longtemps pour repérer son moniteur. Le fils de Patrick était grand et mince, comme son père, mais la partie supérieure de son corps n'était pas encore aussi développée. Son casque recouvrait sa tête, et ses lunettes de protection dissimulaient ses yeux, mais il avait le visage plein de tâches de rousseur d'un rouquin.

— Nadine ? demanda-t-il tandis qu'elle approchait.

— Oui.

— Ravi de vous rencontrer. La journée est magnifique, tâchons d'en profiter. Et si vous commenciez par me montrer ce que vous savez faire ? Voulez-vous attaquer par une piste pour débutants ?

Malgré l'attrait d'une belle journée et de la neige fraîche, elle se moquait bien de skier. Elle souleva ses lunettes et regarda le garçon en plissant les yeux.

— A dire vrai, je n'ai pas réservé parce que je souhaitais réellement prendre une leçon. Je voulais simplement avoir la possibilité de vous parler.

— Que voulez-vous dire ?

Il se raidit, son ton amical devenu soudain circonspect.

— Je suis détective privée, j'arrive de New York. Votre père m'a engagée afin de vous retrouver.

— Quoi ?

Poussant sur ses bâtons, il se fit glisser en arrière de quelques mètres.

— Je sais que ceci doit vous faire un choc, après la mort de votre mère…

— Stop.

Le jeune homme tendit une main devant lui.

— N'en dites pas davantage. Vous vous adressez à la mauvaise personne.

Non. Ce n'était pas possible.

— Vous êtes Stephen Stone, exact ?

Il se contenta de la dévisager en silence. Du moins, elle supposa que c'était ce qu'il faisait. Ses maudites lunettes de protection bloquaient davantage la vue que les rayons UV.

— Ce matin, j'ai appelé la station pour réserver une leçon particulière avec vous. Votre père…

— Voulez-vous bien arrêter avec ça, à la fin ? Je vous dis que je ne suis pas la bonne personne. Stephen Stone a effectivement commencé à travailler ici, mais ça ne lui plaisait pas. Il est parti hier soir. La personne que vous avez eue au téléphone l'ignorait. Quand elle l'a appris, elle m'a demandé de le remplacer.

Nadine n'en croyait pas ses oreilles.

— En êtes-vous absolument sûr ?

— Je suis l'un de ses amis, Zach. Alors, oui, j'en suis absolument sûr.

— Où est allé Stephen ?

Pas à New York, par pitié, implora-t-elle en son for intérieur. Elle avait été si certaine qu'aujourd'hui serait le jour où elle retrouverait le fils de Patrick.

— On lui a proposé un job à Lake Louise, et il a décidé d'aller tenter sa chance là-bas.

— Quand a-t-il quitté Kicking Horse ?

— Hier soir, après dîner.

— Une avalanche s'est produite aux alentours de 19 heures. L'autoroute a été fermée.

— Oui, mais il ne s'est pas retrouvé bloqué, il m'a téléphoné pour me prévenir qu'il était bien arrivé.

Elle n'arrivait pas à le croire. Patrick et elle l'avaient peut-être croisé sur l'autoroute.

— Alors, reprit Zach en faisant glisser ses skis d'avant en arrière, est-ce que vous voulez quand même prendre cette leçon ?

— Je ne crois pas. Merci, Zach. Je suis désolée de vous avoir fait perdre votre temps.

Complètement découragée, elle alla rendre son équipement. L'idée de devoir faire marche arrière et de retourner à Lake Louise lui était presque insupportable. Une heure et demie de route supplémentaire, sans la moindre garantie d'obtenir des résultats quand ils arriveraient sur place.

Avec sa chance, Stephen aurait encore une fois changé d'avis et serait reparti Dieu sait où.

D'autres paroles de sagesse de Nathan et Lindsay lui revinrent alors à l'esprit.

— Dans ce métier, il faut être sacrément persévérant.

Bon sang, ils avaient raison, songea-t-elle. Et puis, elle avait moins une raison d'être contente.

Elle n'avait pas donné de faux espoirs à Patrick en lui annonçant avoir retrouvé son fils.

9

Nadine proposa à Patrick de prendre le volant pour qu'il puisse continuer à travailler sur son livre. Ce changement de plan l'avait visiblement surpris, mais, dès qu'il avait compris que la piste conduisait ailleurs, il avait vite réagi et emballé ses affaires.

Ils filaient à présent en direction de Lake Louise, et elle fixait la route, mal à l'aise.

L'argent qu'ils avaient dépensé pour la chambre d'hôtel, son forfait de ski, sa leçon et ses locations… avaient été entièrement pour rien. L'avance de cinq mille dollars fondait rapidement, et qu'est-ce que cela lui avait rapporté ?

Absolument rien pour l'instant.

— Je suis désolée, dit-elle en le voyant regarder par la vitre d'un air absent.

Il n'avait pas touché à son ordinateur, ouvert sur ses genoux.

— Ce n'est pas ta faute. Tu fais uniquement ton travail.

— Mais tu n'as pas eu beaucoup de temps pour te concentrer sur tes révisions.

— Retrouver Stephen est plus important. Si tu imagines que je regrette de t'avoir accompagnée, tu te trompes. Si j'étais resté à New York, j'aurais été complètement incapable d'écrire.

Et la nuit dernière ne se serait pas produite non plus, songea-t-elle.

Elle commençait à avoir l'impression de courir partout

pour rien et qu'à leur arrivée à Lake Louise on leur annoncerait encore une fois que Stephen était parti.

Combien de temps pourraient-ils continuer à le poursuivre ainsi ? A quel moment Patrick déciderait-il d'interrompre les recherches et de les faire rentrer à New York ?

Non, il fallait qu'elle réussisse. Si elle échouait, elle ne se le pardonnerait jamais.

Patrick se mit soudain à taper sur les touches de son clavier. Avec hésitation, dans un premier temps. Puis les mots arrivèrent plus rapidement. Il ne parut même pas le remarquer quand ils traversèrent le secteur de l'avalanche. Le ventre serré, elle accéléra autant qu'elle s'en sentait capable, et poussa un soupir de soulagement quand ils l'eurent enfin dépassé.

Jamais plus elle ne sous-estimerait le pouvoir de la neige.

Ou le danger de mentir.

Elle se rendait compte à présent combien elle s'était bercée d'illusions en prenant la pire décision de sa vie. Pas seulement sur le plan professionnel, mais sur le plan personnel également.

Elle éprouvait des sentiments pour Patrick comme jamais elle n'en avait éprouvé pour aucun autre homme. Il était dynamique, excitant… sexy. Il pourrait être l'homme de sa vie.

Mais, dès qu'ils seraient de retour à New York, elle ne le reverrait plus jamais. Il découvrirait qu'elle avait accepté de s'occuper de son affaire sous de faux prétextes et il serait furieux. Surtout si elle échouait à retrouver son fils.

Si seulement elle l'avait dirigé vers Nathan ou Lindsay, comme elle aurait dû le faire. Elle l'aurait peut-être rencontré au gala de charité pour la forêt tropicale. Il l'aurait remarquée dans la foule, se serait dirigé vers elle et se serait présenté. Puis ils seraient tombés amoureux.

Même ça, c'était encore trop espérer, soupçonnait-elle.

Il était peut-être attiré par elle, mais cela disparaîtrait dès qu'il découvrirait qui elle était — qui était sa famille.

Elle ne le connaissait que depuis peu, mais il avait manifestement peu d'intérêt pour les familles telles que la sienne — héritière d'une fortune, qui portait des vêtements de haute couture, assistait à des bals de charité et rédigeait de gros chèques plutôt que de risquer de se salir les mains.

L'ironie, c'était qu'elle éprouvait la même chose. Toute sa vie, elle avait été consciente de ne pas cadrer avec le monde dans lequel elle était née. Elle avait envie d'être différente, d'effectuer un travail utile et d'apporter une contribution positive à la société.

Jusque-là, elle n'avait pas beaucoup réussi.

Je vous en prie, faites que Stephen Stone soit à Lake Louise.

Je vous en prie.

Ils arrivèrent à Lake Louise après une heure et demie de route. La ville, avec ses hôtels, était située sur la droite, et la station de ski se trouvait sur la gauche. Nadine emprunta l'autopont pour se rendre à la station. Puis, ignorant les grands parkings de chaque côté de la route, elle se gara directement devant le bâtiment principal.

— Je vais aller poser quelques questions avant que nous allions en ville réserver une chambre pour la nuit.

Patrick referma son ordinateur portable.

— Je t'accompagne.

Elle eut envie de l'en dissuader, mais cela semblait inutile. Au moins, si les nouvelles étaient décevantes, elle ne serait pas la messagère.

Dès que Nadine donna son nom, la femme blonde, d'âge moyen, assise derrière le comptoir de la réception, claqua des doigts.

— Nadine Kimble, vous dites ? J'ai un message pour vous.

Elle extirpa un petit papier d'un tas.

— Stephen Stone aimerait que vous le retrouviez aujourd'hui, après la fermeture des remontées mécaniques, aux environs de 16 h 30, au bar qui est situé à l'étage.

— Vous avez réussi, Nadine. Vous l'avez retrouvé.

Patrick et elle étaient retournés à la voiture sans échanger un mot, comme s'ils craignaient que la chance ne tourne.

Elle luttait à présent contre sa forte envie d'enrouler ses bras autour du cou de Patrick. Il paraissait si heureux et excité que cela lui donna un pincement au cœur.

A cet instant, elle se moquait de prouver ses compétences à Lindsay et aux autres. Elle ne souhaitait qu'une chose : voir Patrick réuni avec son fils.

— Nous devons trouver une occupation pour tuer les prochaines heures. Je sais que je ne serai jamais capable d'écrire. Et si nous allions descendre quelques pistes ?

Elle jeta un coup d'œil à sa montre.

— Le temps de louer l'équipement, nous aurons de la chance si nous y passons une heure et demie. Ça ne vaut pas le coup.

— Une autre idée ?

Ils échangèrent un regard en silence. Il pensait à la nuit dernière, elle le sentait.

Posant une main sur sa taille, il planta ses yeux dans les siens.

— Ces deux heures passeraient extrêmement vite si nous les occupions ensemble, dans un lit.

Sans aucun doute, songea-t-elle, la gorge serrée. Mais elle était censée avoir une certaine éthique professionnelle. Et puis, elle voulait être davantage qu'une diversion pour l'empêcher de penser à la rencontre avec son fils.

— Skier n'est peut-être pas une si mauvaise idée, après tout, soupira-t-elle.

Les pistes de Lake Louise étaient merveilleusement longues, et Nadine fut heureuse de les étrenner avec Patrick. Sa technique n'était pas meilleure que la sienne, mais il était beaucoup plus fort et intrépide qu'elle.

Tandis qu'ils remontaient en télésiège jusqu'au sommet de la montagne pour effectuer une dernière descente, il lui fit l'effet d'être perdu dans ses pensées.

Elle n'avait pas besoin de lui demander à quel propos.

— Préfèrerais-tu rencontrer Stephen seul ? demanda-t-elle.

Il parut surpris par sa suggestion, puis y réfléchit un instant.

— Après un moment, tu pourrais peut-être nous laisser faire connaissance en tête à tête. Si Stephen est d'accord… Je m'attends toujours à ce qu'il soit en colère.

— Son ami Zach a dû lui téléphoner pour le prévenir que nous étions en route. Au moins, il aura eu quelques heures pour se faire à l'idée de rencontrer son père.

— Je ne cesse d'essayer de me mettre à sa place. J'espère qu'il sera plus curieux que contrarié.

Lorsqu'ils arrivèrent au bar, à 16 h 30 précises, quelques dizaines de personnes étaient assises aux tables près des fenêtres. Nadine examinait minutieusement leurs visages quand Patrick l'empoigna par le bras.

— Ce doit être lui, dit-il en faisant un signe de tête vers le fond du bar.

Presque dissimulé dans l'obscurité, un jeune homme était assis seul à une table, sur laquelle étaient posés son casque et ses lunettes de protection, à côté d'un verre de bière.

Il semblait d'abord facile, mais nerveux. Quant à ses cheveux, ils étaient bien roux, la nuance ayant été visiblement renforcée par une coloration.

— Qu'a-t-il fait à ses cheveux ? marmonna Patrick.

— Au moins il n'a pas de piercings sur le visage, fit-elle remarquer pour le consoler. Ses cheveux repousseront.

C'était un moment dont Patrick se souviendrait pour le restant de ses jours, songea-t-elle, regrettant d'avoir laissé son appareil photo dans le coffre de la voiture.

D'un autre côté, ils avaient quelques étapes à franchir avant qu'il ne soit approprié de les prendre en photo.

D'ici là, c'était son rôle de prendre la situation en main, et elle s'approcha de la table.

— Stephen Stone ?

Ce dernier se leva et sourit faiblement. Puis la nervosité réapparut sur son visage.

— Bonjour. Vous êtes la détective privée ?

— Oui. Nadine Kimble. Et voici Patrick O'Neil. Votre mère lui a fait envoyer une lettre il y a environ six semaines. Comme il était en Alaska à ce moment-là, il n'a pu la lire avant la semaine dernière. Mais il est venu dès que nous avons pu vous retrouver.

Elle ne lui en dit pas davantage. Zach lui avait sans doute expliqué qu'elle avait été engagée par son père. Elle regarda les deux hommes se serrer la main avec circonspection.

— Assieds-toi, dit Patrick. J'aimerais te raconter toute l'histoire — ou du moins ce que j'en sais. Je dois également te remettre une lettre, rédigée par ta mère, à ton intention.

Patrick sortit l'enveloppe d'une poche de sa veste. Avant de quitter New York, il l'avait placée dans un sachet en plastique afin de la protéger. Il la fit glisser en travers de la table, jusqu'à Stephen.

La situation lui semblait surréaliste. Le bar d'une station de ski était loin de ressembler à un endroit approprié pour qu'un garçon rencontre son père pour la première fois de sa vie.

Cependant, étant donné l'amour du ski qu'ils partageaient, peut-être qu'il n'y avait pas d'endroit plus pertinent.

Stephen paraissait toujours nerveux. Il effleura des doigts le sachet en plastique mais ne fit aucun effort pour en retirer l'enveloppe.

— Vous dites que ma… ma mère a écrit cette lettre ?

— Oui, elle était jointe à celle qu'elle m'a adressée. Stephen, jusqu'à ce que je lise cette lettre, j'ignorais complètement que ta mère était enceinte au moment de notre rupture, et que tu existais.

— Vraiment ? Comment est-ce possible ? Vous avez bien mis ma… ma mère enceinte, pas vrai ?

— Nous avons utilisé un moyen de contraception, et l'idée ne m'a jamais traversé l'esprit que ça n'avait pas été efficace.

Bon sang, ses paroles n'étaient pas sorties de sa bouche comme il l'aurait voulu. Il n'avait pas envie de lui donner l'impression de considérer son existence comme une erreur.

Il jeta désespérément un coup d'œil vers Nadine, l'implorant de lui venir en aide.

Avec un regard compatissant, elle poursuivit à sa place :

— Dès que votre père a appris votre existence, il a tenté de vous retrouver. Comme il n'y parvenait pas seul, il a décidé d'engager notre agence. Nous sommes remontés jusqu'à vous par l'intermédiaire de votre tante Diane. C'est elle qui nous a appris que vous aviez pris l'avion pour vous rendre à Calgary. A partir de là, tout a été un jeu de devinettes tandis que nous voyagions d'une station de ski à une autre.

— Nous avions toujours l'impression d'être une longueur derrière toi, ajouta-t-il.

Avec le recul, il pouvait voir l'humour de la situation, même si, sur le moment, la tension avait failli le tuer.

Stephen lui posa quelques questions supplémentaires. Etait-il marié ? Avait-il d'autres enfants ?

Il y répondit honnêtement. Néanmoins, quand il tenta de l'interroger à son tour, Stephen se montra évasif — surtout quand ses questions avaient un rapport avec sa mère.

— Je ne peux pas parler d'elle pour l'instant.

Il comprenait. Il se rappelait la douleur qu'il avait éprouvée de perdre sa propre mère. Les six premiers mois avaient été les pires.

Nadine s'éclaircit la gorge.

— Je vais aller jeter un coup d'œil à la boutique de souvenirs. Stephen, j'ai été ravie de faire votre connaissance. Prends ton temps, ajouta-t-elle à son intention, avant de partir.

Il demeura silencieux un instant. Il n'arrivait pas à croire que le garçon assis en face de lui était vraiment son fils. Il s'était attendu à éprouver une sorte de connexion immédiate avec lui. Mais il n'en était rien.

Cela viendrait peut-être avec le temps. Si Stephen était prêt à le laisser faire partie de sa vie.

— Je sais que c'est étrange, reprit-il, mais j'aimerais que tu me laisses une chance d'apprendre à te connaître. Si jamais tu as envie de revenir à New York, je te paierai le billet d'avion. Ce n'est pas un problème…

— Que faites-vous ? demanda Stephen. Dans la vie, je veux dire ? Est-ce que vous êtes une sorte d'homme d'affaires ?

— Je suis auteur de récits de voyages. Quand je rentrerai chez moi, je t'enverrai certains de mes livres.

Il attendit un signe qui lui indiquerait que Stephen était

impressionné, ou au moins intéressé, mais ce dernier resta stoïque.

Sa gorge se serra. L'émotion de cette rencontre commençait à l'atteindre, et sa voix s'enrouait.

— Encore une chose : si tu décides d'aller à l'université l'année prochaine, je serai ravi de t'aider.

Il espérait une réponse, mais Stephen se contenta de soupirer.

— Ecoutez. C'est beaucoup d'informations à digérer. J'ai besoin de temps pour réfléchir.

— Bien entendu.

Il lui tendit une carte de visite.

— Tu peux m'appeler ou m'envoyer un mail quand tu veux.

Stephen hocha la tête et se leva. Il prit son casque et ses lunettes, puis remua d'un air gêné.

— Alors, à bientôt, j'imagine.

Il acquiesça d'un signe de tête et remarqua la lettre de June, encore enfermée dans le sachet en plastique, sur la table.

— Attends, tu as failli oublier ça.

Tandis qu'il regardait Stephen ranger la lettre dans la poche de sa veste, il ne put s'empêcher d'être déçu. Il avait espéré que son fils lirait la lettre devant lui et lui dirait ce que June avait écrit. Plus que tout, il avait très envie d'avoir une explication plus complète sur la raison pour laquelle elle avait gardé ce secret pendant aussi longtemps.

Néanmoins, il ne pouvait pas reprocher à Stephen de vouloir la lire en privé. Après tout, à ses yeux, il n'était qu'un étranger.

10

L'adrénaline coulait encore à flots dans les veines de Nadine quinze minutes après qu'elle eut laissé Patrick en tête à tête avec son fils. Trop agitée pour s'asseoir, elle fit le tour de la boutique de souvenirs et se décida finalement à acheter une bouteille de sirop d'érable canadien et un pull-over pour Martha. Ses parents n'aimaient pas trop les cadeaux pour touristes, mais leur gouvernante apprécierait la pensée et ferait un excellent usage du sirop.

Patrick n'ayant toujours pas fait son apparition, elle commanda un chocolat chaud au bar et l'attendit près de l'entrée.

Avoir réussi à retrouver Stephen lui procurait un énorme soulagement. Patrick avait enfin la chance de parler à son fils. Ce dernier paraissait plus confus qu'en colère.

Les reproches viendraient peut-être plus tard.

Elle avait du mal à imaginer ce qu'il devait ressentir — avoir passé sa vie à croire son père mort, puis le voir débarquer de manière aussi inattendue.

Sous certains aspects, cela avait l'air d'un rêve devenu réalité. Mais Stephen devait aussi se sentir trahi, pour toutes les années qu'il avait perdues.

Elle venait de terminer son chocolat chaud et de jeter son gobelet, quand elle vit le fils de Patrick descendre l'escalier à vive allure.

Stephen sortit son téléphone portable et franchit la

porte en courant. Il appelait probablement Zach pour tout lui raconter.

Quelques minutes plus tard, Patrick descendit l'escalier à son tour, beaucoup plus lentement que son fils. Son visage portait les traces de l'émotion qu'avait suscitée la rencontre.

— Est-ce que ça va ? lui demanda-t-elle dès qu'il la rejoignit.

Si elle n'était pas aussi consciente de l'effet qu'il produisait sur elle après la nuit qu'ils avaient passée ensemble, elle l'aurait serré contre elle. En l'état actuel des choses, elle se contenta de poser une main sur son bras pour lui témoigner son soutien.

Il lui adressa un faible sourire.

— Oui, je crois.

Il était clairement secoué.

— Nous ferions bien de prendre une chambre à Lake Louise pour la nuit, suggéra-t-elle.

A un moment donné, ils devraient réserver des billets d'avion pour rentrer à New York. Mais, pour l'instant, Patrick avait assez de choses à l'esprit.

Ils sortirent du bâtiment, et elle admira longuement le panorama, puis inspira une grande bouffée de l'air limpide. Il lui semblait incroyable de penser que le lendemain, à cette heure, elle serait de retour à New York. Un jour, se promit-elle, elle reviendrait ici pour de vraies vacances.

Sans prendre la peine de demander à Patrick s'il avait envie de conduire — il était manifestement épuisé —, elle s'installa au volant de la voiture.

Ils s'arrêtèrent dans un hôtel proche de l'autoroute et qui avait l'air relativement confortable. Patrick s'occupa une nouvelle fois de régler les détails concernant leurs deux chambres.

Elle était à présent aussi fatiguée que lui, mais elle

avait besoin de lui parler de quelque chose avant qu'ils ne quittent cet endroit.

— As-tu envie d'aller dîner ? demanda-t-elle.

— Je n'ai pas faim, merci. Mais tu dois être affamée. Cela fait des heures que nous n'avons rien avalé, non ?

Même si elle avait effectivement faim, ce n'était pas la principale de ses priorités à cet instant. Elle souhaitait simplement passer un moment tranquille, seule avec lui.

Ils prirent place dans la salle à manger. Des parents et leurs trois petits garçons mangeaient bruyamment et gaiement leur repas à la table la plus proche d'eux. Un couple âgé, en tenue de ski, était assis à la table voisine et souriait avec indulgence en observant la famille.

Des gens sympathiques, songea-t-elle, mais elle aurait préféré avoir un peu plus d'intimité. Elle passa ses mains sur la nappe en polyester, puis jeta un coup d'œil au menu plastifié.

— Rien à voir avec Emerald Lake Lodge, n'est-ce pas ? fit-il remarquer.

— Non, mais ça fera l'affaire.

Il n'y aurait jamais une autre nuit comme celle qu'ils avaient passée dans ce paradis isolé à la montagne. Que cet endroit soit aussi différent était probablement une bonne chose, se dit-elle.

Ils commandèrent tous les deux un steak, de la salade et un verre de vin rouge. Puis Patrick parut soudain perdre ce qu'il lui restait d'énergie. Il s'affaissa sur sa chaise et soupira.

— Comment te sens-tu ? lui demanda-t-elle, légèrement inquiète.

— Je ne sais pas. Fatigué, surtout.

Ses yeux s'éclairèrent un peu lorsque son regard croisa le sien.

— Merci — je ne te l'ai pas encore dit, mais je le pense

de tout mon cœur —, merci d'avoir retrouvé Stephen pour moi, et d'avoir été là au moment de notre rencontre.

— Je… Il n'y a pas de quoi.

Elle devait lui avouer la vérité sur-le-champ, lui dire qu'elle n'était qu'une réceptionniste qui avait décidé qu'elle était prête pour endosser davantage de responsabilités. D'ailleurs, elle avait prouvé qu'elle en était capable, pas vrai ? Après tout, elle avait retrouvé son fils. Comment pourrait-il être contrarié qu'elle ne se soit pas montrée honnête avec lui depuis le début ?

Mais, au fond d'elle, elle ne doutait pas un seul instant qu'il le serait.

Et devait-elle tout lui révéler ? Devait-elle également mentionner que son nom de famille était Waverly, que sa famille possédait la chaîne d'hôtels du même nom et que, oui, elle était parente avec l'actrice et mannequin, Liz Waverly, qui cherchait constamment à attirer l'attention et était toujours en couverture d'un magazine ou d'un autre ?

Elle imaginait très bien sa réaction à tout ça.

Sa conscience la harcelait de tout avouer. Mais pas aujourd'hui. Pas après tout ce qu'il venait de traverser.

— J'étais en train de penser, commença-t-il. Maintenant que tu as retrouvé Stephen, je ne suis plus ton client.

— Tu l'es jusqu'à ce que nous soyons de retour à New York, insista-t-elle.

— Dommage. Est-ce que ça signifie que tu n'es pas partante pour une partie de billard ? A ce qu'on m'a dit, ils ont une table dans la salle de jeu.

— Tu es bien fanfaron pour quelqu'un qui réussit à peine à garder les yeux ouverts.

Il éclata de rire.

— Oui, se coucher tôt serait sans doute une meilleure idée. Ce qui est fou, c'est que j'étais tellement excité à l'idée de rencontrer Stephen et, maintenant que c'est arrivé, je suis un peu déçu. Au fond de moi, j'espérais qu'il y aurait davantage un lien entre nous. Mais, là, il n'était qu'un adolescent comme les autres. N'est-ce pas terrible ?

Bien que d'accord avec lui, elle n'avait aucune intention de le lui dire. Elle voulait qu'il se sente mieux.

— Il va vous falloir du temps à tous les deux pour vous adapter l'un à l'autre.

— Je suppose…

— Ce qui m'amène à un sujet très important. Patrick, je crois que Stephen et toi devriez effectuer un test ADN.

Il se tendit immédiatement.

— Nous en avons déjà parlé. Tu connais mon sentiment sur la question.

— C'est un test très simple. J'ai apporté un kit avec moi. Nous avons simplement besoin d'un échantillon de ta salive et de la sienne. Les résultats arriveront dans quelques jours, et le laboratoire que nous utilisons garantit presque 100 % d'exactitude.

— J'apprécie le conseil, mais, si June affirme qu'il s'agit de mon enfant, je la crois. Ma rencontre avec Stephen était assez inconfortable comme ça. Je ne lui demanderai pas de nous donner un échantillon de son ADN.

Le lendemain, ils roulèrent jusqu'à l'aéroport de Calgary, et Patrick y rendit la voiture de location. La veille, quand il avait réservé les billets d'avion, il ne restait plus que deux sièges libres en classe économique sur le vol Calgary-Toronto, et Nadine avait insisté pour qu'il prenne la place près du hublot afin qu'il puisse travailler sur son livre.

Il écrivit furieusement pendant la majeure partie du vol. Retrouver Stephen avait ôté un poids énorme de sa conscience, et l'échéance pour son livre était à présent au sommet de sa liste de priorités.

Ce qui ne l'empêchait pas d'être très conscient de la femme qui était assise à côté de lui. Son parfum, la manière dont elle mettait ses cheveux derrière ses oreilles quand elle lisait, son addiction à son brillant à lèvres, dont elle réappliquait une couche toutes les heures environ, ces petits détails attiraient constamment son regard vers elle.

Il avait appris, au cours de ses nombreux voyages, que l'on en savait beaucoup sur quelqu'un à la manière dont il traitait les agents de bord, les chauffeurs de taxi et l'étranger qui était assis à son côté dans un avion.

Nadine était infailliblement polie. Plus que ça, sa gentillesse et sa douceur semblaient faire ressortir le meilleur chez les gens qu'elle rencontrait.

Avec elle, les problèmes étaient aplanis, les situations inconfortables suscitaient un rire, et se plaindre n'était jamais une option.

Il admirait son style.

De temps en temps, ses pensées le ramenaient à Stephen. Saisirait-il son offre de lui payer l'avion pour qu'il vienne le voir à New York ? Il l'espérait. Au cours des deux heures qu'ils avaient passées ensemble, ils avaient à peine effleuré la surface de ce qu'ils avaient à apprendre l'un sur l'autre.

Une idée de voyage de ski père-fils commença à germer dans son esprit… avant qu'il ne réalise qu'ils en étaient à peine à ce stade pour l'instant. Ils ne le seraient peut-être jamais. Avec lassitude, il reporta son attention sur ses révisions.

Ils atterrirent à New York un peu avant minuit.

Tandis qu'il déposait leurs bagages dans le coffre d'un taxi, il se sentit différent de l'homme qui avait fait cette valise quatre jours plus tôt. Il s'était passé tellement de choses depuis.

Sur le trajet jusqu'à Manhattan, Nadine demeura, elle

aussi, silencieuse. Etait-elle heureuse que leur temps ensemble touche à sa fin ?

Ou espérait-elle, comme lui, qu'il ne fasse en fait que commencer ?

Il posa une main sur son épaule. Elle regardait par la vitre depuis si longtemps qu'il commençait à croire qu'elle l'évitait.

— Accepterais-tu de dîner avec moi samedi soir ?

Elle remua avec gêne.

— Ne seras-tu pas occupé avec tes révisions ?

— Je m'autorise des pauses pour manger.

Elle soupira.

— Je continue de penser que ce n'est pas une bonne idée.

— Si tu t'inquiètes au sujet de mon échéance…

— Non. Patrick, il s'est passé beaucoup de choses au cours de ce voyage. Tu as besoin de temps pour tout digérer. Et moi aussi.

— Mais je croyais que dès que je ne serais plus ton client…

— Laisse-moi d'abord rédiger mon rapport final et t'envoyer la facture.

— Et ensuite… ?

— Nous verrons.

Elle ne lui disait pas tout, il le sentait. Mais qu'est-ce qui la troublait ? Comment l'amener à s'ouvrir à lui de nouveau, comme elle l'avait fait à Emerald Lake Lodge ?

Peut-être, après tout, son comportement était-il seulement dû à la fatigue.

Lorsqu'ils entrèrent dans Manhattan, le chauffeur demanda :

— Quelle direction maintenant ?

Elle donna l'adresse de Patrick.

Il fronça les sourcils.

— Je préférerais que l'on te dépose en premier.

— Ton domicile est plus proche, répliqua-t-elle.

N'ayant aucune idée de l'endroit où elle habitait, il ne pouvait pas argumenter sur ce point.

En fait, elle en connaissait beaucoup sur lui, alors qu'il ignorait pratiquement tout d'elle. Etait-ce parce qu'elle était naturellement plus douée pour écouter que pour parler ?

Ou avait-elle délibérément veillé à protéger son intimité ? Il avait peut-être pris sa chaleur et sa gentillesse naturelles pour quelque chose de plus.

Il n'était peut-être même pas le premier client avec lequel elle passait la nuit.

Non. Il ne pouvait pas croire qu'elle ne partageait pas au moins une partie de ses sentiments. Elle s'était montrée passionnée et généreuse lorsqu'ils avaient fait l'amour ensemble, puis chaleureuse et affectueuse au cours des heures qui avaient suivi.

Lorsqu'elle s'était blottie contre lui, il avait su qu'il tenait une femme rare et précieuse dans ses bras. A présent, tandis qu'elle était assise en silence à côté de lui, si proche, mais en réalité très loin, il pouvait sentir lui glisser entre les doigts ce qu'ils avaient eu — ce qu'il avait cru avoir.

D'habitude, Nadine n'avait aucun mal à s'endormir, mais ce soir-là elle comprit ce à quoi ressemblait la vie des insomniaques chroniques comme Lindsay. Elle rêvait de répit, mais son esprit ne cessait de retourner aux instants précieux qu'elle avait passés avec Patrick. Son air impressionné et incrédule quand elle l'avait battu au billard. Sa grâce incroyable et sa vitesse sur la piste de ski. Son habitude de lui sourire quand elle faisait quelque chose de complètement routinier, comme réappliquer une couche de brillant à lèvres.

Puis il y avait les souvenirs de leur nuit ensemble, et ceux-ci étaient les plus forts de tous. Jamais aucun homme ne l'avait embrassée ou touchée comme Patrick ne l'avait fait. Dans ses bras, elle s'était sentie désirable et précieuse.

Elle se retourna nerveusement dans son lit. Lorsqu'il l'avait invitée à dîner, elle avait eu très envie de répondre oui. Mais elle ne pouvait pas accepter un autre rendez-vous avec lui tant qu'il ne saurait pas toute la vérité à son sujet. Elle était en train de payer le prix de sa supercherie. Si elle s'était montrée honnête depuis le début, Patrick serait probablement dans son lit avec elle, ce soir. A présent, il se pourrait qu'il ne le soit jamais.

Tandis que la lumière de l'aurore entrait peu à peu à travers les lamelles de ses stores, elle poussa un profond soupir. Elle devait se rendre à l'agence, ce qui signifiait avouer ce qu'elle avait fait à Lindsay, Nathan et Kate.

Dans son imagination, c'était censé être son moment de triomphe. Elle avait résolu sa première affaire. Lindsay, Nathan et Kate, admiratifs de ses compétences et de son ingéniosité, l'inviteraient aussitôt à devenir l'une des leurs. On lui donnerait son propre bureau, ainsi que de nouvelles cartes de visite qui porteraient l'inscription « NADINE KIMBLE, Détective privée ».

Mais, une heure et demie plus tard, au moment d'ouvrir la porte de l'agence, elle n'éprouva que honte et remords.

Raconter des mensonges, déformer la vérité et mentir par omission ne pouvait durer qu'un temps avant que l'on ne commence à sentir son intégrité être décapée. Prouver qu'elle était capable de résoudre une affaire ne valait pas le prix qu'elle payait.

Elle alla mettre la cafetière en marche, impatiente que quelqu'un arrive afin de pouvoir faire sa confession et d'en finir. Mais, lorsque Lindsay et Nathan firent enfin leur apparition à 8 h 50, ils avaient manifestement d'autres soucis en tête.

— Dieu merci, vous êtes de retour ! s'exclama Lindsay.

Elle tendit son manteau à Nathan, puis balaya ses cheveux hors de son visage.

— Cet endroit a été de la folie sans vous. J'ai un nouveau client qui arrive dans dix minutes, puis des rendez-vous à l'extérieur pour le reste de la journée.

— Avez-vous passé de bonnes vacances ? demanda Nathan pendant qu'il rangeait son manteau et celui de Lindsay dans le placard.

Et, avant même qu'elle ne puisse répondre, il ajouta :

— Si vous n'êtes pas trop occupée, j'aurais bien besoin d'aide avec quelques vérifications d'informations. J'en ai un paquet et j'ai pris du retard, ayant dû me charger du travail de Kate en plus du mien.

— Pourquoi avez-vous… ?

— Le gynécologue de Kate l'a mise au repos forcé, expliqua Lindsay.

— Est-ce qu'elle va bien ? Et le bébé ?

— Physiquement, ils vont bien tous les deux. Moralement… eh bien, vous imaginez combien Kate est ravie de devoir rester allongée.

— Pauvre Jay.

— Exactement.

Au bruit de pas qui approchaient dans le couloir, Lindsay poussa un gémissement.

— C'est bien ma chance, on dirait que mon client est en avance. Nadine, pouvez-vous apporter deux tasses de café dans la salle de conférences ?

Elle marqua une pause suffisamment longue pour embrasser Nathan, puis disparut dans son bureau.

Tandis qu'une femme d'âge moyen, à l'air inquiet, entrait dans l'agence, Nadine se résigna au fait que sa confession devrait attendre.

*
* *

A 10 heures, l'agence devint enfin assez calme pour que Nadine puisse s'attaquer à la paperasserie concernant l'affaire de Patrick. Lindsay et Nathan étaient sortis pour la journée, et le téléphone s'était arrêté de sonner. Elle commença par la facture, calcula ses heures de travail et appliqua le total contre l'avance que Patrick avait versée. Il s'avéra qu'il était encore redevable de plusieurs centaines de dollars, mais, comme il avait réglé toutes les dépenses liées à leur voyage, elle décida de ne pas les rajouter à la facture. Après avoir imprimé une copie du document, elle y joignit le chèque de Patrick et le déposa dans la corbeille de Nathan afin qu'il soit inclus dans sa prochaine tournée de dépôts à la banque.

Puis elle se mit à travailler sur le rapport officiel.

L'enquête suivante a été menée par Nadine Kimble, de l'agence de détectives Fox & Fisher, à New York. Le 2 novembre, Patrick O'Neil a sollicité de l'aide pour retrouver son fils biologique…

Nadine passa plusieurs heures à peaufiner son rapport. Son erreur de ne pas s'être procuré une photo de Stephen lui restait encore en travers de la gorge. Il fallait qu'elle en trouve une afin de la joindre au dossier.

Elle décida d'écrire à la sœur de June, Diane, pour lui en demander une. Elle inclut une enveloppe aux frais de port payés, ainsi que son adresse mail au cas où envoyer une photo numérique serait plus facile à Diane.

A 14 heures, elle fit une pause, le temps d'avaler un bagel, tartiné de fromage frais, accompagné de l'un des smoothies aux fruits dont Kate raffolait tant. Elle nota mentalement de rendre visite à cette dernière le lendemain matin, pour voir si elle avait besoin de quoi que ce soit.

Son déjeuner terminé, elle retourna à son rapport. Il s'avérait plus difficile à rédiger qu'elle ne s'y était attendue. Elle ne cessait d'inclure des détails personnels qui n'y avaient pas leur place et d'être forcée de revenir en arrière pour les supprimer.

Quand elle eut enfin terminé, elle en imprima un exemplaire pour le dossier et un autre pour l'envoyer à Patrick.

Au fond, ce rapport disait tout ce qu'elle avait besoin de dire au sujet de sa supercherie. Il pourrait être sa confession.

Elle en imprima donc trois exemplaires supplémentaires pour Lindsay, Nathan et Kate. C'était sans doute lâche de sa part, mais au moins elle pourrait dormir avec la conscience tranquille.

11

Patrick passa son mercredi à essayer d'écrire, mais sa capacité de concentration était si faible que cela en devenait frustrant. Chaque fois que son téléphone sonnait, il espérait entendre la voix de Stephen à l'autre bout du fil. Ou celle de Nadine.

Mais ce n'était jamais ni l'un ni l'autre.

Nadine devait le contacter dès qu'elle aurait terminé son rapport. Combien de temps cela lui prendrait-il ? Il mourait d'envie de lui parler, de la voir, de la tenir dans ses bras.

Il voulait également connaître son avis sur ce qu'il devait faire au sujet de son fils.

N'avait-il pas commis une erreur en laissant à Stephen le choix de faire ou non le pas suivant dans leur relation ? Et s'il décidait qu'il n'avait plus jamais envie de le revoir ? La lettre de June le dépeignait peut-être comme un sale type.

Bon sang, il regrettait de ne pas l'avoir lue quand il en avait eu l'occasion. Il lui aurait été facile de la recacheter ensuite dans une nouvelle enveloppe sans que Stephen n'en sache rien.

Il pressa son front contre son poing. Il avait l'impression de devenir fou. Si seulement June lui avait parlé de la situation en face à face. Il aurait eu tant de questions à lui poser.

Il tenta une nouvelle fois de se concentrer sur son manuscrit et y parvint durant un court laps de temps.

Puis, avant de pouvoir dire ouf, il se trouva de nouveau à regarder fixement par la fenêtre et à penser à Nadine.

Elle lui avait demandé d'attendre de recevoir la facture et le rapport avant de la recontacter. Et il avait l'intention de respecter sa requête. Le mot-clé étant intention.

Tôt, le lendemain matin, après une très longue nuit durant laquelle il avait peu dormi, il décida de sortir faire une promenade. Quarante-cinq minutes plus tard, il arrivait devant l'agence Fox & Fisher. Cet exil imposé était idiot. Pourquoi ne pouvaient-ils pas au moins aller boire un café ensemble ? Etait-ce trop demander ?

D'après les horaires affichés, l'agence n'ouvrait pas avant 9 heures. Il était moins le quart. Nadine était peut-être arrivée en avance… Il entra dans le bâtiment et monta au premier étage.

Avant de se rendre à l'agence, Nadine décida de passer rendre visite à Kate, afin de lui apporter des jus de fruits et quelques magazines qu'elle avait achetés pour elle, la veille.

Elle prit un exemplaire du rapport de l'affaire O'Neil et le glissa entre les pages de l'un des magazines, trop lâche pour le lui remettre en mains propres.

C'était la première fois qu'elle se rendait à l'appartement dans lequel Kate et Jay avaient emménagé après leur mariage. Elle frappa à la porte, puis essaya de tourner la poignée et fut contente de voir qu'elle n'était pas verrouillée.

— C'est moi. Nadine ! Ne vous levez pas.

Elle avança dans le petit vestibule. La cuisine se trouvait sur sa droite, avec des meubles de rangement peints, des sols carrelés et des tabourets de bar. Dans le salon, situé sur sa gauche, Kate était allongée sur un sofa en cuir bleu clair.

— Bonjour, vous ! Quelle agréable surprise !

Kate lança le numéro du *New York Times* qu'elle était en train de lire sur le sol.

— Vous m'apportez des cadeaux ?

Nadine eut un petit rire tandis qu'elle parcourait du regard la pièce chaleureuse et accueillante.

Puis elle s'approcha de Kate et lui donna les magazines. Elle avait bien dissimulé son rapport, ne voulant pas être présente au moment où la détective le lirait. Elle se rendit ensuite dans la cuisine.

— Je vous ai acheté ces smoothies dont vous raffolez tant. Je vais les mettre au frigo.

— Merci, Nadine. Vous êtes un ange. Vous n'imaginez pas à quel point c'est à mourir d'ennui de devoir rester allongée toute la journée. Et je n'en suis qu'au deuxième jour !

Nadine revint dans le salon et s'assit dans le fauteuil installé à côté du sofa.

— Assez parlé de moi, racontez-moi comment se sont passées vos vacances. Lindsay m'a dit que vous vous étiez éclipsée pendant quelques jours. Est-ce qu'il est mignon ?

Nadine perdit son sourire.

— Oh ! non. Est-ce que ça ne s'est pas bien passé ? lui demanda Kate.

— C'est compliqué. Je ne peux pas en parler pour l'instant. Je repasserai vous voir demain. Peut-être que d'ici là…

Que d'ici là Kate aurait lu son rapport concernant l'affaire et qu'elle en aurait parlé à Lindsay et Nathan.

Qui sait, il se pourrait même qu'elle ait déjà été renvoyée.

Après s'être assurée que Kate n'avait besoin de rien, Nadine reprit le chemin de l'agence.

Patrick tourna la poignée. Fox & Fisher était déjà ouvert, bien qu'il n'y ait personne à l'accueil. Les portes des deux bureaux situés au fond étaient entrouvertes, et il aperçut un homme et une femme à l'intérieur.

Il décida de patienter jusqu'à ce que l'un d'eux le remarque.

Au bout de quelques minutes, l'homme sortit finalement. Patrick trouva qu'il ressemblait à un policier. Il avait un visage honnête et rasé de près, combiné avec le genre de physique de quelqu'un que l'on n'a aucune envie de rencontrer dans une ruelle le soir.

— Je suis désolé, notre réceptionniste semble être en retard. Je suis Nathan Fisher. Avez-vous rendez-vous ?

Il marqua une pause et plissa les yeux.

— Attendez une minute. N'êtes-vous pas cet auteur de récits de voyages ?

Il claqua des doigts.

— Patrick O'Neil.

— C'est bien moi.

Patrick lui tendit la main en souriant. C'était toujours agréable d'être reconnu. Sans doute parce que cela n'arrivait pas si souvent.

— Et non, je n'ai pas de rendez-vous, mais je suis ici pour voir…

— Nom d'un chien !

L'exclamation leur parvint depuis le bureau voisin de celui de Nathan. Une femme blonde, au teint délicat et à la carrure mince et athlétique, en sortit, vêtue d'un blazer noir, d'un haut marron glacé, d'un jean et… de chaussettes. Elle tenait une poignée de documents à la main.

— As-tu lu ce rapport rédigé par Nadine ? demanda-t-elle à Nathan avant de redresser la tête et de constater avec surprise qu'il y avait une troisième personne dans la pièce. Oh… Désolée, je croyais que tu étais seul.

Elle jeta un coup d'œil au bureau de l'accueil.

— Nadine n'est toujours pas arrivée ?

— Pas encore, répondit calmement Nathan. Je n'ai pas lu son rapport, mais nous en parlerons plus tard. Voici Patrick O'Neil, l'auteur de ce livre sur la Nouvelle-Zélande que nous lisions l'autre soir.

Confus depuis le début de la conversation, Patrick était désormais sincèrement perplexe.

— Mon livre sur la Nouvelle-Zélande ? Mais…

Avant de pouvoir ajouter que l'ouvrage ne serait pas en vente avant encore quelques semaines, il se rappela ne pas avoir vu son exemplaire depuis sa rencontre avec Nadine, la semaine précédente. Il avait dû l'oublier à l'agence à ce moment-là.

— C'est un livre génial.

Nathan continua à s'enthousiasmer.

— Lindsay et moi songeons à passer notre lune de miel là-bas.

— Vous allez vous marier ? Félicitations.

— Fox, dit Lindsay en pointant un doigt vers elle, et Fisher, conclut-elle en indiquant son fiancé. Mais je sais qui vous êtes. Vous êtes l'homme qui recherchait son fils.

— Vraiment ? demanda Nathan.

— Oui, répondit Patrick en même temps.

Nathan se frotta la tête.

— Est-ce que j'ai raté quelque chose ?

Patrick éprouvait le même sentiment.

— A vrai dire, j'espérais m'entretenir avec l'une de vos collègues. Nadine Kimble. Est-elle ici ?

Nathan lui adressa un regard perplexe.

— Nadine est notre…

— Elle est sortie pour la matinée, l'interrompit brusquement Lindsay d'une voix forte. Et j'ignore…

Elle s'arrêta net de parler tandis que la porte d'entrée de l'agence s'ouvrait. Avant même de se retourner, Patrick sut qu'il s'agissait de Nadine. Elle avait à peine mis un pied dans la pièce qu'il sentait déjà son parfum.

— Oh ! s'exclama-t-elle.

Se figeant sur place, elle le dévisagea. Elle était manifestement surprise — et pas très heureuse — de le voir.

Au même instant, Patrick remarqua une plaque posée sur le bureau de l'accueil. Pourquoi le nom de Nadine y était-il inscrit ?

En un éclair, sa première visite à l'agence lui revint à la mémoire. Lorsqu'il était entré, Nadine était assise à ce bureau. Elle lui avait expliqué que la réceptionniste s'était absentée.

Mais pour quelle raison aurait-elle menti ? Pourquoi aurait-elle fait semblant de… ? Il secoua la tête. Non, ça ne lui ressemblait pas. Il devait y avoir une bonne explication.

— Nadine, que diable se passe-t-il ? demanda-t-il.

Elle posa le regard sur Nathan, qui avait l'air presque aussi confus que Patrick.

Lindsay, en revanche, semblait maîtriser la situation.

— Je viens de lire votre rapport, Nadine, annonça-t-elle. Nous en parlerons plus tard. Pour l'instant, conduisez votre « client » dans la salle de conférences pour arranger les choses avec lui.

Nadine hocha la tête. Puis elle se tourna de nouveau vers Patrick.

— Puis-je te proposer une tasse de café ?

Tout devenait clair à présent, songea Patrick, et il se moquait bien du café.

— Je préférerais que tu m'expliques ce qui se passe. Pourquoi cette plaque avec ton nom se trouve-t-elle sur le bureau de l'accueil ?

Nadine poussa un profond soupir.

— Tu as remarqué.

— A l'instant.

Il se souvint vaguement de l'avoir vue déplacer des dossiers, ce premier jour, et il comprenait désormais pourquoi. C'était dans le but de dissimuler la plaque. Elle l'avait délibérément berné.

— Suis-moi dans la salle de conférences et laisse-moi tout t'expliquer. S'il te plaît ?

Nathan et Lindsay s'étaient retirés dans leurs bureaux, mais il ne voulait pas discuter de la situation sur la place publique et accepta.

Dès qu'ils furent seuls, Nadine commença par lui présenter ses excuses.

— Je suis désolée. J'allais tout te dire.

— C'est donc vrai ? Tu n'es qu'une réceptionniste ?

Il n'en revenait pas d'avoir été berné à ce point.

Elle eut un mouvement de recul.

— Je ne suis pas qu'une réceptionniste. J'ai suivi des cours pour devenir détective privée et j'ai apporté ma collaboration sur de nombreuses affaires. La tienne est la première sur laquelle j'ai travaillé seule.

— Je t'ai donc servi de cobaye ?

Elle hésita un instant.

— J'ai retrouvé ton fils, non ?

— Là n'est pas la question. Je suis venu ici en croyant engager un détective privé expérimenté. Tu ne peux pas prétendre que tu ne m'as pas fait signer le contrat sous des prétextes fallacieux.

Elle se tenait derrière l'un des fauteuils, comme si elle avait besoin de mettre une barrière entre eux, et en cramponnait le dossier.

— Je ne sais pas pourquoi je discute. Bien sûr que tu as raison. Depuis le début, je me suis montrée malhonnête. Tant que je réussissais à conclure l'affaire, j'imaginais que ça n'aurait pas d'importance.

— Que la fin justifiait les moyens ? Je n'en reviens pas de t'entendre dire une chose pareille.

Comment avait-il pu se tromper à ce point sur son compte ?

— Tu as transformé ces recherches pour retrouver mon fils en une sorte de jeu.

— Tu es injuste. J'ai travaillé dur pour réussir à le localiser.

— Et cela t'excuse d'avoir menti ?

Elle baissa les yeux.

— Non.

— En tout cas, tu es sacrément douée pour ça. Non seulement tu as réussi à me convaincre que tu étais une détective privée, mais tu as aussi réussi à me faire pratiquement tomber amoureux de toi.

Il eut un rire amer. Comme il avait été aveugle et stupide !

— Patrick, je t'en prie, crois-moi quand je te dis que je suis sincèrement désolée. J'ai… j'ai éprouvé les mêmes sentiments… à ton égard.

— Qu'y a-t-il ? Crains-tu que je fasse un esclandre auprès de ton employeur ? Ou que je porte plainte contre l'agence ?

Il pourrait le faire, il en avait tous les droits. Peut-être même qu'il devrait essayer de lui causer des ennuis.

— Non. Ce n'est pas ce qui m'inquiète, répondit-elle doucement mais fermement.

Voyant les larmes lui monter aux yeux, il fut forcé de détourner le regard. Malgré ce qu'elle avait fait, elle continuait de le toucher. Il serra les dents. *Ne sois pas idiot. Pourquoi devrais-tu te sentir désolé pour elle ? Il s'agit probablement d'une autre de ses performances d'actrice.*

— Peu importe ce que tu ressens, je m'en moque, répliqua-t-il.

Il s'efforçait de rester concentré sur sa colère, mais

la douleur qu'il éprouvait de s'être fait berner était plus forte. Il devait ficher le camp d'ici.

— Envoie-moi ton rapport et la facture. Je la paierai. Comme tu l'as fait remarquer, tu as effectivement fourni des résultats.

Il commençait à partir quand elle se précipita vers lui :

— Arrête. Attends. Il faut que je t'avoue une dernière chose.

Il sentit chaque muscle de son corps se pétrifier lentement. *Une dernière chose ?* Bonté divine, de quoi pouvait-il bien s'agir ?

Nadine se déplaça pour lui faire face, et il croisa à contrecœur son regard déterminé.

— Je veux que tu saches mon vrai nom.

— Tu ne t'appelles pas Nadine Kimble ? lui demanda-t-il, abasourdi. Mais pourtant la plaque posée sur ton bureau…

— Kimble est le nom de jeune fille de ma mère. Je l'utilise au travail, mais mon nom légal est Nadine Kimble Waverly.

Il demeura perplexe un instant. Puis il se souvint avoir vu Nadine au gala de charité et combien elle avait paru à l'aise dans la salle de bal du… Waverly Hotel.

— Wilfred et Sophia Waverly sont tes parents ?

Elle acquiesça d'un signe de tête.

Il se couvrit les yeux avec ses mains. Les Waverly comptaient parmi les familles les plus fortunées du pays. Elle aurait aussi bien pu appartenir à la famille Trump ou à celle des Kennedy.

Il la regarda de nouveau, cette fois-ci en se concentrant sur ses vêtements, qui avaient l'air coûteux, et sur sa montre Patek Philippe.

— Que diable fais-tu ici ?

— Je… je voulais avoir un vrai travail.

— Quelle blague ! Super concept pour une émission

de téléréalité. Riche mondaine devient détective privée… N'est-ce pas pour ce genre de chose que ta cousine est célèbre ?

Parce que Nadine devait évidemment être parente avec cette blonde artificielle qu'il avait vue en couverture des magazines, et brièvement à la télévision. Quel était son nom déjà… Liz.

Il n'en revenait pas de la rapidité avec laquelle les morceaux du puzzle se mettaient en place.

Et de l'horrible image qui prenait forme.

Nadine se laissa tomber dans le fauteuil contre lequel elle s'était appuyée et se mit à pleurer. Patrick avait quitté l'agence sans lui dire au revoir. Son visage avait exprimé un tel dégoût quand il avait franchi la porte !

Certes, elle avait eu tort d'agir comme elle l'avait fait.

Mais méritait-elle son mépris ?

Sans doute, oui. Mais elle n'allait pas s'enfuir en courant. Un conseil que son père lui donnait souvent lui revint soudain à l'esprit. « Quand tu commets une erreur, affronte-la. »

Elle se dirigea vers la boîte de mouchoirs qu'ils gardaient à portée de main pour leurs clients et en prit une poignée. Dans le reflet du verre qui recouvrait l'une des photos de trombones, elle se débarbouilla le visage.

Puis elle redressa les épaules et sortit de la salle de conférences afin d'aller affronter Lindsay et Nathan.

Tous deux se trouvaient dans le bureau de Lindsay et avaient un exemplaire de son rapport à la main. Ils la dévisagèrent d'un air incrédule tandis qu'elle entrait dans la pièce.

Nathan lui offrit son fauteuil, mais elle préféra rester debout.

— Je… je suppose que vous allez me demander de vous remettre ma démission ?

A moins qu'ils n'aient décidé de la renvoyer, songea-t-elle. Si c'était le cas, elle ne retrouverait jamais un autre véritable emploi. Elle devrait retourner vivre chez ses parents et travailler à la fondation.

— Non, répondit Lindsay, qui paraissait même surprise par sa suggestion. Vous êtes une pièce importante de l'équipe. Croyez-vous vraiment que nous allons nous débarrasser de vous à cause d'une erreur ?

— Une erreur plutôt significative, ajouta Nathan. Presque frauduleuse.

— Néanmoins, il fallait avoir un certain cran pour agir comme vous l'avez fait.

Nadine n'en croyait pas ses oreilles. Lindsay semblait impressionnée. Nathan l'était moins, mais il était du genre à toujours respecter les règles.

— Ce qui s'est passé est en partie notre faute, dit-il. Vous ne cessiez de réclamer que l'on vous confie davantage de responsabilités. Vous l'aviez mérité. Et nous vous faisions toujours patienter davantage.

— Mais… j'ai menti à l'un de nos clients, et… à vous deux, en quelque sorte. Ainsi qu'à Kate.

— Comme je l'ai dit, c'était une erreur, reconnut Lindsay.

Elle leva le rapport en l'air.

— Néanmoins, vous avez fourni de l'excellent travail et avez donné au client exactement ce qu'il voulait.

Si seulement ils savaient, songea Nadine, sentant la chaleur lui monter aux joues.

— Avec le recul, je crois que j'aurais pu gagner du temps si j'avais fait certaines choses différemment.

— L'efficacité vient avec l'expérience, répliqua Lindsay. C'est l'une des raisons pour lesquelles vous devrez faire équipe avec l'un de nous durant votre première année en tant que détective.

Avait-elle bien entendu ?

— Etes-vous en train de me dire que je ne suis pas renvoyée ? s'écria-t-elle.

— Comme si nous pouvions nous le permettre…, soupira Lindsay. Nous sommes déjà en train de perdre Kate.

— Nous en avons discuté, poursuivit Nathan. Dès que nous aurons engagé une nouvelle réceptionniste, vous vous consacrerez au travail d'investigation à plein temps. Vous commencerez par faire équipe avec moi.

— Puis, quand il vous aura enseigné comment faire les choses dans les règles, vous viendrez apprendre quelques mauvaises habitudes avec moi.

Un sourire se dessina enfin sur les lèvres de Lindsay.

Submergée par le soulagement, Nadine faillit se mettre à rire.

— Vous êtes sérieux ? Je vais être détective privée à plein temps ?

— Et comment ! s'exclama Lindsay. Tant que vous êtes prête à travailler dur.

— Oh ! absolument, leur assura-t-elle.

Elle rêvait de cet instant depuis si longtemps. Elle n'arrivait pas à croire qu'il était enfin arrivé.

— C'est entendu, alors, conclut Lindsay.

Nathan lui serra la main.

— Et si vous commenciez à rédiger cette annonce pour trouver une nouvelle réceptionniste ?

— Merci. Je m'en occupe tout de suite.

Elle retourna à son bureau tandis que les événements de la matinée s'enregistraient enfin dans son cerveau. Elle attendit que l'excitation et la joie la submergent, mais son estomac barbouillé refusait de s'apaiser.

Les paroles remplies de colère de Patrick, et la déception dans son regard, étaient tout ce à quoi elle pouvait penser.

12

En sortant du bâtiment où se trouvait l'agence Fox & Fisher, Patrick ne savait plus très bien où il en était. Il était incapable de se rappeler à quand remontait la dernière fois où il avait éprouvé une telle colère. Quand il était enfant, sans doute, au moment où il avait commencé à se douter que son père avait une nouvelle vie et qu'il n'en faisait pas partie.

Mais la colère qu'il ressentait aujourd'hui était différente.

Cette fois-ci, elle était dirigée contre lui-même.

Comment avait-il pu se faire autant avoir par cette femme ? Elle l'avait complètement dupé. Il l'avait cru intelligente et travailleuse, compatissante et belle dans tous les sens du terme.

Mais elle n'était qu'une héritière gâtée, qui prenait plaisir à s'amuser avec la vie d'autres personnes. Pourvu qu'elle soit renvoyée pour ce qu'elle avait fait, même si cela n'aurait guère d'importance pour elle. Quand des gens ordinaires perdaient leur emploi, ils s'inquiétaient à propos du loyer et des factures.

Nadine Kimble Waverly n'aurait aucun souci de ce genre.

Dès qu'il arriva à son appartement, il alla baisser tous les stores. Il fit couler du café et installa son ordinateur portable sur la table de la cuisine.

Il était l'une de ces personnes qui avaient besoin de son salaire… ou, dans son cas, du paiement anticipé que lui versait son éditeur. Ce qui signifiait qu'il devait terminer ses révisions et ignorer tout ce qui concernait June, Stephen et Nadine pour l'instant.

Stephen. L'aurait-il retrouvé plus tôt s'il avait engagé un vrai détective ? Les recherches se seraient-elles mieux passées ?

A contrecœur, il dut admettre qu'il en doutait.

Il vérifia son répondeur au cas où son fils aurait tenté de le joindre pendant qu'il était sorti, mais il n'y avait rien d'autre qu'un message de son dentiste au sujet d'un rendez-vous.

Peut-être qu'il devrait faire le premier pas. Stephen serait-il partant pour venir skier avec lui dans les Alpes ? Il allait lui laisser une semaine supplémentaire pour s'adapter au fait qu'il avait un père, puis il l'appellerait et lui ferait part de son idée. Lui proposer un séjour tout confort et tous frais payés pourrait peut-être le tenter.

Se sentant légèrement plus calme maintenant qu'il avait un plan, il se versa une tasse de café, puis alluma son ordinateur et passa le reste de la journée à se concentrer sur ses révisions.

Pendant des heures, il travailla comme si les mots étaient son oxygène, comme si son livre était l'unique chose qui avait de l'importance sur cette terre.

Puis, quand il ne trouva plus de corrections à apporter au manuscrit, il l'envoya à son éditeur et alla se coucher aussi sec.

Vendredi après-midi, Lindsay demanda à Nadine si elle était libre pour assister à une réunion de bureau après le travail.

Celles-ci ayant généralement lieu le matin, Nadine fut un peu surprise.

— Bien sûr.

— Comme Kate est toujours au repos forcé, la réunion se tiendra à son appartement.

— D'accord.

Nadine éprouva une sensation étrange de ne pas être celle qui se chargeait d'organiser ce genre de détails. Mais elle finirait par s'y habituer, songea-t-elle.

Elle se concentra sur le travail que Nathan lui avait donné pour le reste de la journée, jusqu'à ce que Lindsay passe la chercher, à 17 heures.

— Allons-y. Nous retrouverons Nathan sur place.

Lorsqu'elles arrivèrent à l'appartement de Kate, elle fut étonnée de constater qu'il avait été décoré avec des ballons et qu'un gâteau était posé sur la table basse, à côté du sofa sur lequel Kate était installée.

— Félicitations !

Il lui fallut quelques instants pour réaliser ce qui se passait.

— C'est pour moi ? demanda-t-elle en se tournant vers Lindsay.

— Bien sûr, espèce d'idiote !

Lindsay éclata de rire et la tira affectueusement par le bras.

— Nous voulions célébrer votre lancement officiel comme détective privée en formation, reprit-elle.

Nadine voulut la remercier mais fut incapable de prononcer le moindre mot. Elle se contenta d'esquisser un sourire tandis qu'elle essuyait une larme.

Jay distribua du champagne et de l'eau gazeuse, pendant que Nathan coupait le gâteau. Dès que tout le monde fut servi, Lindsay prit la parole.

— D'accord, faire la fête, c'est bien, mais nous avons également du travail. La semaine a été débordante d'activité. Néanmoins, nous allons survivre à cette période de transition, je vous le garantis.

— La première priorité est de trouver une nouvelle

réceptionniste, dit Nathan. L'agence pour l'emploi nous envoie plusieurs candidats lundi.

— C'est rapide.

Nadine ne pensait pas être aussi facile à remplacer.

— Le plus tôt sera le mieux. Lindsay et moi espérions que vous passeriez les matins à former votre remplaçante et les après-midi à travailler sur les affaires en cours. Vous vous installerez dans le bureau de Kate.

Lindsay ajouta :

— Jusqu'à ce qu'elle revienne travailler ou que nous ayons négocié un espace de bureau supplémentaire. C'est sur la liste des choses dont Nathan doit s'occuper.

Elle se tourna vers son fiancé, qui hocha la tête.

— Lundi, nous nous entretiendrons dans la salle de conférences et je confierai à Nadine de nouvelles affaires, précisa-t-il.

Elle lui répondit d'un signe de tête, l'excitation montant en elle comme les bulles dans son champagne.

— Une dernière chose, avez-vous clos le dossier sur l'affaire O'Neil ?

Même si Patrick n'était jamais loin de ses pensées, entendre son nom la fit immédiatement redescendre sur terre. Elle n'était toujours pas satisfaite de la manière dont elle avait géré l'affaire, en dépit des paroles rassurantes de Lindsay et Nathan.

Diane n'ayant pas répondu à sa lettre, elle ne disposait toujours d'aucune photo de Stephen à inclure dans le dossier. Par ailleurs, elle n'était pas parvenue à convaincre Patrick d'effectuer un test ADN.

— Le dossier est clos, répondit-elle pourtant. Le rapport et la facture ont été expédiés.

— Bien, dit Nathan. Passons à présent au congé de maternité de Kate…

Patrick dormit douze heures d'affilée. Quand il se réveilla le lendemain, à midi, il ressentit un manque d'énergie inhabituel. Quelqu'un le remarquerait-il ou s'en soucierait-il s'il ne sortait pas de son lit ?

Probablement pas. Mais des années de discipline affinée le firent finalement culpabiliser au point qu'il enfila sa tenue de jogging la plus chaude et sortit pour faire un peu d'exercice, ce dont il avait bien besoin. Sous la neige, il ménagea paresseusement ses forces jusqu'à ce qu'il atteigne Central Park, où il effectua un court parcours en courant, et continua ainsi sur le trajet de retour jusqu'à son appartement.

Il prit une douche, se rasa et se prépara à rattraper le retard qu'il avait pris avec sa vie.

En avait-il seulement une ?

Le courrier de plusieurs semaines était empilé sur la table de sa cuisine. L'ignorant, il fixa d'un air absent le fond de sa tasse de café.

Il avait choisi la vie de voyageur bien des années plus tôt et n'avait jamais regretté son choix.

Jusqu'à maintenant ? Etait-ce ce qu'il éprouvait à cet instant ?… Du regret ?

Il se frotta le visage — si lisse, maintenant qu'il s'était rasé — puis tendit la main aveuglément vers la pile de courrier. La première lettre venait de son éditeur. Il déchira l'enveloppe, puis rangea le chèque qu'elle contenait dans son portefeuille. Il irait le déposer à la banque plus tard.

S'emparant d'une seconde enveloppe, il fut brusquement tiré de son ennui. L'expéditeur était Fox & Fisher. Il s'empressa de la déchirer, puis sortit un rapport et une facture. Il chercha une note personnelle de Nadine, mais ne trouva qu'un morceau de papier imprimé qui disait :

« Compliments de l'agence de détectives Fox & Fisher. »

Il jeta de nouveau le paquet sur la table, se leva et se mit à faire les cent pas, en colère dans un premier temps — ne lui devait-elle pas au moins un bref message personnel ? Puis il alla récupérer le rapport, curieux de savoir ce qu'il contenait.

Il le lut une première fois rapidement, puis une seconde avec plus d'attention. Détaillant chaque étape de l'enquête, à commencer par la lettre de June, le rapport était très complet.

A sa lecture, il se rendit compte qu'il était également en colère contre une autre personne.

La tromperie de June continuait de le ronger. Elle n'avait pas le droit de lui cacher qu'elle était enceinte. Il n'aurait pas fui ses obligations. Il connaissait l'importance vitale d'un père dans la vie d'un garçon. Comment avait-elle osé prendre cette décision à sa place ?

Il mit le rapport de côté et ressortit la lettre de June pour la relire. Il continuait d'y chercher des réponses qui ne s'y trouvaient pas. Et qu'avait-elle écrit à Stephen ? Un jour, ce dernier lui ferait peut-être assez confiance pour le lui dire.

Et puis, qui donc lui avait envoyé le paquet avec ces lettres ? Cela n'avait peut-être pas vraiment d'importance, mais pourrait lui fournir des informations sur l'état d'esprit de June au moment où elle avait rédigé ces courriers.

A qui avait-elle pu faire suffisamment confiance pour lui confier son secret ?

Sa sœur, Diane, faisait une candidate plausible. Son numéro de téléphone était mentionné dans le rapport, et il alla le chercher.

Sans prendre le temps de considérer si ce qu'il faisait était sage, il composa le numéro.

— Allô ?

— Diane Stone ?

— Oui.

— Patrick O'Neil à l'appareil.

Il attendit quelques secondes pour voir si elle se souvenait de lui.

— Ça alors, Patrick O'Neil ! Après tout ce temps…

Ignorait-elle qu'il était le père de Stephen ? Non, évidemment qu'elle savait. Toute la famille de June devait être au courant.

— J'en déduis que vous avez appris la triste nouvelle pour June, dit-elle d'une voix de nouveau mesurée.

— Oui. Je suis désolé, je me trouvais en Alaska quand la lettre est arrivée. Sinon, j'aurais assisté à son enterrement.

— De quelle lettre parlez-vous ?

Bon sang, il avait vraiment espéré qu'elle en était l'expéditrice.

— Lorsque je suis rentré à New York, il y a environ deux semaines, j'ai trouvé un paquet dans ma boîte aux lettres — l'adresse de retour était celle de l'appartement de June à Chelsea. Ce paquet contenait une lettre, rédigée par elle, qui m'était adressée. Elle disait avoir demandé à quelqu'un de me l'envoyer après sa mort. Je supposais que vous seriez cette personne.

— Non, ce n'était pas moi.

Elle eut l'air intriguée.

— Puis-je vous demander ce qu'elle disait dans sa lettre ?

— Elle m'a appris qu'elle avait eu un fils il y a dix-huit ans, et que j'en étais le père.

— Vous n'étiez pas au courant pour Stephen ? s'étonna-t-elle d'un air indigné.

— Non, elle ne m'avait rien dit. J'espérais que vous pourriez m'expliquer pourquoi.

— Seigneur ! Je n'arrive pas à le croire. Toutes ces années… Il faut que je m'assois.

Il en avait également besoin. Il se laissa retomber sur la chaise de la cuisine et écarta sa tasse de café refroidi d'un geste brusque.

— C'est tellement fou, reprit Diane un instant plus tard. A-t-elle fourni la moindre explication pour ne rien vous avoir dit au sujet du bébé ?

— Elle savait que je prévoyais de voyager après l'obtention de mon diplôme et ne voulait pas que je me sente piégé.

— C'est tout ?

— Oui, et c'est loin d'être suffisant. Elle ne m'a même pas laissé une chance de faire ce qui était juste.

Diane demeura longuement silencieuse.

— Stephen est-il au courant ?

— J'ai engagé une détective pour le localiser. Nous l'avons retrouvé dans une station de ski où il travaille, à Lake Louise, au Canada.

— C'est donc là qu'il est. Depuis son départ, il ne m'a pas téléphoné une seule fois. J'ai peur que la mort de June l'ait frappé fort. Est-ce qu'il va bien ?

— J'ai fait le voyage jusqu'au Canada afin de le rencontrer. Nous n'avons parlé que deux heures, rien de plus. Il paraissait plus confus qu'autre chose. Peut-être qu'il était encore en train de gérer ses sentiments concernant la mort de June. Ou peut-être était-il simplement sous le choc de découvrir qu'il avait un père et de le voir débarquer à l'improviste.

— Quoi qu'il en soit, je suis contente d'apprendre qu'il va bien et qu'il a trouvé du travail. Avec un peu de chance, il nous contactera bientôt.

Elle poussa un long soupir.

— Il ressemble beaucoup à sa mère, n'est-ce pas ?

— Oui, en effet, répondit-il, même s'il ne l'avait pas vraiment remarqué. Diane, j'aimerais sincèrement découvrir l'identité de la personne qui m'a expédié ce paquet. Avez-vous une idée sur la question ?

— Je suppose qu'il pourrait s'agir de l'avocat de June. Ou de l'un de ses amis. Je suis désolée, Patrick, mais elle ne m'a rien dit. J'aurais aimé qu'elle le fasse.

— Moi aussi.

— Peut-être qu'elle se sentait trop coupable. Elle nous a tous laissés croire que vous ne vouliez rien avoir à faire avec le bébé, vous comprenez. Et elle nous a convaincus que ce serait mieux pour Stephen si nous le laissions penser que vous… que vous étiez mort. Je suis désolée. Ecoutez, si vous parlez de nouveau à Stephen, pourriez-vous lui demander de m'appeler ?

Après avoir promis de le faire, il raccrocha et retourna dans la cuisine pour faire de nouveau du café.

Tandis que l'eau coulait lentement à travers le filtre, il repassa dans sa tête la conversation qu'il venait d'avoir avec Diane, le regard dans le vide.

Elle avait éclairci une partie du passé, mais la question la plus importante demeurait encore.

Pourquoi June avait-elle présumé qu'il ne serait pas — ne pourrait pas — être un bon père pour Stephen ?

13

Le téléphone de l'accueil sonnait depuis déjà plusieurs secondes. Confortablement installée dans le bureau de Kate, en ce mercredi après-midi, Nadine agrippa les accoudoirs de son fauteuil et attendit que Tamara Maynard, la nouvelle réceptionniste, se décide à décrocher. *Allons, qu'est-ce qui prend aussi longtemps ?*

Lorsqu'elle répondit enfin, le ton de sa voix était cassant, comme si l'appel avait interrompu quelque chose d'important.

— Fox & Fisher.

Nadine serra les dents. Elle n'était pas très enthousiasmée par la jeune femme, même si elle s'efforçait de lui laisser une chance. L'embauche s'était faite très rapidement. Le lundi, quatre candidats s'étaient présentés à l'agence. Nathan et Lindsay avaient réduit le choix à deux, puis l'avaient consultée afin d'avoir son opinion.

Elle avait opté pour la personne qui paraissait la plus désespérée d'obtenir la place. Agée de trente-huit ans, Tamara Maynard avait perdu son travail trois mois plus tôt et risquait de perdre son appartement si elle ne retrouvait pas très vite un autre emploi.

Nadine s'était dit qu'étant donné sa situation la jeune femme serait prête à fournir beaucoup d'efforts si elle était embauchée.

Malheureusement, cela ne semblait pas fonctionner ainsi.

— Nadine, appela Tamara. Votre nouveau client est arrivé.

Nadine grimaça. Etait-ce trop lui demander de décrocher le téléphone pour la prévenir, plutôt que de le lui crier depuis l'autre bout du couloir ?

Tandis qu'elle sortait de son bureau, elle aperçut une femme aux cheveux blancs, munie d'un déambulateur, qui se tenait dans un équilibre hésitant devant le bureau de Tamara. Bonté divine, cette dernière ne lui avait même pas proposé de s'asseoir ou de boire un verre d'eau.

— Bonjour, madame Waldgrave. C'est un plaisir de vous rencontrer. Aimeriez-vous une tasse de café ou un verre d'eau ?

— Avez-vous du thé ?

— Bien sûr. Tamara, pourriez-vous apporter une tasse de thé dans la salle de conférences, s'il vous plait ? Informez également Nathan que Mme Waldgrave est arrivée.

— Je travaillais sur autre chose, mais j'imagine que je peux mettre ça de côté pendant une minute.

Demain, se promit Nadine en son for intérieur, elle rappellerait à la jeune femme que c'était le travail d'une réceptionniste d'être multitâches.

Dans la salle de conférences, elle s'assura que Mme Waldgrave était installée confortablement avant de commencer leur entretien par quelques questions générales. Nathan les rejoignit une minute plus tard, apportant avec lui la tasse de thé, des sachets de sucre et de la crème.

Puis il s'installa dans un fauteuil, en face de Nadine.

— Comme je l'ai mentionné au téléphone, expliqua leur nouvelle cliente, le dos parfaitement droit et la tête haute, j'ai été escroquée par un vaurien et j'aimerais que vous le retrouviez.

Nadine tourna une nouvelle page de son bloc-notes. C'était ce genre d'affaires qu'elle avait rêvé de résoudre.

— Vous m'avez confié avoir signalé l'escroquerie à la police, dit Nathan d'un ton à la fois gentil et professionnel.

— Pour ce que cela a servi ! Ils m'ont répondu sans détour qu'ils n'attraperaient probablement pas cet idiot et que, même s'ils le faisaient, j'avais peu de chances de revoir mon argent. Mais je me moque des quatre mille dollars qu'il m'a dérobés. Ce qui me préoccupe, c'est que cet homme risque de prendre quelqu'un d'autre pour cible — quelqu'un qui ne pourra peut-être pas se permettre aussi aisément que moi de perdre une telle somme d'argent — et, ça, je ne le supporterai pas.

Nadine admira son courage.

— En quoi consiste l'escroquerie ?

— Il y a environ deux mois, j'ai reçu des fleurs de la part de mon petit-fils pour mon anniversaire. J'ai supposé qu'il me les avait fait livrer parce qu'il était trop occupé pour me les apporter lui-même. Puis, sans prévenir, un homme s'est présenté à ma porte la semaine dernière. Sur le moment, son visage m'a paru familier, mais je n'ai pas immédiatement fait le rapprochement entre le livreur de fleurs et lui. Il s'était écoulé tellement de temps. Cet homme a dit être un ami de mon petit-fils. Il semblait en savoir beaucoup à son sujet et m'a raconté que Michael avait des ennuis, qu'il avait eu un accident de voiture, mais qu'il n'avait pas d'assurance et qu'il avait trop honte pour venir me demander de l'aide.

Mme Waldgrave secoua la tête d'un air las.

— Avec le recul, je me sens tellement stupide. Seulement, Michael est mon unique petit-fils et il a déjà fait des choses irresponsables par le passé. Comme je garde toujours de l'argent chez moi pour les cas d'urgence, je lui ai donné la somme dont il avait besoin.

— Soit quatre mille dollars ? demanda Nadine.

— Oui.

Nathan haussa les sourcils.

— Conserver des sommes aussi importantes chez vous n'est probablement pas très sûr, madame.

— C'est également ce qu'a fait remarquer la police, à qui j'ai tout raconté. Je doute beaucoup qu'ils mettent la main sur ce vilain personnage. Ne possédant pas de bordereau de retrait bancaire, je ne peux même pas prouver que mon argent a disparu.

Nadine et Nathan lui posèrent quelques questions supplémentaires, avant de conclure l'entretien.

— Nous vous téléphonerons dans quelques jours pour vous tenir informée du déroulement de l'enquête, promit Nadine pendant qu'elle raccompagnait la vieille dame jusque dans la rue.

Elle lui héla un taxi et l'aida à s'installer sur le siège arrière du véhicule, puis retourna dans son bureau provisoire.

Tandis qu'elle élaborait un plan d'action pour l'affaire de Mme Waldgrave — que Nathan validerait ensuite —, Tamara l'appela de nouveau.

— Nadine. Vous avez un autre client.

Elle jeta un coup d'œil à son agenda, puis à sa montre. Etrange, elle n'attendait pourtant personne. C'est alors qu'une silhouette apparut dans l'embrasure de sa porte.

Patrick.

Sans voix, elle se laissa retomber dans son fauteuil.

Patrick haussa les sourcils d'un air interrogateur puis, prenant manifestement son silence pour un consentement, entra dans la pièce.

Tout au long de la semaine précédente, il n'avait pas quitté ses pensées. Elle avait souhaité tellement de fois le voir franchir la porte. Même s'il était encore en colère contre elle.

Elle étudia son visage, tentant de jauger son humeur.

— As-tu terminé tes révisions à temps ?

— Avec une semaine d'avance.

— Félicitations.

Il avait le regard fixé sur elle, mais elle était incapable de le déchiffrer.

— As-tu eu des nouvelles de Stephen ?

— Je lui ai téléphoné pour lui proposer d'aller skier ensemble dans les Alpes, et il a semblé ouvert à cette idée.

— C'est merveilleux.

Elle était contente pour lui. Il avait besoin d'établir une relation avec son fils, et elle espérait qu'à long terme cela les rendrait tous les deux heureux. Mais que faisait-il à l'agence ? Quel était le but de cette conversation ?

Il ne paraissait pas aussi en colère que la dernière fois où elle l'avait vu. Néanmoins, il était réservé. Sur ses gardes.

— Nous avons également évoqué l'université. Il s'avère qu'étudier ne l'emballe pas tant que ça. En revanche, il a pour projet d'ouvrir une boutique de matériel de ski. Je lui ai proposé d'examiner son plan de développement quand nous nous verrons.

Une sonnette d'alarme retentit aussitôt dans l'esprit de Nadine.

— T'a-t-il demandé si tu aimerais investir ?

Patrick fronça les sourcils.

— Quelle importance ?

— C'est juste que… Je continue de m'inquiéter que tu n'aies pas effectué de test ADN.

— Veux-tu bien changer de disque ? Si cela peut t'aider à te sentir mieux, sache que j'ai parlé à la sœur de June, Diane. Elle m'a confirmé que j'étais le père de Stephen. Toute la famille était au courant.

Elle capitula à contrecœur.

— Dans ce cas, j'imagine qu'il n'y a plus aucun doute. Est-ce la raison de ta venue ? Pour m'en informer ?

— A vrai dire, non. J'ai reçu ton rapport, ainsi que la facture, et j'ai l'impression que tu as commis une erreur.

Son moral chuta brusquement. Une autre ? Elle avait

tellement envie de considérer cette affaire comme classée et de passer à autre chose.

— Assieds-toi et explique-moi le problème, lui dit-elle.

— Tu ne m'as pas fait payer suffisamment, expliqua-t-il en lui tendant la facture. Je sais que tu as consacré beaucoup plus d'heures que ça à retrouver mon fils.

Elle poussa un soupir de soulagement et sourit.

— Nous avions un marché, reprit-il. Tu as accompli ta part, et je tiens à respecter la mienne.

Il lui tendit un chèque.

— J'en ai déjà parlé aux autres, répondit-elle. Je ne prendrai pas ce chèque. Etant donné les circonstances… nous t'offrons un rabais. Patrick, même si j'ai retrouvé ton fils, je travaillais sous des prétextes fallacieux. Crois-moi, je n'ai pas cessé de regretter ce que j'avais fait.

— Mais ta stratégie a payé. Et on dirait que tu as également obtenu le travail que tu désirais. J'ai rencontré la nouvelle réceptionniste. Félicitations pour ta promotion.

Sa gorge se serra tandis que la culpabilité assombrissait son regard.

— Nathan me supervise, je ne suis pas encore une détective à part entière. Plutôt une apprentie.

Elle hésita, puis demanda :

— Est-ce… est-ce l'unique raison pour laquelle tu es venu ? Pour parler de la facture ?

Bonne question, songea Patrick. Que faisait-il ici ? Le conseil qu'il s'était donné à lui-même avait été de passer à autre chose le plus vite possible. Mais il n'en était pas capable.

— Je suis ici parce que je n'arrive pas à t'oublier. Dieu sait pourtant que j'ai essayé.

Il était allé au cinéma, était sorti dans des bars, avait

appelé ses amis et avait même commencé à prendre des notes pour son nouveau livre.

Mais, quoi qu'il fasse, elle était son unique source de préoccupation.

— Moi aussi, j'ai beaucoup pensé à toi.

Il la regarda droit dans les yeux. Elle paraissait sincère.

Pour sa propre tranquillité d'esprit, il devait découvrir si elle était réellement la femme douce et ravissante pour laquelle il l'avait prise… ou juste une riche mondaine qui jouait à la détective privée.

En tout cas, il était sûr d'une chose : la dernière fois, ils étaient allés trop vite, et il ne commettrait pas la même erreur.

— As-tu des projets pour ce soir ? Aimerais-tu dîner avec moi ?

Les yeux de Nadine s'agrandirent tandis que son visage s'empourprait légèrement. Il l'avait surprise. Dans le bon sens, voulut-il croire.

— J'aimerais beaucoup, Patrick. Mais je dîne avec mes parents, ce soir.

Il était venu ici en espérant passer la soirée avec elle. La perspective de rentrer seul chez lui ne l'enthousiasmait guère.

— Ce n'est pas ainsi que j'imaginais notre premier rendez-vous officiel, mais je dois admettre que je suis curieux de rencontrer tes parents. Que pensent-ils des invités de dernière minute ?

Nadine se mordit la lèvre. Elle était manifestement partagée.

— Pas le plus grand bien, à vrai dire. Ils sont un peu… à cheval sur les principes.

C'était sans doute injuste de sa part, mais il se sentit rejeté par sa réponse. Passer la soirée avec ses parents avait été une concession de sa part. Et voilà qu'elle lui disait qu'il ne serait pas le bienvenu.

Evidemment, il ne s'agissait pas de n'importe quels parents, mais de Wilfred et Sophia Waverly.

— Je suis libre vendredi, proposa-t-elle finalement.

— Il faut que je vérifie mon planning. Je t'appellerai, répondit-il, n'étant soudain plus certain que tout ceci soit une bonne idée.

— Patrick, je suis désolée. Mon intention n'était pas de t'offenser. Crois-moi quand je te dis que tu ne trouverais rien d'agréable au fait de passer la soirée avec mes parents.

— Qui cherches-tu à protéger ? Eux ? Ou moi ?

— Toi, définitivement. Mes parents sont très aimants, mais ils ont des idées vieux jeu…

Elle n'alla pas au bout de sa phrase, lui laissant le soin de remplir les blancs.

— A propos du genre d'homme que leur fille devrait fréquenter ?

— Eh bien… Je ne l'aurais pas formulé ainsi, mais… oui.

— Bon sang, Nadine, quel âge as-tu ?

— Je sais, je ne suis plus une enfant. Ça ne signifie pas pour autant que je dois cesser d'aimer et de respecter mes parents.

— As-tu jamais fréquenté quelqu'un qu'ils ne considéraient pas « approprié » ?

— Il se trouve que… non. Pas à cause de mes parents, cependant. Je n'en ai simplement jamais eu envie.

Elle le regarda droit dans les yeux et ajouta :

— Jusqu'à ce que je te rencontre.

Il éprouva aussitôt le brûlant désir de se pencher au-dessus du bureau et de l'embrasser. Mais le prix à payer pour être avec cette femme était simplement trop élevé. Il n'était pas du genre à manœuvrer pour obtenir une position sur l'échelle sociale de qui que ce soit.

— Qu'en est-il de ce type qui t'accompagnait au gala de charité, l'autre soir ? Qui est-il ? Où l'as-tu rencontré ?

— Trenton travaille avec mon père. Je…

Les joues de Nadine s'empourprèrent, ce qui la rendait encore plus jolie, songea-t-il. Néanmoins, son incapacité à terminer sa phrase ne fit que renforcer l'opinion qu'il avait d'elle.

— Je n'aurais pas dû venir ici.

Il se dirigea vers la porte, puis marqua une pause et se retourna pour la regarder. Il aurait aimé pouvoir cesser de la désirer autant.

— Si jamais tu décides d'arrêter de laisser tes parents contrôler ta vie amoureuse, appelle-moi.

Nadine laissa tomber sa tête sur son bureau. Elle aurait sans doute dû annuler ses projets de dîner avec ses parents, mais cela aurait été lâche de sa part.

Ce qu'elle aurait dû faire, c'était inviter Patrick à l'accompagner. Le dîner aurait été inconfortable, personne n'aurait passé un bon moment, mais il aurait au moins su qu'elle n'avait pas honte de sortir avec lui.

Seulement, elle ne voulait pas faire de vagues.

Pourquoi mettre ses parents en colère avant de savoir avec certitude si Patrick…

Fermant les yeux, elle se remémora ce qu'elle avait ressenti quand il était entré dans son bureau. Elle avait oublié quelle présence il avait, l'énergie qu'il dégageait, ainsi que sa… virilité à l'état brut.

Une heure plus tard, comme elle sentait une présence dans son dos, Nadine se détourna de son clavier et vit Lindsay qui se grattait la tête d'un air ennuyé.

— Qu'est-ce qui ne va pas ?

— J'ai besoin des dossiers sur lesquels je travaillais la semaine dernière. Vous savez, les affaires de paternité ?

Nadine hocha la tête.

— Tamara ne les trouve pas ?

— Est-elle capable de trouver quoi que ce soit ? Par ailleurs, il est plus de 17 heures. Elle était partie à 17 h 01.

— Attendez, je m'en occupe.

Nadine se dirigea vers l'accueil et récupéra les dossiers en question.

— Merveilleux.

Lindsay y jeta un rapide coup d'œil pour s'assurer qu'il s'agissait bien de ce dont elle avait besoin.

— Vous savez, je suis contente que nous ayons décidé de la prendre pendant une période d'essai de deux mois.

— Pas nous, moi, fit remarquer Nathan.

Il verrouilla la porte de son bureau et mit les clés dans sa poche.

— De toute façon, reprit Lindsay, nous ne devons pas attendre d'elle qu'elle soit une autre Nadine, parce que ça n'arrivera pas.

A ces paroles, Nadine éprouva une certaine fierté. Elle se montrerait plus patiente avec Tamara, décida-t-elle.

Lindsay rangea les dossiers dans son sac en cuir, puis rejoignit Nathan à la porte où il l'aida à enfiler son manteau.

— Vous venez, Nadine ? demanda-t-elle. Nous allons dîner au Stool Pigeon.

— Merci, mais je vais travailler jusqu'à 18 h 30, puis me rendre directement au domicile de mes parents.

Nathan tint la porte ouverte pour Lindsay.

— D'accord, à demain matin alors. Vous fermerez l'agence ?

— Absolument.

Dès qu'ils furent partis, un calme étrange et silencieux tomba sur l'agence. Nadine retourna dans le bureau de Kate — son bureau, même si elle avait du mal à le considérer ainsi.

Elle rangea le dossier Waldgrave et sortit celui de Patrick.

Ce qu'il lui avait dit au sujet de son fils la tracassait. Que Stephen ait abordé le sujet de l'argent aussi tôt la mettait mal à l'aise. Elle regrettait de ne pas avoir réussi à le convaincre d'effectuer ce test ADN. Elle n'arrivait pas à mettre le doigt sur la raison pour laquelle cela lui semblait si important. Après tout, il avait parlé à Diane, et celle-ci lui avait confirmé que Stephen était bien son fils.

Pourquoi avait-elle l'impression que quelque chose clochait ?

Elle se replongea dans le dossier, en commençant par la première conversation qu'elle avait eue avec Diane. C'était la sœur de June qui les avait mis sur la piste des Rocheuses canadiennes. Elle leur avait appris que Stephen souhaitait se faire embaucher dans une station de ski et qu'il voyageait avec un ami.

Cependant, Stephen n'avait rien mentionné à propos de cet ami. Juste au moment où elle notait d'effectuer un suivi sur la question, un nouveau message arriva dans sa boîte mail.

Il était de Diane Stone.

Elle s'empressa de l'ouvrir pour le lire.

> Quelle drôle de coïncidence de recevoir votre lettre aujourd'hui, me demandant de vous envoyer une photo de Stephen, alors que j'étais au téléphone avec Patrick O'Neil quelques jours plus tôt. On dirait que ma grande sœur a laissé un peu de pagaille derrière elle. Vous trouverez quelques photos jointes à ce message. Une de June et Stephen ensemble, puis une seconde de Stephen uniquement. J'espère que cela vous aidera.

Nadine ouvrit le premier fichier et se figea lorsque le visage de Stephen apparut à l'écran. Ses cheveux roux étaient un peu plus clairs que ceux de Patrick. Il avait les mêmes pommettes hautes que sa mère et les traits fins de son visage.

Mais il n’était pas le garçon qu’ils avaient rencontré à Lake Louise.

Non, il s’agissait du moniteur de ski avec lequel elle aurait dû prendre une leçon particulière de ski à Kicking Horse.

14

Nadine fut tentée de se faire excuser à la soirée avec ses parents, mais elle avait manqué le dîner la semaine précédente à cause de son voyage au Canada, et ses parents étaient déjà suffisamment pleins de ressentiment à propos de son travail chez Fox & Fisher pour qu'elle n'en rajoute pas.

Après avoir fermé l'agence pour la nuit, elle prit donc un taxi pour se rendre à leur domicile, sur Madison Avenue.

En chemin, elle sortit son téléphone portable. Trop humiliée par sa dernière conversation avec Patrick, elle n'avait aucune envie de lui parler.

Mais il fallait qu'elle le mette au courant le plus vite possible.

Quand son appel fut redirigé vers la messagerie, elle ne put décider si elle se sentait soulagée ou déçue.

— C'est moi, Nadine. Je sais que tu m'en veux, mais je viens de découvrir une information très importante concernant Stephen. Je passerai à ton appartement aux environs de 22 heures. Si cela ne te convient pas, laisse-moi un message et nous prendrons d'autres arrangements pour demain.

Elle était encore ahurie par sa découverte. Quel tour audacieux Stephen leur avait joué ! Qu'espérait-il accomplir en agissant de la sorte ? Et comment réagirait Patrick quand il découvrirait la vérité ?

Elle rangea son téléphone dans son sac tandis que le

taxi s'arrêtait devant l'hôtel particulier de cinq étages où elle avait grandi, situé à seulement un bloc d'immeubles de Central Park.

Elle fut heureuse de voir la gouvernante de la famille quand celle-ci vint lui ouvrir.

— Bonjour, Martha. Comment allez-vous ? Je vous ai rapporté un petit quelque chose du Canada, lui dit-elle en entrant.

Elle tendit les souvenirs qu'elle avait achetés à Lake Louise.

— Vous êtes toujours si gentille, répondit Martha avec un grand sourire chaleureux, avant de la débarrasser de son manteau. Vos parents vous attendent.

Au son de l'enregistrement d'Oscar Peterson préféré de son père, Nadine traversa le vestibule et entra dans la salle de musique.

Ses parents étaient assis à côté de la cheminée. Leurs vêtements — sa mère dans une robe élégante et parée d'émeraudes, son père en costume-cravate — firent paraître décontractés la jupe et le pull-over en cachemire qu'elle portait.

Elle les embrassa et accepta le verre de kir royal qu'on lui tendait. Le dîner, chez ses parents, suivait toujours la même routine. Cocktail dans la salle de musique, suivi par un repas composé de trois plats dans la salle à manger et, pour finir, dessert et café dans la bibliothèque.

Elle avait fini par s'y habituer au fil des années.

Mais ce soir, c'était comme si elle voyait tout à travers les yeux de Patrick — ou comment elle imaginait qu'il verrait tout cela. La manière ironique dont sa bouche se tordrait pendant qu'il observerait son univers et sa famille avec son propre regard, lui qui avait grandi dans une petite ville du nord de l'Etat de New York.

— Alors, ma chérie, dit sa mère, comment se sont passés ces dernières semaines et ton voyage au Canada ?

— Voyons… Par quoi commencer ? Je ne travaille plus comme réceptionniste, j'ai été promue au rang de détective privée en formation.

Elle ne s'était pas attendue à ce qu'ils soient contents pour elle et, à en juger par leurs expressions monotones, ils ne l'étaient pas. Ne voulant pas leur laisser une chance d'exprimer la moindre réaction négative, elle se hâta de poursuivre :

— Et j'ai rencontré quelqu'un, lâcha-t-elle avant de perdre son sang-froid. Il s'appelle Patrick O'Neil. Il a prononcé un discours au gala de charité, il y a deux semaines.

Le père de Nadine fronça les sourcils.

— Au gala pour la Children's Wish Foundation ?

— Non, mon chéri. La forêt tropicale amazonienne.

La mère de Nadine se tourna vers sa fille, les yeux plissés.

— Si mes souvenirs sont bons, tu es partie tôt ce soir-là. Avant même le dîner. Comment as-tu fait la connaissance de Patrick O'Neil ?

C'était trop tôt pour leur raconter toute l'histoire, songea Nadine, pour leur expliquer qu'il avait été son premier client et de quelle manière elle avait retrouvé son fils. Pour l'instant, il serait plus intelligent de s'en tenir à une histoire simple et brève.

— Patrick est l'une des rares personnes à qui j'ai eu le temps de parler avant de partir.

Tandis que ses parents échangeaient un long regard, elle avala une gorgée de son kir royal et se demanda comment procéder à partir de là. Puis, sans prévenir, elle se surprit à ajouter :

— J'envisageais de l'inviter à dîner. Ici. La semaine prochaine. Afin que vous puissiez faire sa connaissance.

— Nous l'avons déjà rencontré, répondit flegmatiquement son père. Au gala. Je ne trouve pas utile de renouveler l'expérience. Maintenant, si votre relation devait devenir sérieuse — ce qui ne peut pas être le cas après seulement deux semaines —, nous lui enverrons une invitation.

— Ça n'en arrivera pas là.

La mère de Nadine défroissa un pli sur sa jupe de soie.

— Tu es jeune et tu as envie de t'amuser. Mais Patrick O'Neil n'est pas le genre d'homme avec lequel tu peux envisager de t'installer.

— Oh ! maman. Pourquoi faut-il toujours que vous vous comportiez comme des personnages d'un roman de Jane Austen, papa et toi ? Nous sommes au vingt et unième siècle.

— Nadine, je sais que tu vois ça comme une corvée, mais les Waverly ont une longue et fière histoire, fit remarquer sa mère. Et tu es notre seule héritière. Tu as décidé de jouer à la détective privée… et nous l'avons accepté.

— Mais un jour, poursuivit son père, on attendra de toi que tu sièges au conseil d'administration de la Waverly Corporation et de l'Endowment Foundation. Tu seras la gardienne de biens et de traditions qui doivent être préservés et transmis aux générations futures.

C'était un argument si vieux entre eux que personne ne haussa la voix. Nadine ne se donna même pas la peine de leur répondre. Elle n'ajouterait pas un mot de plus. Pour l'instant, que le sujet ait été abordé suffisait.

De retour chez lui après un dîner en solitaire à son restaurant italien préféré, Patrick ne sut quoi penser du message de Nadine.

Elle disait avoir quelque chose d'important à lui dire. De quoi pouvait-il bien s'agir ? Pour lui, cela ressemblait à une excuse.

Peut-être qu'elle avait envie d'un peu d'action après le dîner avec ses parents.

Dans ses rêves ! Après leur discussion de l'après-midi, il en avait fini avec elle !

Néanmoins, il mit un peu de musique et d'ordre dans son appartement. Lorsque Nadine arriva, il était en train de faire la vaisselle. Il s'essuya les mains et alla répondre à l'Interphone. Après avoir entré le code pour la laisser franchir la porte d'entrée du bâtiment, il sortit dans le couloir pour aller à sa rencontre.

Elle portait la même tenue que plus tôt, à l'agence, constata-t-il. Mais elle avait l'air fatiguée à présent. Et inquiète. Elle mit ses cheveux derrière ses oreilles et le regarda droit dans les yeux.

— Entre. Je ne vais pas te mordre.

Elle sembla hésiter, puis continua à avancer.

Il la regarda jauger l'endroit. Pour un appartement en copropriété à Manhattan, il avait beaucoup d'espace, de grandes fenêtres et une jolie vue. Bien sûr, cela ne devait pas être grand-chose pour quelqu'un de son milieu.

— Alors, princesse, comment s'est passé ton dîner à la cour royale ?

Elle tressaillit.

C'était un coup bas et il eut aussitôt honte de lui-même.

— Puis-je te proposer quelque chose à boire ?

— Non, merci, murmura-t-elle.

Il alla se verser un verre.

— Alors…

Sans la quitter des yeux, il avala une gorgée de whisky pour se donner du courage.

— Tu avais quelque chose à me dire ?

Nadine redressa le menton.

— Ce soir, j'ai parlé de toi à mes parents.

— Quoi ?

— Je leur ai annoncé… que j'avais rencontré quelqu'un. Toi. Ils se souvenaient évidemment de qui tu étais.

C'était la dernière chose à laquelle il s'était attendu. Mais cela arrivait beaucoup trop tard.

— Ma chérie, je ne suis pas sûr de comprendre pourquoi tu t'es donné cette peine.

Sa remarque la blessa une nouvelle fois, et il se sentit plus coupable que satisfait. Il but une autre gorgée de whisky, agacé par lui-même.

— Peut-être que je n'aurais rien dû leur dire, mais je l'ai fait.

— Et, à présent, ils meurent d'envie de me rencontrer ?

Lorsqu'elle détourna le regard, il eut un petit rire.

— Loin de là, pas vrai ? Eh bien, tu l'avais prédit, n'est-ce pas ? Raconte-moi plutôt ce qui t'amène ici aussi tard, Nadine. Es-tu à la recherche d'un peu de bon temps du mauvais côté de la ville ?

— Arrête. Je dois t'annoncer une chose importante, et ce n'est pas facile.

Elle ouvrit son sac à main et en sortit une feuille de papier.

— J'ai imprimé ceci à l'agence. La qualité n'est pas excellente, mais l'image est suffisamment nette, je pense.

Il prit le document qu'elle lui tendait.

— Qui est-ce ?

Elle soupira et lui donna une seconde feuille.

— C'est une photo de lui avec sa mère.

Il eut un sursaut de surprise.

— Il s'agit de June, précisa-t-elle.

La photo était plus grande et plus nette que celle qu'il avait imprimée avec sa nécrologie, et il eut un pincement au cœur en constatant à quel point la maladie l'avait vieillie.

— Regarde le garçon à côté d'elle.

— Pourquoi ? Ce n'est pas Stephen.

Elle resta silencieuse.

Il fixa de nouveau son regard sur la photo. D'abord June. Puis le garçon.

— L'adolescent que nous avons rencontré à Lake Louise… ce n'était pas Stephen Stone.

Elle secoua la tête.

— Non.

— Dans ce cas, qui était-il ?

— Une connaissance de Stephen, j'imagine. Peut-être l'ami avec lequel il voyageait.

Le désarroi le submergea. Ces quatre jours passés au Canada avaient été une perte de temps.

— Nous voilà donc de retour à la case départ.

— Pas exactement.

Il se figea.

— Comment ça ?

— Je crois avoir rencontré le vrai Stephen Stone à Kicking Horse. Quand il a su qui j'étais, pourquoi je le cherchais, il a prétendu être un moniteur remplaçant et m'a raconté que Stephen venait de quitter la station de ski pour aller travailler à Lake Louise.

— C'est de la folie.

— Vraiment ? Depuis le début, tu pressentais que la première réaction de ton fils serait d'être en colère. Comme il ne voulait pas te rencontrer, il a demandé à l'un de ses amis de se faire passer pour lui.

— Pourquoi se donner autant de mal ? Il lui suffisait de nier qu'il était Stephen et d'attendre que nous partions.

— Il craignait sans doute que tu ne laisses pas tomber avant d'avoir trouvé quelqu'un que tu prendrais pour ton fils. Ou peut-être qu'il était curieux et avait envie de savoir ce que tu prévoyais de lui dire.

— Mince alors ! Je n'arrive pas à le croire.

Il se mit à faire les cent pas, puis s'arrêta après quelques instants. La théorie de Nadine collait avec les faits, mais elle était loin d'être acceptable. Quel sale tour Stephen leur avait joué !

D'un autre côté, pouvait-il vraiment lui en vouloir ? Il repensa à la colère qu'il avait lui-même ressentie à l'égard de son père.

Il devait absolument faire comprendre à Stephen qu'il était un pion dans ce jeu tout autant que lui, qu'il aurait été présent dans sa vie si on lui en avait laissé le choix.

— J'imagine que nous aurions évité cette situation si j'avais fait ce maudit test ADN, comme tu m'y incitais.

Elle eut la bonté de ne pas insister sur le sujet.

— Il n'est pas trop tard. Je prévois de retourner au Canada le plus vite possible pour conclure cette affaire correctement.

— Tu veux dire que nous retournons au Canada.

Elle ne discuta pas, elle ne le connaissait que trop bien désormais.

— Avec un peu de chance, reprit-elle, Stephen travaille toujours à la station de Kicking Horse. Il a eu un peu de temps pour digérer ton apparition dans sa vie. Maintenant, peut-être qu'il sera vraiment intéressé par l'idée de te rencontrer.

Il doutait que cela puisse être aussi simple.

— Je ne l'informerai pas de notre arrivée, lança-t-il. Et qu'allons-nous faire au sujet de l'imposteur ?

— Attendons de voir ce que Stephen a à dire. Il n'est peut-être pas au courant que son ami a tenté de t'extorquer de l'argent.

— Et s'il l'est ?

— Dans ce cas, il était peut-être plus en colère encore que tu le pensais.

Le matin suivant, Nadine attendait près de la machine à café quand Lindsay et Nathan arrivèrent à l'agence.

Comme Tamara ne serait pas là avant encore une quinzaine de minutes, elle s'était chargée de préparer la première cafetière de la journée. Ils auraient besoin de caféine. Surtout après ce qu'elle devait leur annoncer.

Dès qu'ils eurent retiré leurs manteaux, elle leur tendit à chacun une tasse pleine.

— Oh ! non, dit Lindsay en acceptant le café avec gratitude. Qu'est-ce qui cloche cette fois-ci ?

— J'ai de bonnes et de mauvaises nouvelles. Lesquelles voulez-vous en premier ?

Lindsay opta pour les bonnes tandis que Nathan choisissait les mauvaises au même moment.

Nadine s'appuya contre le coin de son bureau — du bureau de Tamara.

— D'accord, commençons par les mauvaises. Je dois retourner au Canada. Nous avons retrouvé le mauvais fils.

— Que voulez-vous dire ? demanda Lindsay pendant que Nathan paraissait tout aussi confus.

Elle leur expliqua la situation.

— Si seulement le client avait accepté de faire ce stupide test ADN, dit Lindsay d'un ton frustré. Je déteste l'idée de vous perdre encore.

— Patrick O'Neil s'occupe de réserver les billets d'avion. Il n'y aura probablement pas de place avant ce week-end. En attendant, je ferai le maximum ici. Ce qui m'amène à la bonne nouvelle…

— Mettez-vous à table, la pressa Nathan. Vous avez l'air aussi excitée qu'un enfant le jour de Noël.

— Hier, j'ai passé beaucoup de temps sur l'affaire Waldgrave. J'ai rendu visite à la fleuriste qui emploie le livreur et, lorsque je lui ai fait part de nos soupçons d'escroquerie à son sujet, elle a accepté de nous apporter sa coopération.

Lindsay et Nathan semblèrent tous les deux impressionnés.

— Selon son emploi du temps, il ne travaille pas ce matin et j'envisageais de le prendre en filature.

— D'accord, mais je ne tiens pas à ce que vous le fassiez seule, répondit Lindsay.

— Moi non plus, renchérit Nathan. Malheureusement, j'ai un rendez-vous à 10 heures que je ne peux pas annuler.

— Je suis également occupée. Vous devriez attendre la semaine prochaine, Nadine.

— Et pendant ce temps, une autre victime innocente se fera voler son argent durement gagné ?

Lindsay et Nathan finirent par accepter de la laisser surveiller l'escroc tant qu'elle promettait de ne s'approcher de lui sous aucun prétexte et d'interrompre la mission si elle se faisait démasquer.

Elle échangea sa tenue de bureau contre un pantalon de survêtement et une veste. Elle noua ses cheveux en queue-de-cheval, puis mit une casquette et une paire de lunettes de soleil.

Son rêve devenait enfin réalité, songea-t-elle pendant qu'elle rangeait une paire de jumelles et une caméra vidéo dans un sac à dos. Elle n'arrivait pas à croire qu'elle était enfin une détective à part entière, qu'elle allait coincer ce type et s'assurer qu'il ne puisse plus s'en prendre à des personnes âgées innocentes.

15

Patrick était en train de réserver deux billets d'avion pour Calgary quand son éditeur téléphona. Il cliqua sur le bouton de confirmation pour terminer sa transaction, puis fit pivoter son fauteuil afin d'admirer le panorama par la fenêtre.

Il restait quatre semaines avant Noël, et l'hiver était arrivé en force. New York était sous la neige, et la météo en annonçait jusqu'à quinze centimètres.

Elle prévoyait également du soleil pour le lendemain.

Pourvu qu'ils ne se trompent pas, songea-t-il, car il fallait que le ciel soit dégagé d'ici le week-end. Il était désespéré de devoir retourner dans les Rocheuses et rencontrer le vrai Stephen. Se retrouver bloqué par la neige à l'aéroport serait l'ultime frustration.

— Bonjour, Oliver. Désolé de vous avoir fait patienter. Je réglais les derniers détails de mon voyage. Avez-vous jeté un coup d'œil aux révisions du manuscrit ?

— Oui et j'adore. Le livre sur l'Alaska est prêt pour le secrétaire d'édition, ce qui m'amène à la raison de mon appel : votre tournée de promotion pour le livre sur la Nouvelle-Zélande.

— Combien de villes ?

Les apparitions publiques et les séances de dédicaces étaient l'un des aspects de son travail qu'il appréciait le moins. Il s'efforçait cependant de ne pas s'en plaindre.

Chaque année, ses chiffres de vente grimpaient, et il avait envie de continuer à écrire pour gagner sa vie.

Oliver récapitula les détails de la tournée, d'une durée de cinq semaines, avec une pause de trois jours pendant les fêtes de Noël.

— Ensuite, au début de la nouvelle année, il sera temps de commencer un autre livre. Avez-vous choisi un sujet ?

— Les sports extrêmes de montagne dans les Rocheuses canadiennes. Qu'en dites-vous ?

— Cela me paraît bien. Surtout si vous réussissez à caser une rencontre inattendue avec un grizzly.

— Je préférerais éviter. J'ai beau aimer les poussées d'adrénaline, je ne suis pas fou…

— Comme vous voulez, mais revenons aux choses sérieuses. Quand vous en aurez le temps, envoyez-moi une proposition pour votre livre sur les Rocheuses. En attendant, je travaillerai sur le contrat avec votre agent.

— Entendu, Oliver.

Patrick raccrocha. Cinq ans plus tôt, il aurait sauté de joie à la signature d'un contrat pour un nouveau livre. A présent, il signait pour le projet suivant avec désinvolture et de manière automatique.

Idem pour ses voyages. Il se rappelait quand la seule perspective de visiter une nouvelle partie du monde le remplissait de joie. Il avait vécu de poussée d'adrénaline en poussée d'adrénaline, gérant soigneusement les prises de risque.

Ne pas avoir de femme ou d'enfants avait été un choix conscient de sa part. Ce ne serait pas juste pour eux, étant donné son mode de vie. Et cela ne l'avait jamais dérangé de retrouver un appartement vide quand il rentrait chez lui, à la fin de ses aventures.

Sa vie fonctionnait ainsi depuis des années maintenant. Mais cette fois-ci, il se sentait différent. Plutôt que de rêver à des idées pour son prochain livre, il se surprit à penser à June et Stephen, et à tenter d'imaginer leur vie sans lui.

Puis il pensa à Nadine, même s'il n'en avait pas envie. Il l'imagina chez lui. Assise sur le comptoir de la cuisine, en train de lui parler pendant qu'il cuisinait. Pelotonnée sur le sofa en cuir à côté de lui, en train de regarder les informations. Nue dans son lit…

Il laissa échapper un grognement. Bon sang, elle était trop compliquée pour lui. Mais, d'une certaine manière, elle l'avait ensorcelé. Et il ne savait pas comment réagir à cela.

A 16 heures, en ce jeudi après-midi, Nadine comptait des liasses de billets, installée derrière son bureau, quand elle se rendit compte qu'on l'observait. Elle redressa la tête et vit Nathan qui se tenait dans l'embrasure de la porte, avec une pile de documents dans les bras.

— Nadine ? Qu'est-ce que vous faites ?

Elle baissa les yeux vers ses mains.

— Je mets des billets de cent dollars dans une enveloppe.

Nathan eut un petit rire.

— Oui, je vois ça. Mais pourquoi ?

Elle cacheta l'enveloppe et la mit de côté.

— J'ai passé la journée à tenter de localiser le livreur escroc. Avec toute cette neige, cela n'a pas été une partie de plaisir. Néanmoins, j'ai obtenu les dépositions de deux de ses victimes — Mme Waldgrave et une autre dame âgée du nom de Daisy Proctor. Je possède également une déposition écrite de la fleuriste prouvant qu'il a livré des fleurs chez Mme Walgrave et Mme Proctor plusieurs mois avant de voler leur argent.

Elle prit une seconde enveloppe, plus épaisse que la première.

— Toutes les preuves sont à l'intérieur. J'ai rendez-vous

à 17 h 30 avec l'officier de police qui a pris la déposition originale de Mme Waldgrave. Avec un peu de chance, ce sera suffisant pour leur permettre de procéder à une arrestation.

— Très impressionnant. Mais vous ne m'avez toujours pas expliqué ce que vous faites avec cet argent.

Le sourire de Nadine s'évanouit.

— J'ai passé une heure environ à m'entretenir avec Mme Proctor. Elle n'est pas dans la même situation que Mme Waldgrave. Elle a été escroquée de cinq mille dollars qu'elle ne peut pas se permettre de perdre. Vous devriez voir son appartement, Nathan. Il est minuscule et réduit à l'essentiel.

Elle rangea les deux enveloppes dans son porte-documents.

— Je ferais mieux de me mettre en route. Le poste de police où je dois la retrouver se situe dans l'Upper East Side.

— Attendez une minute. Vous ne m'avez toujours pas expliqué. Cet argent, à qui appartient-il ? L'avez-vous obtenu d'une manière ou d'une autre de l'escroc ?

— Non. Cet argent est à moi.

— Mais…

Nathan retira ses lunettes et la dévisagea.

— Prévoyez-vous de le donner à Mme Proctor ?

— Je vais simplement glisser l'enveloppe sous sa porte. Elle ne saura jamais d'où ça vient.

Il secoua la tête.

— Nadine, vous ne pouvez pas faire ça.

— Pourquoi pas ?

— Dans ce travail, vous allez rencontrer beaucoup de personnes qui traversent une mauvaise passe. Nous ne pouvons pas toutes les aider. Ce n'est juste pas possible.

Elle comprenait ce qu'il disait et pour quelle raison. Mais dans ce cas-là, il avait tort.

— Je vous ai parlé de ma famille. Vous ne serez donc

pas surpris si je vous dis que je possède plus d'argent que je n'en aurai jamais besoin dans toute ma vie… Quel meilleur usage que de s'en servir pour venir en aide à des gens comme Mme Proctor ?

— Il existe des fondations caritatives…

— Bien sûr. Et ma famille leur fait de nombreuses donations. Mais la situation est différente. C'est important pour moi de faire ça, d'aider cette femme en particulier.

— Bon sang, Nadine, vous n'êtes vraiment pas croyable.

Transie de froid, Nadine arriva chez elle peu après 21 heures. Elle secoua la neige collée à ses bottes et suspendit son manteau en cachemire au portemanteau. Le signal lumineux clignotait sur son téléphone fixe, indiquant qu'elle avait un message. Elle nota mentalement d'appeler sa mère quand elle serait tranquillement dans son bain. Mais à peine fut-elle installée dans l'eau chaude que son portable se mit à sonner. Elle décrocha sans regarder le petit écran.

— Bonjour, maman. Je suis désolée de ne pas avoir appelé plus tôt, mais j'ai eu une journée de folie.

Il y eut un silence à l'autre bout du fil. Puis une voix grave et familière répondit :

— Je suis tout ouïe.

Elle grinça des dents.

— Désolée. Je t'ai pris pour quelqu'un d'autre.

— Je ne suis peut-être pas qui tu pensais, mais je suis toujours prêt à écouter.

Le timbre profond de sa voix fit remonter en elle des souvenirs passionnés et tendres de la nuit qu'ils avaient passée ensemble. Elle se laissa glisser plus bas dans la baignoire, jusqu'à ce que seule sa tête dépasse hors de l'eau.

— Je suis certaine que tu ne m'as pas appelée pour entendre le récit de ma journée.

— Qu'est-ce que c'est que ce bruit en arrière-fond ?

Elle se figea.

— Es-tu en train de prendre un bain ? insista-t-il.

Elle ne pouvait pas répondre oui et lui parler en sachant qu'il était en train de l'imaginer nue. Elle tenta de se lever sans faire de bruit, mais c'était impossible.

— Attends une seconde.

Elle fourra le téléphone dans une serviette afin d'étouffer le son, puis sortit de la baignoire et attrapa son peignoir. Même avec son corps bien enveloppé dans le vêtement, elle se sentait toujours exposée lorsqu'elle reprit le téléphone.

— Très bien, je t'écoute.

— Pourquoi es-tu sortie de la baignoire ? Je n'ai pas de pouvoirs spéciaux, il m'était impossible de te voir.

Il marqua une pause.

— Même si j'aurais aimé en être capable.

Elle sentit des picotements dans tout son corps. Elle avait la sensation qu'il se trouvait dans la salle de bains avec elle, en train de la regarder et de tendre la main vers elle. Elle ferma les yeux un instant.

— J'ai résolu une affaire aujourd'hui, annonça-t-elle tandis qu'elle entrait dans sa chambre. J'ai participé à l'arrestation d'un homme qui escroquait des femmes âgées de milliers de dollars.

— Félicitations.

Au ton sincèrement impressionné de sa voix, elle ne put s'empêcher de sourire.

— Et toi, comment s'est passée ta journée ?

— Mon éditeur m'a proposé un contrat pour un nouveau livre.

— C'est génial ! Tu dois être ravi.

— Autrefois, je l'aurais été. A présent, je trouve juste ça, je ne sais pas… satisfaisant, je suppose.

Il semblait fatigué.

— Tu es sans doute préoccupé à cause de Stephen.

— En effet. Et tu viens de me rappeler la raison de mon appel. Je voulais t'informer que les billets d'avion étaient réservés. Départ samedi matin, à 8 heures. Est-ce que ça te convient ?

— Absolument. Cela me laisse la journée de demain pour mettre les choses en ordre à l'agence.

— Bien. Nous prendrons l'avion jusqu'à Calgary, puis nous louerons une voiture pour effectuer le trajet jusqu'à Kicking Horse. Je nous y ai réservé deux chambres pour la nuit.

— Entendu.

Sa gorge se serra. Il lui était difficile de ne pas penser à une autre station de ski et à ce qui s'était passé entre eux deux cette nuit-là — probablement un accident, au même titre que l'avalanche qui les avait conduits là-bas. Quelque chose qu'elle devait mettre derrière elle, qu'elle mettrait derrière elle.

Ce voyage ne ressemblerait pas au précédent. Il n'y aurait pas de longues conversations, ni de soirées romantiques improvisées. Rien que du travail.

— Je pensais à ce jeune qui s'est fait passer pour Stephen, reprit Patrick, et j'ai réalisé que je lui avais donné la lettre de June.

Elle se pinça les lèvres.

— Exact. J'espère qu'il l'a transmise à Stephen.

— Et s'il ne l'a pas fait ? S'il est du genre à extorquer de l'argent, il ne se soucie sans doute guère de ce genre de chose. Bon sang, j'aurais vraiment dû t'écouter au sujet du test ADN.

— Ne t'inquiète pas pour ça maintenant. Attends de rencontrer Stephen. Il est peut-être déjà en possession de la lettre de sa mère.

Les prévisions météorologiques s'avérèrent exactes, et la tempête de neige était partie depuis longtemps lorsque le week-end arriva. Cette fois-ci, Patrick avait insisté pour passer prendre Nadine chez elle afin de la conduire à l'aéroport. Il ne fut pas surpris lorsque le taxi s'arrêta devant un bâtiment à l'air aristocratique. Un portier en uniforme sortit avec une valise à la main.

Nadine suivit juste derrière avec son porte-documents. Elle portait la même veste de ski élégante que pour leur voyage précédent, ainsi que ses bottes bordées de fourrure et son chapeau.

Comment n'avait-il pas deviné dès le début qu'elle était issue d'une famille fortunée ? Son adresse dans un quartier huppé n'était que la pointe de l'iceberg. Une détective privée ordinaire ne pouvait pas se permettre de s'habiller avec les vêtements qu'elle portait. Sans parler de ses manières excellentes et de sa démarche gracieuse… Tout cela était le fruit d'un milieu privilégié.

Un courant d'air froid s'engouffra à l'intérieur du taxi lorsque le chauffeur ouvrit la portière arrière. Le parfum de Nadine le salua avant même qu'elle ne prononce un seul mot.

— Bonjour.

Il se contenta d'un grommellement en guise de réponse. Il aurait presque aimé qu'elle l'ait fait attendre pour avoir une excuse à sa mauvaise humeur. Toute la nuit, il s'était torturé l'esprit en l'imaginant dans son bain, puis en train de sortir de la baignoire, son corps brillant d'humidité.

Bonté divine, s'il continuait à avoir ce genre de pensées, il allait devenir fou.

— C'est un grand jour, n'est-ce pas ? lui lança-t-elle. Dans dix heures environ, nous devrions être à Kicking Horse.

Il sentit son ventre se serrer en réaction à une émotion qu'il avait plutôt l'habitude d'éprouver avant d'entreprendre un défi physique, ou quelque chose de potentiellement dangereux, comme s'élancer d'une falaise en deltaplane.

Ce soir-là, si tout se déroulait bien, il rencontrerait Stephen. Le vrai Stephen.

Est-ce que ce serait aussi décevant et inconfortable que la rencontre orchestrée avec l'imposteur à Lake Louise ? Ou éprouverait-il un lien réel ?

Il n'était pas sûr de savoir pourquoi, mais il se sentait encore plus nerveux que la première fois. Peut-être parce qu'il avait désormais la certitude que Stephen ne voulait rien avoir à faire avec lui.

Tous deux n'échangèrent pas un mot jusqu'à ce qu'ils arrivent à l'aéroport.

LaGuardia était célèbre pour son pourcentage élevé de vols retardés. Heureusement, le leur n'était pas l'un d'eux ce jour-là.

Le voyage jusqu'à Toronto passa relativement vite. Tous deux s'échangèrent en silence les différentes sections du *Times*.

L'étape suivante se révéla plus problématique. Le vol jusqu'à Calgary durait presque quatre heures. Tandis qu'il regardait Nadine sortir des magazines de son porte-documents, Patrick réalisa qu'il n'avait pas songé à apporter de quoi lire. La dernière fois, il avait passé son temps à travailler sur son manuscrit.

Mais, cette fois-ci, il n'avait même pas son ordinateur portable. Et les fichus sièges semblaient encore plus inconfortables que d'habitude.

Après une heure et demie environ, il remuait pour la énième fois quand Nadine lui lança un regard exaspéré.

— J'ai toujours aimé le questionnaire de Proust… Tu veux essayer ?

— Je suppose qu'il faut avoir reçu une éducation d'une grande université privée pour savoir de quoi il s'agit.

Elle roula des yeux.

— C'est juste un tas de questions publiées à la fin de chaque numéro de *Vanity Fair.*

Elle alla à la dernière page du magazine qu'elle tenait dans ses mains.

— Première question : quelle est ton idée du bonheur parfait ?

En un éclair, il revit aussitôt la journée où Nadine et lui étaient allés skier à Lake Louise — ces deux heures volées de pur plaisir.

— Etre au sommet d'une montagne, avec le soleil battant sur mon dos et une piste de neige devant moi.

Il s'arrêta là et se garda d'ajouter qu'elle était avec lui.

— Sympathique.

Elle esquissa un sourire, puis jeta un coup d'œil à la question suivante.

— Quelle est ton…

— Attends.

Il se rappela soudain le sentiment qu'il avait éprouvé à la fin de leur dernier voyage : qu'elle en savait beaucoup sur lui et qu'il ignorait presque tout d'elle. Ce qui s'était avéré être plus vrai qu'il ne l'aurait imaginé.

Il était temps de rééquilibrer la balance.

— Quelle est ton idée du bonheur parfait ?

Elle prit une seconde pour réfléchir.

— Faire quelque chose pour venir en aide à une autre personne, sans avoir à m'inquiéter d'une quelconque récompense personnelle.

— Vraiment ?

Elle hésita, puis ajouta :

— Te rappelles-tu de cette affaire dont je t'ai parlé

l'autre jour ? Le livreur de fleurs qui escroquait des femmes âgées ? J'ai rassemblé suffisamment de preuves pour que la police l'arrête. Non seulement ça, mais je suis parvenue à récupérer l'argent qu'il avait volé à l'une d'elles. Tu n'as pas idée à quel point c'était fantastique.

Il la dévisagea, bouleversé autant par son sourire que par son histoire. Quand il avait appris qu'elle était issue d'un milieu aisé et que sa famille possédait une fortune, il avait tenté de se convaincre qu'être détective privé n'était qu'un jeu pour elle.

Mais sa réaction était injuste. Nadine se souciait sincèrement de bien faire son travail et des personnes qui sollicitaient ses services.

Certes, elle lui avait menti sur des faits plutôt importants. Mais, au fond, elle restait la même femme douce et ravissante pour laquelle il l'avait prise.

Et il était dangereusement proche de tomber amoureux d'elle.

16

Ils arrivèrent à la station de Kicking Horse peu après 19 heures. Cette fois-ci, ils avaient traversé la zone d'avalanche sans incident. L'humeur bougonne de Patrick s'était adoucie après le questionnaire de Proust, et Nadine devinait que son silence était uniquement dû à la proximité de son fils et à leur rencontre imminente.

Pendant qu'il récupérait les clés de leurs chambres et qu'elle interrogeait le concierge au sujet de Stephen, trois jeunes hommes arrivèrent dans le hall de la réception. Ils discutaient avec décontraction et, comme ils portaient des vêtements de rue et non des tenues de ski, ce fut facile pour elle de repérer Stephen avec ses cheveux roux et les pommettes hautes de sa mère.

Dès que celui-ci l'aperçut, son visage s'empourpra et il se figea sur place.

Il se rappelait d'elle.

— Je dois vérifier quelque chose, lança-t-il à l'un de ses amis. Je vous rejoindrai plus tard.

Il avança de quelques pas vers elle. Il n'avait certainement pas remarqué Patrick, qui parlait à une réceptionniste juste derrière lui. Et Patrick ne l'avait pas vu non plus.

— Vous êtes de retour, dit-il.

— J'espérais une présentation en bonne et due forme cette fois-ci.

Elle tendit une main vers lui.

— Je suis Nadine Kimble, détective privée de New York.

Il prit une profonde inspiration et lui serra la main.

— Comme vous l'avez déjà compris, j'imagine, je suis Stephen Stone.

A ce nom, Patrick se retourna et son regard croisa celui de son fils.

Stephen parut savoir qui il était. Il avait sans doute effectué des recherches sur internet et trouvé des photos de son père. Ou peut-être que c'était l'instinct.

Patrick mit rapidement fin à sa conversation avec la réceptionniste, puis se dirigea vers eux, le regard uniquement fixé sur Stephen. Dès qu'il arriva à sa hauteur, il l'empoigna par les épaules.

— Mon fils, dit-il d'une voix remplie à la fois d'émerveillement et de conviction.

Ses yeux, et ceux de Stephen, se remplirent de larmes.

Patrick rassembla son sang-froid et prit la situation en main.

— Allons au bar pour prendre un verre et discuter.

— Celui qui est situé à l'étage est plus tranquille, suggéra Stephen.

— Je vais d'abord passer dans ma chambre pour me rafraîchir, annonça Nadine.

Patrick la soupçonna de vouloir se montrer diplomate afin de les laisser passer un peu de temps en tête à tête. Mais il avait besoin d'elle à ses côtés. Ils ne seraient pas trop de deux pour mettre de l'ordre dans la situation.

— Tu n'as rien avalé depuis ce sandwich à Canmore. Viens plutôt avec nous et commande quelque chose à manger.

Nadine étudia son visage, puis acquiesça d'un signe de tête.

— D'accord.

Ils s'installèrent à une table au fond de la pièce, loin

du pianiste de jazz qui jouait des standards pour une quinzaine de clients environ.

L'attitude de Stephen avait changé, remarqua Patrick. L'adolescent s'était affalé sur une chaise et croisait les bras sur son torse.

Dans le hall, ils l'avaient pris au dépourvu. Mais entre-temps, il avait eu le temps de remettre ses défenses en place.

Patrick pria pour être inspiré et trouver les bons mots. Parce que le moment était plus important que jamais. Rencontrer ce jeune à Lake Louise avait été une plaisanterie. Il n'avait rien ressenti ce jour-là parce qu'il n'y avait rien à ressentir.

Mais il lui avait suffi de poser les yeux sur Stephen pour savoir.

Sentant Nadine qui l'observait, il se retourna. Elle lui adressa un sourire encourageant, et son regard attentif parut lui assurer qu'il était capable de gérer la situation.

Stephen fut finalement le premier à prendre la parole.

— Alors, c'est quoi l'histoire ? Est-ce que Zach a tout fait rater ?

— C'est le nom du garçon qui s'est fait passer pour toi ? C'était vraiment un sale tour.

— Hé, à quoi vous vous attendiez en débarquant à l'improviste avec une détective privée ?

Stephen se tourna vers Nadine.

— Sans vouloir vous offenser ! Vous avez l'air sympathique…

— Vous retrouver n'a pas été facile, Stephen, dit-elle. C'est la raison pour laquelle votre père m'a engagée pour l'aider.

— Je n'avais peut-être aucune envie d'être retrouvé, assena-t-il d'une voix glaciale. Y avez-vous songé ?

Patrick s'était attendu à ce que son fils soit en colère, mais pas à la peine que cela lui causerait de le voir souffrir autant.

Stephen avait raison. Quel besoin avait-il d'un père à son âge ? Il commença à se lever, mais Nadine posa une main sur la sienne pour l'arrêter.

— Maintenant que vous êtes enfin réunis dans la même pièce, pourquoi n'écoutez-vous pas au moins ce que l'autre a à dire ? Après tout, c'est ce que June souhaitait.

Les yeux pâles de Stephen se fixèrent sur Patrick.

— Est-ce que c'est pour ça que vous êtes ici ? Parce qu'elle est morte ?

— Je suis venu à cause de sa lettre, oui. Et parce que je voulais te dire…

Sa voix se brisa.

— Pour te dire, reprit-il, que je suis là si tu as besoin de quoi que ce soit — un endroit où dormir, de l'aide pour payer tes frais d'université, et que sais-je encore.

— Eh bien, au cas où vous ne l'auriez pas remarqué, je suis adulte à présent. Je n'ai plus besoin d'un père.

— Pour ce que ça vaut, j'aurais aimé pouvoir être là pour toi depuis le début.

Stephen resta silencieux un long moment.

— Pourquoi n'avez-vous pas pu ? demanda-t-il enfin.

— J'ignorais tout de ton existence.

— A d'autres !

Patrick jeta un coup d'œil à Nadine. Elle paraissait également perplexe.

— Ta mère ne t'a pas expliqué ?

— Elle a dit que vous étiez mort.

— Et dans sa lettre ?

Silence.

Patrick jura tout bas.

— J'en déduis que Zach ne te l'a jamais envoyée. T'a-t-il raconté quoi que ce soit au sujet de notre rencontre ?

— Pas grand-chose. Il était plutôt contrarié d'avoir dû se teindre les cheveux et m'a dit que je lui étais sacrément redevable.

— Laisse-moi commencer par le début. Environ un mois après la mort de ta mère, je suis rentré d'un voyage en Alaska. Dans mon courrier se trouvait un paquet, dont l'adresse de retour était celle de votre appartement à Chelsea. Il contenait deux lettres : une pour moi et une pour toi.

Stephen se pencha en avant, l'écoutant soudain avec attention.

— Dans sa lettre, June m'expliquait qu'après notre rupture elle avait découvert qu'elle était enceinte. Elle disait qu'elle avait décidé de ne pas me mettre au courant et d'élever l'enfant — toi — toute seule.

— Ce n'est pas ce qu'elle m'a raconté.

Patrick haussa les épaules.

— Pourquoi aurait-elle menti alors qu'il ne lui restait plus beaucoup de temps à vivre ? Elle m'a laissé le choix de décider si j'avais envie de faire partie de ta vie. Et, si je décidais effectivement de te rencontrer, elle voulait que je te remette une lettre qu'elle t'avait écrite.

— Et vous l'avez donnée à Zach ?

Il acquiesça.

Stephen jura.

— Il m'a téléphoné après votre rencontre et n'a pas dit un fichu mot à ce sujet.

— L'avez-vous revu depuis ? demanda Nadine.

Stephen secoua la tête.

— Tu devrais peut-être l'appeler.

— Vous croyez que je n'ai pas essayé ? Il n'a répondu à aucun de mes appels, ni à aucun de mes messages.

— Il ne voulait sans doute pas que vous appreniez qu'il tentait d'amener votre père à lui donner de l'argent, intervint Nadine.

— Quoi ?

Stephen posa ses mains sur la table, sidéré.

Au moins, il ne faisait pas partie de ce plan, réalisa Patrick avec soulagement.

— Il a mentionné avoir besoin d'argent pour une affaire qu'il cherchait à monter. Mais j'imagine que ça n'arrivera pas à présent.

— Quel pauvre type ! Ecoutez, je suis désolé pour ce coup que je vous ai joué. Mais je continue de croire que c'est une perte de temps. Vous dites que vous êtes mon père, et j'imagine que c'est la vérité. Seulement, pour moi, vous n'êtes qu'un étranger.

Vraiment ? Stephen ne ressentait-il aucune sorte de lien entre eux ? Patrick prit une profonde inspiration. Il savait depuis le début que ce ne serait pas facile.

— Peut-être que si nous apprenions à mieux nous connaître, ce ne serait pas aussi bizarre. Y aurait-il une chance pour que tu puisses avoir ta journée de libre demain et que nous puissions descendre quelques pistes ?

— Non.

Au moins, la réponse était claire, songea Patrick.

— Désolé, mais cette routine de père perdu de vue depuis longtemps est… Je ne sais pas. C'est un peu trop tard.

Patrick ne trouvait plus d'arguments pour tenter de le convaincre de lui laisser une chance.

Néanmoins, il était déterminé à établir un début de communication et sortit une carte de visite de son portefeuille.

— Au cas où tu changerais d'avis un jour, voici mon numéro de téléphone, mon adresse mail et celle de mon domicile.

Stephen rangea la carte dans sa poche sans même y jeter un œil. Puis il se leva brusquement de sa chaise.

Patrick et Nadine se levèrent également.

— Si jamais tu as besoin d'un billet d'avion pour retourner à New York, préviens-moi. J'ai même une chambre d'amis, si tu as besoin d'un endroit où dormir, au cas où tu souhaiterais rester quelques jours.

— Mon contrat de travail ne se termine pas avant le mois d'avril.

— Ta tante m'a dit que tu t'étais inscrit à l'université pour cet automne. J'imagine que les frais sont plutôt élevés.

— Je prévois de mettre de côté l'argent que je gagnerai en travaillant ici.

Têtu et indépendant, nota Patrick. Curieusement, cela le rendit fier.

— Je serais néanmoins content de t'aider.

Stephen haussa les épaules.

— Il faut que j'y aille. C'était… intéressant de faire votre connaissance.

Patrick se contenta de hocher la tête. Aucun mot ne pouvait décrire cet instant. Son cœur était douloureux jusqu'au point d'exploser, pourtant il n'arrivait pas à trouver le moyen d'empêcher son fils de sortir de nouveau de sa vie.

— Est-ce que ça va ?

Réalisant qu'il était encore debout, Patrick se rassit.

— Cela a dû être tellement dur, poursuivit Nadine d'une voix tendre.

Il tremblait et prit sa main dans la sienne.

— June n'aurait jamais dû écrire ces lettres.

— Pourquoi dis-tu ça ?

— A quoi bon ? Regarde toute la souffrance que cela cause à Stephen. Il n'a pas besoin de ça, surtout quand il est en deuil de sa mère.

— Je crois que c'est une bonne chose qu'il ait réagi de manière aussi émotionnelle.

— Sérieusement ?

— C'est la preuve qu'il a un grand cœur, qu'il n'est

pas indifférent. A long terme, cela jouera en ta faveur. Je pense sincèrement qu'il finira par te contacter, qu'il aura envie que tu fasses partie de sa vie.

— Nous aurions bien besoin d'un verre.

Il fit signe à la serveuse. Quand il commanda un whisky, Nadine hocha la tête.

— Deux whiskys.

— Je ne t'ai jamais vue boire autre chose que du vin ou du champagne.

— Ces derniers jours n'ont pas été faciles.

Il ne pouvait le nier.

Il avait été tellement en colère contre elle encore quelques heures plus tôt… Mais ce n'était plus le cas à présent. Il n'arrivait pas à imaginer pouvoir partager cette aventure aux allures de montagnes russes avec quelqu'un d'autre.

Leurs boissons servies, il fit tinter son verre contre le sien.

— Merci d'avoir retrouvé mon fils. Pas une fois, mais deux. Et d'être ici avec moi. Une chance que Nathan n'ait pas été là le jour où j'ai débarqué à l'agence.

— Pourquoi Nathan en particulier ? Et si Lindsay avait été disponible ?

— C'est à cause de la lettre de June. Elle me disait de contacter Nathan Fisher si je rencontrais des difficultés pour localiser Stephen. Quoi qu'il en soit, je suis simplement heureux que tout ait bien fonctionné.

Elle le regarda d'un air grave.

— Dois-je comprendre que tu n'es plus contrarié par ma supercherie ?

Il acquiesça. Il était sincère. Le ressentiment qu'il éprouvait à son égard s'était doucement esquivé et avait été remplacé par des émotions plus profondes. Aujourd'hui, il avait rencontré son fils pour la première fois. Qu'est-ce qui comptait plus que ça ?

Il termina son whisky, puis appela la serveuse d'un

geste de la main pour en commander un autre. La tête lui tournait encore. Il avait trop de données à assimiler et pas assez de temps pour les traiter.

Cela ressemblait un peu à un saut à l'élastique.

— Nous n'avons toujours rien avalé, lui rappela doucement Nadine. Ce serait une bonne idée de manger quelque chose.

Tandis qu'ils dégustaient un plateau d'amuse-gueules, elle l'interrogea sur son livre sur l'Alaska. Le fait de parler d'un sujet à la fois familier et important pour lui l'aida à retrouver peu à peu son calme.

La nourriture également. Ses mains ne tremblaient plus.

— Et si nous montions dans nos chambres ?

Ils étaient les seuls clients encore présents dans le bar. La jeune femme qui les avait servis discutait avec le barman. Tous deux avaient la tête tournée dans leur direction avec un regard qui en disait long.

Cette fois-ci, leurs chambres se trouvaient l'une en face de l'autre. Il déverrouilla la porte de Nadine, puis lui redonna sa clé.

Si des souvenirs de la nuit qu'ils avaient passée ensemble lui traversèrent l'esprit, elle n'en laissa rien paraître.

Seule la préoccupation se lisait sur son visage.

— Vas-tu réussir à dormir ?

— Je n'en suis pas certain, répondit-il.

Puis il demanda impulsivement :

— Serais-tu partante pour regarder un film ?

Elle hésita.

— Je doute que ce soit une bonne idée.

Il ne pouvait pas lui en vouloir d'être sur ses gardes. S'ils étaient allés plus lentement depuis le début, peut-être que… Néanmoins, il ne pouvait se résoudre à regretter ce qui s'était passé à Emerald Lake Lodge. Ce qui s'était passé plus tard, oui. Mais pas leur nuit ensemble.

Il la désirait autant maintenant qu'à ce moment-là. Mais le besoin qu'il éprouvait d'être proche d'elle était encore plus fort que son désir.

— Seulement un film, promit-il. Sans arrière-pensées. J'ai besoin de donner à mes émotions une chance de s'apaiser.

Ce dernier argument parut la convaincre.

— D'accord, entre.

A l'intérieur de la chambre, un sofa était installé en face d'un meuble dans lequel se trouvaient à la fois une télévision et un minibar. Il attrapa la télécommande et lut à voix haute les titres des films disponibles pendant qu'elle ouvrait une bouteille d'eau et en versait dans deux verres.

Ils optèrent pour une comédie avec Jim Carrey.

Elle s'assit à côté de lui, en veillant à laisser un espace raisonnable entre eux.

Néanmoins, durant tout le film, il ne put oublier à quel point elle était proche de lui.

Il mourait d'envie de la toucher, d'enrouler doucement un bras autour de ses épaules et de sentir sa tête posée contre son torse.

Mais il avait l'intention de tenir sa promesse.

Nadine passa la seconde moitié du film à somnoler de façon intermittente. La bande sonore était aussi apaisante qu'une berceuse.

Soudain, il n'y eut plus de bruits de voix, juste de la musique, et elle se rendit vaguement compte que le générique de fin défilait.

Puis le silence et le noir remplirent la pièce.

— Désolé. J'aurais dû allumer une lampe avant d'éteindre la télévision.

Patrick tâtonna dans le noir pendant quelques secondes avant de localiser un interrupteur. Une lumière ambrée inonda son visage.

— Tu n'as pas aimé le film ? s'enquit-il en lui souriant avec indulgence.

— Si, répondit-elle. J'étais simplement fatiguée.

Le sourire de Patrick s'évanouit lentement. Ses yeux semblèrent s'agrandir, sa respiration devenir plus forte. La pièce paraissait soudain très petite et le lit, très grand.

Elle voulut lui dire qu'elle ne l'obligerait pas à tenir sa promesse, eut envie de l'embrasser et de sentir ses mains sur son corps.

Mais, par-dessus tout, elle ne voulait pas qu'il s'en aille.

— June Stone était-elle l'amour de ta vie ?

Il prit une inspiration.

— Pourquoi cette question ?

Cela faisait un certain temps qu'elle souhaitait la lui poser.

Il se tourna légèrement pour se mettre face à elle et étendit un bras le long du dossier du sofa.

— June a été ma première petite amie, la femme avec qui j'ai perdu ma virginité et, en fin de compte, la mère de mon fils.

— Cela représente une sacrée liste.

— Elle a sans aucun doute été importante pour moi. Mais l'amour de ma vie ? Non.

— Quelqu'un d'autre, alors ?

Elle s'adossa à l'accoudoir du sofa. Elle croisa ses jambes devant elle et posa ses mains sur ses genoux. Bien qu'il s'agisse d'une pose de yoga classique, elle ne se sentait pas le moins du monde détendue.

— Toujours en train de poser des questions. Ne

crois-tu pas que ce devrait être mon tour à présent ? Qui est l'amour de ta vie ?

Elle aurait dû deviner qu'il renverserait les rôles et préparer une réponse à lui fournir. Mais elle n'en avait aucune. Elle réfléchit aux hommes avec lesquels elle était sortie, de manière désinvolte pour la plupart. Aucun ne se détachait.

En fait, avant de rencontrer Patrick, elle avait toujours supposé qu'elle n'était pas quelqu'un de très passionné. Heureusement, il lui avait prouvé qu'elle avait tort sur ce point.

— Allons, j'attends encore…

Elle haussa les épaules.

— Moi aussi.

Il patienta une seconde, puis lui demanda :

— Est-ce que tu veux dire que tu ne l'as pas encore rencontré ?

— Oui, mentit-elle.

17

Patrick fut réveillé en sursaut par les secousses de l'avion.

— Mesdames et messieurs, nous avons rencontré une petite turbulence, annonça le pilote avec un calme imperturbable. Veuillez, s'il vous plaît, vous assurer que vos ceintures sont bien attachées.

Il jeta un coup d'œil à Nadine, assise à côté de lui. Elle était cramponnée au magazine qu'elle avait acheté à l'aéroport de Toronto, comme si elle craignait qu'il soit sur le point de lui être arraché des mains.

— Est-ce que ça va ?

Elle hocha la tête d'un air tendu.

— Je n'ai jamais été fan des turbulences.

Il lui tendit une main qu'elle accepta volontiers de prendre. Sa poigne le fit grimacer.

Il caressa avec son pouce la longueur de ses doigts. Il l'avait vue porter des boucles d'oreilles, des bracelets et des colliers, mais jamais de bagues.

Quel effet cela lui ferait-il d'être l'homme qui glisserait une alliance à son annulaire fin, puis la regarderait dans les yeux en sachant qu'elle était sienne ?

Une nouvelle turbulence secoua l'avion, et les doigts de Nadine écrasèrent sa main un peu plus. Il grimaça de nouveau et tenta de penser à un moyen de la distraire.

— Et si tu me posais une autre de ces questions ? dit-il. Tu sais, le jeu de Proust.

— Heu, d'accord…

Elle prit une profonde inspiration, réfléchit un peu, puis demanda :

— Quelle qualité admires-tu le plus chez une femme ?

Autrefois, il aurait sans doute répondu le courage ou le sens de l'aventure, l'honnêteté ou la force. Mais, depuis qu'il avait rencontré Nadine, sa compréhension de lui-même et de ce qu'il appréciait avait changé, ce qui le fit lutter pour mettre un mot sur cette caractéristique unique qu'il jugerait la plus séduisante.

Puis il la vit mettre ses cheveux derrière son oreille avec sa main libre, et ce fut comme une évidence.

— La grâce.

Ce mot allait au-delà des mouvements de Nadine pour englober l'essence de sa personnalité. La manière dont elle traitait les étrangers et abordait son travail… et dont elle faisait l'amour.

Depuis qu'ils avaient quitté la station de Kicking Horse, il avait tenté de se convaincre que ce jour serait le dernier qu'ils passeraient ensemble, que, lorsque le taxi la déposerait chez elle à New York, il lui ferait ses adieux pour de bon.

Mais il se mentait à lui-même. Il voulait qu'elle fasse partie de sa vie et devait trouver un moyen pour que cela se réalise.

Quand Patrick donna l'adresse de Nadine au chauffeur de taxi, elle n'eut pas la force de protester. Elle était épuisée. Ses yeux la brûlaient et elle avait mal à la tête. Néanmoins, elle ne fut pas plus capable de s'endormir dans la voiture que dans les deux avions qu'ils avaient pris à la suite.

Ce n'était pas juste la turbulence qui l'avait tenue en éveil.

Il restait tellement de non-dits entre Patrick et elle que cela la rendait folle. Il était aussi attiré par elle qu'elle l'était par lui. Et, en même temps, il partageait ses doutes sur leur possible relation. Après tout, ils avaient très peu en commun.

Mais peut-être que justement ces différences les attiraient l'un vers l'autre.

Le taxi les arrêta devant son immeuble, et Patrick indiqua au portier, d'un geste de la main, qu'il n'avait pas besoin de son aide. Il porta son sac jusqu'en haut des marches et s'arrêta devant la porte pour lui faire ses adieux. Il était plus de minuit, et elle avait encore les oreilles bouchées à cause du changement de pression atmosphérique. Elle lui attrapa le bras pour se remettre d'aplomb. Même à travers l'épaisseur de sa veste, elle sentit ses muscles durs.

— J'imagine que c'est ici que l'on se dit au revoir, fit-elle en le dévisageant.

La ville était anormalement silencieuse.

Elle pouvait entendre sa respiration puissante. Et l'éclairage des réverbères était suffisant pour lui permettre de voir les signes de lutte intérieure sur son visage.

— Peut-être que ce devrait être un au revoir, murmura-t-il. Mais ce n'est pas ce que je veux.

Elle faillit pousser un soupir de soulagement.

— Moi non plus.

Elle laissa sa tête tomber contre son torse. Il l'enveloppa de ses bras, la serrant contre lui comme s'il ne pouvait pas supporter de la lâcher.

— Quand peut-on se revoir ?

Un dîner ou un film seraient des choix sûrs, mais ils avaient déjà dépassé ce stade, songea-t-elle. Elle redressa la tête et le regarda droit dans les yeux.

— Aimerais-tu venir dîner chez mes parents dimanche prochain ?

Il déglutit et elle perçut sa panique. Mais, avant qu'elle puisse douter de la sincérité de ses intentions, il hocha la tête.

— Ce serait merveilleux, répondit-il.

Non, ça ne le serait pas, pensa-t-elle. Ses parents rendraient la situation inconfortable et difficile. Néanmoins, elle sentait au fond de son cœur que c'était ce qu'elle avait besoin de faire. Elle n'avait aucune idée de la direction que prendrait sa relation avec Patrick, mais il était déjà très important pour elle.

Et puis, elle était fatiguée des secrets, des demi-vérités et de ne jamais se sentir libre d'être complètement elle-même.

Il prit son visage entre ses mains chaudes et l'embrassa avec douceur. Puis il s'écarta pour l'observer.

— Tes parents vont m'adorer.

Sa bravade la fit sourire et l'expression de son regard la remplit de chaleur. Elle aurait voulu graver cet instant dans son cœur à jamais…

Patrick passa les jours suivants à préparer sa tournée de promotion pour son livre et à s'armer de courage pour sa rencontre avec les parents de Nadine.

Il s'agissait certainement d'une sorte de test. Elle voulait qu'il lui prouve qu'il n'était pas juste intéressé par le côté sexuel de leur relation, étant donné qu'ils s'étaient retrouvés ensemble dans un lit aussi rapidement après s'être rencontrés.

Il n'avait aucun problème avec ça. C'était un test qu'il réussirait haut la main, parce qu'il savait depuis le début que Nadine était spéciale.

Le dimanche soir, il se rendit en taxi jusqu'à son appartement. Ils étaient convenus d'effectuer le trajet à pied jusqu'au domicile de ses parents, situé à huit blocs d'immeubles de chez elle.

Les illuminations de Noël étincelaient contre la neige fraîchement tombée. Il n'avait jamais vu la ville aussi belle. Ni Nadine, avec ses cheveux ondulés et ses joues rosies par le froid.

Quand elle s'arrêta devant un hôtel particulier de cinq étages, il sentit son humeur se refroidir brutalement.

— Nous sommes arrivés ?

Elle acquiesça d'un signe de tête.

Il écarquilla les yeux.

Ayant récemment acheté son propre appartement en copropriété, il connaissait très bien les prix de l'immobilier à Manhattan. Cet endroit devait valoir entre trente et quarante millions de dollars.

Certes, la famille de Nadine était fortunée — ils possédaient les hôtels Waverly, pour l'amour du ciel. Mais ce genre de montant était démentiel.

— Tu ne vas pas faire machine arrière maintenant, n'est-ce pas ?

— Bien sûr que non, répondit-il, même s'il en mourait d'envie.

— Dans ce cas, allons-y.

Elle ne lui semblait plus aussi insouciante que durant le trajet. Il sentait sa vive inquiétude presque aussi fortement que la sienne.

En entrant dans l'hôtel particulier, il fut stupéfait par la splendeur du hall — avec son plafond en voûte, son sol en marbre et une immense peinture à l'huile.

Une femme, vêtue d'une robe noire modeste et qui paraissait assez âgée pour être la grand-mère de Nadine, avança vers eux d'un air affairé.

— Martha.

Nadine l'étreignit chaleureusement.

— Je vous présente Patrick O'Neil. Patrick, Martha dirige cet endroit, lui expliqua-t-elle.

Croisant le regard d'acier de la gouvernante, il réalisa que son approbation était probablement aussi importante que celle des parents de Nadine.

Martha les débarrassa de leurs manteaux.

— Allez-y, dit-elle à Nadine. Vos parents sont déjà dans la salle de musique.

Il n'avait jamais mis les pieds dans un endroit aussi grandiose. Il suivit Nadine en silence tandis qu'elle le conduisait dans une grande pièce qui contenait une immense cheminée avec un manteau en pierre, le genre de mobilier à l'air inconfortable que l'on voyait dans les boutiques antiques, et un magnifique piano à queue.

Puis il posa son regard sur les parents de Nadine : un homme grand, en costume-cravate, et une femme menue et ravissante avec un sourire froid et pincé.

Il prit une profonde inspiration et esquissa un sourire. Ils étaient des gens comme les autres, pas vrai ? Et puis, il n'avait jamais eu aucun mal à s'entendre avec qui que ce soit.

Les présentations faites, on lui offrit un verre. S'ensuivit une série de questions qui s'avéra être une version polie d'un interrogatoire de police. Où avait-il grandi ? Où avait-il étudié ? Qui étaient ses parents ? Qu'en était-il de ses grands-parents ?

Jusqu'à ce que Nadine finisse par les interrompre.

— Vous devriez interroger Patrick à propos de ses voyages. Il a des histoires incroyables.

Le sourire approbateur de Nadine était aussi réconfortant que l'excellent whisky contenu dans son verre. Après en avoir avalé une longue gorgée, il décida de se lancer dans l'une de ses histoires qui remportaient toujours un franc succès.

Sans exception, tout le monde aimait une histoire de montgolfière où, défiant des calculs minutieux, des vents inattendus la faisaient atterrir, avec ses trois passagers, au milieu d'un mariage en plein air, au moment précis où les mariés étaient sur le point d'échanger leurs vœux.

— Cela a dû être très pénible pour la famille, lança Sophia comme seul commentaire.

— Dites-moi, Patrick. Avez-vous jamais eu un vrai travail ?

Il termina son whisky d'un trait.

— Qu'entendez-vous par vrai ?

— Un emploi qui implique de travailler. Pas de faire de la montgolfière, d'escalader des montagnes et toutes ces absurdités.

Il jeta un coup d'œil en direction de Nadine. Elle retenait littéralement son souffle, l'implorant du regard de… de faire quoi ? Comment s'attendait-elle à ce qu'il réagisse à l'impolitesse de son père ?

Il se tourna de nouveau vers ce dernier et haussa les épaules.

— Je gagne très bien ma vie avec mes livres.

— L'argent n'est pas tout, répliqua Wilfred.

Il soupçonnait que c'était en fait tout, du moins dans cette maison. Mais il fallait que ce soit beaucoup d'argent. Et, de préférence, qu'une partie vous ait été léguée par vos ancêtres.

Il fut soulagé quand Martha vint annoncer que le dîner était servi.

Tandis qu'il s'installait à sa place, autour de la table de la salle à manger située à l'étage supérieur, il décida de laisser ses hôtes faire la conversation.

Finalement, ce fut Nadine qui en prit le contrôle.

Durant les trois plats — de la soupe, de la salade et de la couronne d'agneau —, elle navigua entre des sujets qui étaient manifestement les préférés de ses parents.

N'étant plus le centre d'attention, il commença à apprécier leur intelligence et le fait qu'ils possédaient en fait un certain sens de l'humour.

Puis Martha refit son apparition pour leur annoncer que le café et le dessert étaient prêts dans la bibliothèque.

Ils se levèrent de table et il fut heureux de marcher à côté de Nadine pendant un moment. Il plaça une main au creux de ses reins et se pencha pour lui murmurer à l'oreille :

— Une autre pièce ? Davantage de nourriture ? Je n'arrive pas à le croire.

Elle lui donna un petit coup de coude.

— Chut. Je t'avais prévenu.

— Suivent-ils vraiment le même rituel chaque soir ?

— Chut, répéta-t-elle tandis qu'ils pénétraient dans la bibliothèque la plus incroyable qu'il ait jamais vue.

Des étagères tapissaient tous les murs, même au-dessus et en dessous des fenêtres. Au centre de la pièce, des fauteuils en cuir entouraient une table en marbre sur laquelle étaient posés un service à café en argent et des coupes à dessert remplies de crème brûlée, ainsi qu'un plateau de fromages et de fruits secs.

Il espérait rester hors des feux des projecteurs pour cette dernière partie du dîner. Hélas pour lui, Sophia Waverly décida que son tour était venu de diriger la conversation.

— Patrick, racontez-moi comment vous avez rencontré ma fille, demanda-t-elle.

Bonté divine ! Voyant la panique dans le regard de Nadine, il décida que faire preuve de concision était la clé.

— Je l'ai rencontrée à l'agence Fox & Fisher, lorsque je m'y suis rendu afin d'engager leurs services.

— Je croyais que c'était lors du gala de charité pour la forêt tropicale ? s'étonna le père de Nadine.

Oups. Il jeta un coup d'œil à Nadine : ils auraient dû se mettre d'accord sur ce genre de détails.

— C'était le même jour, plus tard, répondit-il.

— Est-ce à cause de votre affaire que Nadine a dû se rendre au Canada à deux reprises, ce mois-ci ? s'enquit Sophia.

— Oui.

Comme elle semblait attendre qu'il se livre un peu plus, il s'éclaircit la gorge et poursuivit :

— Elle m'a aidé à retrouver mon fils.

— Il avait disparu ? Quel âge a-t-il ?

— Stephen a dix-huit ans. Et il n'avait pas disparu. Je venais d'apprendre son existence et je souhaitais faire sa connaissance.

Stupéfaite et sous le choc, Sophia eut un mouvement de recul. Tour à tour, elle posa son regard sur lui, son mari, puis sa fille.

— Comment est-ce possible ?

Bien que désireux de montrer le plus grand respect aux parents de Nadine, il n'avait aucunement l'intention de partager ces détails avec eux.

— C'est une longue histoire. Je ne veux pas vous ennuyer avec ça.

Les Waverly s'abstinrent d'en demander davantage. Néanmoins, il les sentait en train de le juger sur des faits dont ils ignoraient tout — de le trouver irresponsable et de mœurs légères, voire amoral.

Nadine jeta un coup d'œil à sa montre.

— Je ne m'étais pas rendu compte qu'il était si tard. Je crains que nous ne devions nous en aller. Patrick part demain en tournée de promotion pour son livre, une tournée qui doit durer cinq semaines.

— Dans ce cas, je suppose qu'il ferait bien de se mettre en route, dit Wilfred. Mais il n'y a aucune raison pour que tu sois forcée de partir aussi tôt, ma chérie.

Il s'attendit presque à ce que Nadine cède aux souhaits évidents de ses parents.

— Ne sois pas bête, papa. Bien sûr qu'il faut que j'y aille. Je vous verrai tous les deux mercredi. Inutile de demander à Martha de nous raccompagner. J'ai ma clé, je fermerai la porte d'entrée.

*
* *

— Je suis désolée, je suis désolée, je suis désolée !

Nadine embrassa Patrick entre chaque excuse.

— Ils ont été affreux, je suis tellement désolée.

Il accepta volontiers ses baisers. Néanmoins, elle voyait bien qu'elle devrait faire davantage pour se faire pardonner.

— Maintenant, je comprends pour quelle raison tu n'avais pas envie de travailler pour l'entreprise familiale, dit-il tandis qu'ils prenaient la direction de son appartement.

Même si c'était vrai, sa remarque la piqua au vif. Ses parents avaient beau la rendre folle, elle les aimait et elle souffrait de constater qu'il ne pouvait pas voir au-delà de leurs défauts.

D'un autre côté, pourquoi le devrait-il ?

Pour moi. Il devrait le faire pour moi…

Elle fit taire la petite voix dans sa tête. Il y aurait d'autres dîners, et ils auraient amplement le temps de s'adapter les uns aux autres. Elle parlerait à ses parents, leur ferait comprendre qu'ils feraient bien de mieux se conduire la prochaine fois.

Lorsqu'ils arrivèrent devant la porte de son appartement, elle se blottit dans ses bras. Une chaleur délicieuse la remplit tandis qu'il l'embrassait, repoussant le froid du vent d'hiver.

— Je n'arrive pas à croire que tu seras parti pendant cinq semaines.

— Je serai de retour pour trois jours à Noël. Mais tu as raison. Cela va être sacrément long.

Il posa une main contre sa joue. Ses doigts étaient glacés. Elle enroula sa main autour de sa paume et l'amena à ses lèvres pour y déposer un baiser.

— Tu es transi. Je me sentirais vraiment coupable si tu tombais malade juste avant ta tournée.

Il haussa les sourcils.

— Je suis touché par ta sollicitude.

— Aimerais-tu entrer et te réchauffer ?

— Mon cœur, je croyais que tu ne le proposerais jamais.

Après la magnificence de l'hôtel particulier des parents de Nadine, Patrick craignait presque de voir l'intérieur de son appartement. Mais il fut agréablement surpris de trouver l'endroit confortable et sans prétention.

Certes, le mobilier et les objets d'art étaient probablement beaucoup plus chers qu'ils en avaient l'air, mais, au moins, ils ne criaient pas « argent » et « ne pas toucher » comme les affaires de ses parents.

— As-tu envie de boire quelque chose ? lui demanda-t-elle.

Il l'aida à retirer son manteau et le posa sur une banquette recouverte d'un tissu duveteux et couleur ivoire.

— Je n'ai envie de rien d'autre que toi, répliqua-t-il en l'attirant contre lui.

Tandis qu'il l'embrassait, il s'efforça de ne pas penser que cette nuit serait la dernière qu'ils passeraient ensemble pendant trois semaines, ou qu'il méprisait ses parents, ou que son fils ne semblait pas intéressé d'apprendre à le connaître.

Ce n'était pas une soirée à s'appesantir sur ses problèmes.

Avec douceur, il fit descendre ses mains le long du dos de Nadine, jusqu'à ses fesses. Il guida le mouvement de son corps, mêlant son rythme au sien.

— Et si j'allais enfiler quelque chose de plus confortable ? suggéra-t-elle, sa bouche contre son oreille.

Il avait plutôt en tête de lui retirer complètement ses vêtements. Le plus tôt serait le mieux. Mais il ne devait pas partir pour l'aéroport avant 9 heures, le lendemain matin, et sa valise était déjà prête.

— Vas-y, répondit-il en la lâchant à contrecœur. Mais ne sois pas trop longue. Je ne veux pas gaspiller une seule minute des dix heures que nous avons devant nous.

18

Pour la première fois depuis qu'elle avait commencé à travailler à l'agence, Nadine arriva en retard. Elle avait été incapable de quitter son appartement jusqu'à ce que Patrick parte prendre son avion. Ayant à peine fermé l'œil de la nuit, elle avait mauvaise mine. Mais elle s'en moquait.

La nuit avait été incroyable. Pas simplement de faire l'amour avec lui, mais tout ce qui avait suivi : les câlins, prendre un bain ensemble, manger un encas dans la cuisine, dormir dans les bras l'un de l'autre…

— Vous avez vingt minutes de retard, lui fit remarquer Tamara, installée derrière son bureau, à taper un rapport.

— Je sais, répondit Nadine.

La chaleur lui monta aux joues.

— Est-ce que j'ai manqué quelque chose ?

— Juste un client potentiel. Lindsay est en train de s'entretenir avec lui dans la salle de conférences. Bien sûr, si vous n'êtes pas occupée, vous pourriez toujours me montrer le système de classement encore une fois.

Nadine plissa les yeux. Est-ce qu'elle se moquait d'elle ? Avant qu'elle puisse en décider, Nathan sortit de son bureau.

— Vous voilà ! Mme Waldgrave doit passer ce matin pour une mise à jour concernant l'enquête. Avez-vous terminé votre rapport ?

— Oui.

La semaine précédente, quand elle avait déposé les

preuves au poste de police, on lui avait assuré que l'escroc serait bientôt derrière les barreaux et pour un certain temps.

— Super.

Nathan lui tendit le dossier.

— Je vous laisse vous en occuper pendant que je règle quelques factures.

Il s'apprêtait à retourner dans son bureau quand il la regarda plus attentivement.

— Vous avez l'air différente.

— Je parie qu'elle n'a pas passé la nuit toute seule.

— Tamara !

Lindsay et son client sortirent au même moment de la salle de conférences. Elle le raccompagna jusqu'à la porte, puis se retourna brusquement.

— Nadine, est-ce que c'est vrai ? Vous avez passé la nuit avec Patrick O'Neil ?

Nathan se frotta la tête.

— Vous sortez avec Patrick O'Neil ? Pourquoi ne m'a-t-on rien dit ?

— Je l'ai fait. La prochaine fois, écoute-moi quand je te parle, Nathan.

Nadine n'en revenait pas de la manière puérile dont ils se comportaient.

— Nous ne sommes pas au collège, et ma vie amoureuse…

Elle s'interrompit soudain, se rendant compte qu'elle n'était pas du tout en colère. En fait, elle n'avait jamais été plus heureuse de sa vie. Et ces personnes n'étaient pas simplement des collègues de travail, mais des amis — à l'exception de Tamara.

— Ma vie amoureuse est absolument merveilleuse, et c'est tout ce que j'ai à dire sur ce sujet. Excepté qu'il vient de partir pour trois semaines, pour la tournée de promotion de son livre, et qu'il va terriblement me manquer.

— Sera-t-il de retour pour Noël ? demanda Lindsay.

Et la Saint-Sylvestre ? Il vous accompagnera à notre mariage, n'est-ce pas ?

— Il ne revient pas avant le 24. Une séance de dédicaces pour son livre est programmée la veille de Noël, de 19 heures à 21 heures. Ensuite, il sera tout à moi pendant deux jours et demi. Je crains qu'il lui soit impossible de se rendre à votre mariage. Il repart le 27 pour les deux dernières semaines de sa tournée.

— Ne vous inquiétez pas. Vous serez tellement occupée avec les affaires que je vais vous confier qu'il vous manquera à peine, promit Lindsay.

Elle la prit par le bras et l'entraîna en direction de son bureau pendant que Tamara répondait au téléphone.

— Ohé, tout le monde ! s'exclama soudain la réceptionniste. C'est le mari de Kate au téléphone. Ils sont à l'hôpital. Elle va avoir le bébé d'une seconde à l'autre.

Ce soir-là, Nadine laissa un message sur le portable de Patrick et lui envoya également un mail. Le programme de sa tournée de promotion était scotché sur son frigo. Il se trouvait à Boston. La lecture et la séance de dédicaces devaient se terminer à 21 heures. Néanmoins, à 22 h 30, il ne l'avait toujours pas rappelée.

Elle tenta une nouvelle fois de le joindre à 23 heures.

Puis elle réussit finalement à l'avoir une demi-heure plus tard.

— Nadine, je suis désolé, mon téléphone était éteint. Est-ce que tout va bien ?

Elle tenta de rassembler le même enthousiasme qu'elle avait éprouvé plus tôt pour lui annoncer la nouvelle.

— Le bébé de Kate est né aujourd'hui !

— Vraiment ? Garçon ou fille ?

La nouvelle n'avait pas l'air de lui faire le moindre effet… D'un autre côté, il ne connaissait ni Kate ni Jay.

— Une petite fille : Alice. Lindsay, Nathan et moi sommes allés leur rendre une courte visite.

Elle se pelotonna sur le sofa et remonta une couverture sur ses jambes.

— Kate m'a laissée la tenir.

— Je n'ai jamais tenu de bébé, dit-il. Je ne crois pas que je saurais comment faire.

Cela devait être douloureux pour lui d'avoir manqué tous ces moments dans la vie de son fils, songea-t-elle.

En voyant Nathan passer un bras autour des épaules de Lindsay, lorsque son tour était venu de prendre le bébé, elle s'était surprise à penser à des choses qu'elle n'avait jamais vraiment envisagées auparavant…

Se marier, avoir des enfants, fonder une famille.

Evidemment, il était beaucoup trop tôt pour les considérer avec Patrick.

— J'aurais aimé que tu sois là, dit-elle doucement.

— Moi aussi…

— Ta séance de dédicaces a-t-elle duré plus longtemps que prévu ? Est-ce la raison pour laquelle tu es revenu aussi tard dans ta chambre ?

— Non. Je suis allé boire un verre et avaler un repas tardif avec quelques-uns des organisateurs de l'événement après la fermeture du magasin. Voilà pourquoi je viens seulement d'avoir ton message.

Elle ressentit une pointe de jalousie. S'agissait-il d'hommes ? De femmes ?

Elle s'abstint de poser la question. Elle ne pouvait pas. Il fallait qu'elle lui fasse confiance, et évidemment que c'était le cas.

— Je ferais bien de dormir un peu. Demain matin, je commence ma journée de bonne heure avec un passage dans un talk-show, suivi par deux autres séances de dédicaces.

— Tout cela a l'air très glamour.

— Fais-moi confiance, ça ne l'est pas. Je préférerais de loin être avec toi.

— Tu le seras dans vingt jours. Non pas que je compte.

— J'aime que tu le fasses. Je compterai les jours moi aussi. Cette maudite tournée de promotion n'aurait pas pu tomber à un pire moment.

— Au moins, tu seras rentré pour Noël.

— Oui. Je me demandais d'ailleurs quoi faire à ce sujet pour Stephen. Je lui ai laissé le choix de décider ou non de prendre contact avec moi. Mais crois-tu que ce serait une bonne idée si je lui envoyais un cadeau ?

— Définitivement.

— D'accord. Je dois te laisser. On se parle demain, mon ange. Dors bien.

Elle resta cramponnée au combiné du téléphone après que Patrick eut raccroché. Elle aurait aimé que leur conversation dure plus longtemps. Il y avait tant de choses dont elle avait envie de lui parler, qu'elle voulait lui demander.

Comme s'il avait envie d'avoir des enfants un jour, par exemple.

Elle ignorait encore tellement de choses sur l'homme dont elle était en train de tomber amoureuse.

Tandis qu'elle dînait chez ses parents, Nadine était déterminée à évoquer la manière dont ils avaient traité Patrick. Elle prévoyait d'attendre qu'ils abordent le sujet, mais ils avaient passé les cocktails et le plat principal sans dire un seul mot le concernant.

Quand arriva le moment de manger le dessert dans la bibliothèque, elle ne put s'empêcher de se demander s'ils avaient oublié.

— Nous devrions déjeuner ensemble ce vendredi afin de passer en revue le programme de Noël, suggéra sa mère.

De nombreuses soirées étaient organisées pendant les

fêtes. Comme cela rendait sa mère heureuse, elle essayait de se rendre à autant de ces soirées que possible.

— D'accord, maman. Déjeunons ensemble.

— Je suis sûre que je n'ai pas besoin de te rappeler que le réveillon se déroulera chez tante Eileen et…

— Désolée, mais je ne pourrai pas venir cette année. Patrick rentre de sa tournée de promotion ce jour-là. Il donne une dernière séance de dédicaces à laquelle je compte assister. Puis nous passerons le reste de la soirée ensemble.

Son annonce fut accueillie par un silence. Son père ajouta du sucre à son café, pendant que sa mère prenait une coupe remplie de baies imbibées de cognac et recouvertes d'un filet de chocolat blanc.

Elle s'était attendue au moins à une discussion symbolique puisque ce serait la première année qu'elle ne passerait pas cette soirée-là avec eux.

— Le dîner de Noël se fera ici, bien sûr, poursuivit sa mère comme si de rien n'était. Juste en famille, comme d'habitude.

— Je suppose que Patrick y sera le bienvenu ?

Sa mère poussa un profond soupir.

— Cette relation dure donc toujours.

— Evidemment. Je l'ai amené ici pour qu'il vous rencontre il y a tout juste une semaine.

Encore une fois, personne ne dit rien. Elle commençait vraiment à être en colère.

— D'ailleurs, votre comportement ce soir-là… était embarrassant. Jamais auparavant vous n'avez traité l'un de mes amis de cette façon.

— Dans le passé, tu as fait preuve de bon goût dans le choix de tes amis, soupira sa mère.

Evidemment, elle les avait tous rencontrés dans des écoles que ses parents avaient sélectionnées, des fêtes et des galas auxquels elle s'était rendue par égard pour eux. Pour la première fois, elle se rendit compte à quel point ils contrôlaient sa vie avant qu'elle ne commence à travailler chez Fox & Fisher. Etait-ce la véritable raison pour laquelle ils avaient protesté si vigoureusement face à sa décision de travailler avec des détectives privés ?

Pas parce que ce travail était potentiellement dangereux, mais parce qu'elle aurait l'occasion de rencontrer toutes sortes de personnes, d'aller dans toutes sortes d'endroits, et qu'ils n'auraient pas leur mot à dire.

— Je ne comprends pas quelles objections vous pourriez avoir contre Patrick. Maman, ton comité lui a demandé de venir prononcer un discours au gala, pour l'amour du ciel. Reconnais qu'il est intelligent, parle bien et a fait beaucoup de choses intéressantes dans sa vie.

— C'est un voyageur, intervint son père d'une voix bourrue. Un aventurier. Pas le genre d'homme qui convient à notre fille.

— Cette décision ne vous appartient pas. J'ai vingt-sept ans, je suis assez grande pour choisir de qui je tombe amoureuse.

Ses parents secouèrent tous les deux la tête.

— Ce que tu ressens pour lui n'est pas de l'amour, ma chérie, rétorqua sa mère.

— Nous comprenons pourquoi cet homme pourrait te plaire, ajouta son père. Mais ce n'est pas le genre de relation que tu devrais autoriser à devenir sérieuse.

— Je n'arrive pas à croire que vous me parliez ainsi.

Elle reposa sa tasse de café sur la table.

— Je suis venue ici, ce soir, avec la ferme intention de vous dire à tous les deux que votre comportement de l'autre jour était inacceptable. Et vous avez le culot de me faire un sermon ?

— Nadine.

Son père jeta sa serviette sur la table, pendant que sa mère recouvrait sa bouche avec sa main.

Elle les avait choqués et, à vrai dire, elle l'était aussi. Elle ne leur avait jamais parlé ainsi. Parce que, jusqu'à maintenant, rien n'avait semblé assez important pour causer un tel vacarme. Néanmoins, elle avait toujours présumé qu'ils estimaient son opinion et avaient confiance en elle.

— Je suis sérieuse. Si Patrick n'est pas le bienvenu ici, pour le dîner de Noël, je n'y assisterai pas non plus.

— Tu ne penses pas ce que tu dis, répondit sa mère, au bord des larmes.

Elle détestait la voir ainsi. Mais elle savait au fond d'elle qu'elle ne devait pas se laisser influencer par ses parents.

— Si, je le pense. Non seulement j'attends de vous que vous invitiez Patrick au dîner de Noël, mais également que vous le traitiez avec le même respect et la même considération que vous traitez tous vos invités.

Comme il n'y avait rien d'autre à ajouter, elle quitta la pièce.

Ce fut seulement quand elle arriva dans la rue et qu'elle prit la direction de chez elle que la signification de ce qui s'était passé lui apparut. Elle venait de se brouiller avec ses parents.

Elle garda le menton redressé tandis que les larmes lui montaient aux yeux.

Patrick l'appela tard, ce soir-là.

— Où étais-tu ? J'essaie de te joindre depuis des heures.

— Je… je dînais chez mes parents.

Elle attendit de voir s'il demanderait des détails sur sa soirée, mais il n'en fit rien.

Décidant que c'était mieux ainsi, elle l'écouta partager plusieurs histoires à propos de sa journée avec excitation. Elle ne pensait pas être capable de décrire ce qui venait de se passer sans se mettre à pleurer. Et elle n'avait pas envie qu'il s'inquiète pour elle.

Le jour du réveillon de Noël arriva et Nadine put enfin retrouver Patrick. Tandis qu'elle le regardait dédicacer des livres et parler à ses fans, elle songea avec délices à la soirée qu'ils allaient passer rien que tous les deux. Elle se sentait proche du bonheur parfait.

Mais une chose entachait cette journée : elle n'avait toujours eu aucune nouvelle de ses parents. Elle n'arrivait pas à croire qu'ils préféraient qu'elle n'assiste pas au dîner de Noël plutôt que de la voir venir avec Patrick.

Elle vérifia son téléphone portable. Aucun appel manqué, aucun message.

Apparemment, ils campaient fermement sur leurs positions ridicules.

Remarquant Patrick qui se dirigeait vers elle, elle esquissa un sourire. Derrière lui, les employés du magasin remettaient de l'ordre après la séance de dédicaces et rangeaient les exemplaires du livre qui n'avaient pas été vendus.

Il l'attira dans ses bras et l'embrassa.

— Ma chérie, c'est enfin terminé. Nous pouvons rentrer.

Elle se cramponna à son bras tandis qu'ils sortaient pour trouver un taxi. La nuit était froide et le ciel dégagé. Elle avait approvisionné son appartement avec tout ce dont ils auraient besoin pour les trois prochains jours, jusqu'à ce qu'il reparte pour achever sa tournée.

— J'ai hâte de t'avoir rien qu'à moi, dit-il dès qu'ils furent enlacés sur le siège arrière du taxi.

Il lui prit le visage entre ses mains et déposa un baiser sur le bout de son nez.

— Merci d'avoir été aussi patiente.

Elle était encore sidérée par le nombre de personnes qui s'étaient déplacées pour l'écouter, le rencontrer et acheter l'un de ses livres.

— Avant ce soir, je n'avais pas réalisé à quel point tu étais une célébrité.

— Loin de là. Mais je dois avouer que j'ai vendu beaucoup de livres ces trois dernières semaines. Je crois même que tes parents seraient impressionnés. Nous les verrons demain, je suppose ?

A l'extérieur, les illuminations de Noël se mirent à défiler dans une masse confuse tandis que le taxi quittait la circulation dense du centre-ville et prenait de la vitesse.

— Non, nous avons les trois jours entiers rien que pour nous.

— J'aime entendre ça. Mais tout de même, nous devons passer un peu de temps avec ta famille. Pour le dîner de Noël, au moins.

Elle secoua la tête. Au cours de certaines de leurs conversations téléphoniques, Patrick avait parlé de rendre visite à ses parents pendant les fêtes. Chaque fois, elle avait réussi à détourner la conversation vers un autre sujet.

Elle avait espéré qu'avec le temps elle serait capable de parler de la situation sans se mettre à pleurer. Mais c'était encore trop douloureux.

— Que se passe-t-il ? Pourquoi évites-tu mon regard ?

— Mes parents et moi… nous sommes brouillés.

— Comment ça ?

Il comprit soudain.

— A cause de moi ?

Elle acquiesça d'un signe de tête.

— Je suis désolé, ma chérie. Qu'est-ce qui s'est passé ?

D'une voix entrecoupée, elle lui raconta l'essentiel de leur conversation. Puis elle insista fermement sur le fait qu'elle n'avait aucun regret.

— Je ne m'étais pas rendu compte à quel point je les avais laissés contrôler ma vie. Travailler chez Fox & Fisher a vraiment été la première fois où je les ai défiés. Je croyais qu'ils se rendaient enfin compte que je n'étais plus une enfant et que j'étais capable de prendre mes propres décisions. A l'évidence, j'avais tort.

— Je déteste être la cause de votre désaccord.

— Ce n'est pas ta faute. J'aurais dû leur tenir tête il y a des années. Seulement… j'ai toujours voulu leur faire plaisir. Leur approbation signifiait tellement pour moi. Trop, même.

Le taxi s'arrêta devant son immeuble.

— Nous en reparlerons plus tard, dit-il en enroulant un bras autour de son épaule. Pour l'instant, nous avons du temps perdu à rattraper.

19

C'était fou combien elle lui avait manqué, songea Patrick. Il n'aurait jamais imaginé éprouver de tels sentiments pour une femme. La désirer autant. L'aimer autant.

Il avait toujours été un homme de passion, mais pour d'autres choses : le voyage, l'aventure et vivre sur le fil du rasoir.

Les femmes avaient fait partie du tableau, mais en marge. Elles étaient là quand c'était commode.

— Ces trois semaines sans toi ont été beaucoup trop longues.

Il la porta pour franchir le pas de sa porte et l'emmena directement dans la chambre.

— J'espère que tu n'as aucun projet pour les prochaines heures.

— Je t'ai promis les trois prochains jours, lui rappela-t-elle tandis qu'elle commençait à déboutonner son chemisier.

Avec une lenteur taquine, elle écarta le vêtement de ses épaules, révélant un soutien-gorge en satin rouge et sa peau ivoire parfaite

— A mon tour, susurra-t-il.

Il prit un instant pour l'admirer. Les boucles brunes de Nadine atteignaient à peine le haut de sa poitrine.

Il caressa le sous-vêtement en satin et sentit ses seins se durcir à son contact. Puis il mit une main dans son dos pour dégrafer le soutien-gorge et le retirer de son corps.

Tel un cadeau de Noël, il continua à en retirer l'emballage avec soin. Puis il ôta ses propres vêtements et l'attira contre lui.

— J'ai besoin de te sentir en moi. Je ne peux plus attendre.

Il la sentit frissonner dans ses bras.

Cela faisait trop longtemps. Saisissant une poignée de ses cheveux, il déposa une traînée de baisers le long de son cou, de sa gorge, puis de sa poitrine.

Elle était parfaite.

Et tout ce qu'il désirait était d'être avec elle.

Cette nuit-là, ils ne dormirent que quelques heures. Nadine ouvrit les yeux tandis que la lumière du jour entrait doucement par les stores.

— Joyeux Noël, mon chéri.

Elle embrassa la nuque de Patrick, mais ce dernier ne bougea pas.

Elle le regarda, un peu triste.

Chez ses parents, le petit déjeuner serait servi dans le salon, de façon décontractée, près de l'immense sapin. Trois chaussettes de Noël, admirablement brodées, seraient suspendues au manteau de la cheminée — seulement deux cette année. C'était sans doute une tradition puérile, mais elle était triste que ce jour en marque la fin.

Tandis qu'elle roulait sur le ventre, elle remarqua un mouvement étrange au milieu des vêtements de Patrick, éparpillés sur le sol. Elle tendit le bras et trouva son téléphone portable, en mode vibreur.

— Tu as un appel, dit-elle. Veux-tu que je réponde ?

Avec un gémissement, il se retourna sur le dos.

Il jeta un coup d'œil à l'écran.

— C'est Diane Stone.

— La sœur de June ?

— Oui.

Il se hâta de décrocher.

— Patrick à l'appareil.

Il écouta pendant une minute, ses yeux s'agrandissant.

— Oui. Je vois.

Elle attendit avec impatience tandis qu'il laissait de nouveau son interlocutrice parler.

— Bien sûr que tu peux, dit-il enfin.

Il se redressa et balaya les cheveux de son front.

— Je dois quitter la ville le 27. Pourrais-tu venir demain ?

Il faisait des projets pour l'un des précieux jours qu'il lui avait promis, réalisa-t-elle, pressant la couette contre sa poitrine tandis qu'il raccrochait. Pendant quelques instants, il fixa le téléphone d'un air incrédule, puis il se tourna vers elle avec un sourire contrit.

— C'était Stephen.

— Vraiment ? s'étonna-t-elle. C'est merveilleux qu'il ait appelé. Si le nom de sa tante était affiché à l'écran, est-ce que ça signifie qu'il n'est plus au Canada ?

— Te souviens-tu que je voulais lui envoyer un cadeau pour Noël ? Eh bien, je lui ai offert un bon pour un billet d'avion. Comme ils n'ont pas eu de neige ces trois dernières semaines à Kicking Horse, il a pu avoir une semaine de congés et est parti hier soir. Il est allé chez sa tante et il aimerait me voir demain.

Ce fut la journée de Noël la plus unique que Nadine ait jamais passée, la plus romantique également. Patrick lui avait rapporté un souvenir de chaque ville de sa tournée de promotion, et une histoire pour expliquer comment chaque objet lui avait fait penser à elle.

Ils burent du champagne en prenant un bain ; puis ils se régalèrent de dinde rôtie aux canneberges, accompagnée de légumes, qu'ils avaient commandés chez Dean & DeLuca, en regardant *Miracle sur la 34e Rue*.

Le soleil commençait à se coucher quand ils décidèrent d'aller se promener à Central Park. Nadine espérait que l'air frais et l'exercice chasseraient de son esprit le repas de Noël de ses parents qu'elle était en train de manquer.

Patrick aurait sans doute trouvé le dîner affreusement ennuyeux, mais elle avait toujours aimé les traditions.

— Je me demande ce qui a décidé Stephen à venir te rendre visite.

— Il m'a dit qu'il avait enfin réussi à récupérer la lettre de June que j'avais remise à Zach. Elle contenait peut-être un détail qui l'a convaincu de me donner une seconde chance.

Elle serra sa main dans la sienne.

— J'espère que cela ne te dérange pas que nous ne puissions pas passer la journée de demain ensemble. Je t'avais promis trois jours et, au bout du compte, cela se résumera plutôt à une journée et demie.

Elle ignora la sensation de vide au creux de son ventre à la pensée de son départ proche.

— Ce n'est rien. Passer du temps avec Stephen est important pour toi. De toute façon, il ne reste plus que deux semaines avant la fin de ta tournée de promotion.

— C'est vrai.

— Néanmoins, je me demandais si pour le réveillon de la Saint-Sylvestre… Y a-t-il une chance pour que tu puisses rentrer à New York afin d'assister au mariage de Lindsay et Nathan ?

Elle faillit ajouter que cela signifierait beaucoup pour elle, mais se ravisa lorsqu'elle le vit froncer les sourcils. Tandis qu'elle attendait sa réponse, elle se prépara à être déçue.

— Je suis désolé, mais je ne crois pas que je pourrai,

ma chérie. A dire vrai, je prévoyais de te faire venir à Los Angeles pour que nous passions le réveillon ensemble.

— C'est impossible, il y a le mariage.

— Exact. Eh bien, nous aurons du temps ensemble après la tournée de promotion. Quelques semaines au moins.

Elle s'arrêta de marcher.

— Seulement quelques semaines ? Pour quelle raison ?

— Je devrai me rendre au Canada afin de travailler sur mon prochain livre. Je t'ai bien dit que je venais de signer un nouveau contrat, n'est-ce pas ?

— Oui. Mais je n'avais pas réalisé que cela commencerait aussi vite. Ne prends-tu jamais de vacances entre deux projets ?

— Quelques semaines. Peut-être un mois cette fois-ci, ajouta-t-il avec un sourire.

Un mois. Elle envoya valser d'un coup de pied un tas de feuilles mortes.

— En général, combien de temps passes-tu ici, à New York ? En moyenne ?

— Un mois ou deux par an. Ce n'est pas que je veuille être loin de toi. Depuis le début, tu savais quel métier j'exerçais. Mais nous trouverons une solution. Je sais que nous pouvons faire en sorte que ça marche.

Il l'attrapa par les deux extrémités de son écharpe et la fit se tourner face à lui.

Malgré ses soucis, elle ne put s'empêcher de sourire à son caractère badin et enjoué. Il était sans doute trop tôt pour qu'elle commence à s'angoisser au sujet de l'avenir. Pour l'instant, il était ici, et elle avait envie de profiter de chaque seconde.

Tandis qu'elle se penchait en avant pour l'embrasser, il l'attira contre son torse et approfondit le baiser.

— Tout ce temps passé loin de toi aura au moins eu le mérite de me faire réaliser à quel point je tiens à toi.

Elle attendit qu'il en dise davantage, avec l'espoir de

l'entendre évoquer les sentiments qu'elle éprouvait au fond de son propre cœur.

— Je n'ai jamais ressenti ça pour personne. Je crois que je suis en train de tomber amoureux de toi.

Il croyait être en train de tomber amoureux ? N'en était-il pas sûr ?

Car elle, elle l'était complètement. A tel point qu'elle s'était brouillée avec ses parents pour être avec lui.

Elle ne regrettait pas son choix, mais elle ne pouvait s'empêcher de s'inquiéter. A quel point au juste Patrick était-il impliqué dans leur relation ?

Le lendemain matin, Patrick se réveilla seul dans son lit. Il avait détesté renoncer à passer la nuit avec Nadine, mais, avec Stephen qui devait arriver de bonne heure, il n'avait pas voulu se retrouver obligé de la faire partir précipitamment. D'ici quelque temps, ils passeraient tous les trois du temps ensemble. Mais il estimait important d'apprendre d'abord à connaître son fils en tête à tête.

Nadine l'avait parfaitement compris.

Il jeta un coup d'œil à son réveil. 8 h 40.

Après une douche rapide, il enfila le jean et le pull-over qu'elle lui avait offerts pour Noël. Ils avaient passé une journée tellement merveilleuse ensemble. Du moins, elle l'avait été pour lui. Il espérait que c'était la même chose pour elle. Cela ne lui avait pas échappé que, au moment où il lui avait confié qu'il croyait être en train de tomber amoureux d'elle, son unique réponse avait été de l'embrasser.

Même s'il avait grandement apprécié le baiser, entendre des mots d'amour ne l'aurait pas dérangé.

Il attachait sa montre à son poignet quand il remarqua l'heure. Bon sang, son fils serait là d'une seconde à l'autre.

Il décida de sortir l'attendre dans la rue et n'était dehors que depuis dix minutes quand un taxi s'arrêta avec un jeune homme roux assis à l'arrière. Tandis que Stephen sortait, il se pencha par la vitre passager du véhicule pour régler la course.

Son fils voyageait léger. Il n'avait pour seul bagage qu'un sac à dos qui n'avait pas l'air très rempli.

— Comment s'est passé Noël chez ta tante ?

— C'était OK.

— Je me souviens de mon premier Noël après la mort de ma mère. C'était sacrément triste. Elle était ma seule famille.

Il passa un bras autour des épaules de Stephen. Ils faisaient exactement la même taille.

— As-tu envie d'un petit déjeuner ? Je connais un endroit en haut de la rue qui sert d'excellentes omelettes, si tu aimes ça.

— D'accord.

Il laissa retomber son bras et ils prirent la direction du petit restaurant, côte à côte.

— Tu as donc enfin réussi à mettre la main sur ton ami Zach ?

— Oui. Je ne pense pas qu'il en avait sérieusement après ton argent. Tu l'as simplement pris au dépourvu quand tu as téléphoné.

— Et il avait encore la lettre de ta mère ?

— Il avait complètement oublié son existence. Incroyable, non ? Il a dû vérifier toutes les poches de sa veste de ski avant de la trouver.

Les lèvres tremblantes, Stephen prit une profonde inspiration et ajouta :

— Dans sa lettre, maman a écrit qu'elle était désolée de ne pas m'avoir parlé de toi plus tôt. Elle dit que tu n'étais pas au courant pour moi.

Patrick sentit sa gorge se serrer. A son tour, il était soudain au bord des larmes.

— Si j'avais su, les choses auraient été différentes, bredouilla-t-il.

— Peut-être.

— Définitivement.

Sa colère envers June remonta à la surface et il s'efforça de la réprimer.

— Nous ne pouvons pas changer le passé. Mais je suis là pour toi désormais. C'est important que tu le saches.

— Je m'en sors très bien tout seul.

— Tu n'as peut-être pas besoin de moi, mais j'aimerais faire partie de ta vie. Même si ce n'est qu'une très petite partie.

Stephen hésita avant de répondre :

— OK.

Patrick réprima un soupir. Il s'en contenterait pour l'instant.

Le lendemain matin, ils partagèrent un taxi pour se rendre à l'aéroport. Stephen s'envolait pour Calgary, d'où il prendrait ensuite un bus pour rejoindre la station de Kicking Horse. Patrick, lui, était en route pour Phoenix, en Arizona, le prochain arrêt de la tournée de promotion de son livre.

Il ne put s'empêcher de penser à la femme qu'il laissait derrière lui.

La veille, il avait parlé à Nadine au téléphone pendant plus d'une heure. Elle avait choisi de ne pas se joindre à eux pour le dîner.

— C'est la première fois que Stephen a l'occasion de passer une journée entière avec son père. Je crois qu'il mérite toute ton attention.

Elle avait eu raison — et il avait aimé apprendre à mieux connaître son fils — mais elle lui manquait déjà et il n'était même pas encore parti.

Il accompagna Stephen jusqu'à la douane.

— Est-ce que ça va ? Tu as ton passeport ? Suffisamment d'argent ?

— C'est bon. Merci encore pour le chèque. Mais, tu sais, je ne suis pas venu ici pour de l'argent.

— Je sais.

Il hésita, puis serra fortement son fils dans ses bras. Ce ne serait pas grave si c'était à sens unique, pensa-t-il. L'important était de faire savoir à son fils qu'il n'était réellement plus seul.

Mais à sa grande joie, Stephen lui rendit son geste et lui donna même une tape sur l'épaule pour faire bonne mesure.

— Préviens-moi quand tu viens à Kicking Horse. Je m'arrangerai pour prendre quelques jours de congés et nous descendrons quelques pistes.

— J'adorerais ça.

L'un des avantages de son prochain livre était de le conduire dans les montagnes où son fils passait l'hiver.

Stephen se retournait pour partir quand il se rappela d'une chose. Il posa une main sur l'épaule de son fils pour l'arrêter.

— J'ai une faveur à te demander.

— Laquelle ?

Stephen pencha la tête sur le côté d'un air circonspect.

— La lettre que ta mère t'a écrite… m'autoriserais-tu à la lire un jour ?

Stephen hésita. Il lui en demandait peut-être trop.

— Je comprendrais si tu veux la garder pour toi, reprit-il, j'aimerais juste…

Stephen haussa les épaules.

— Bien sûr, je t'en enverrai une copie quand je serai rentré.

20

Nadine était censée être en vacances jusqu'à la fin de l'année. Mais, le lundi matin, elle ne put s'empêcher de se lever et de s'habiller pour se rendre à l'agence. Elle s'ennuyait et se sentait seule. Durant la semaine qui suivait Noël, sa mère et elle faisaient généralement les soldes, ce qui n'arriverait pas cette année.

Elle avait tenté de faire les boutiques seule, mais cela n'avait rien d'amusant. Son unique satisfaction était d'avoir trouvé les chaussures parfaites pour aller avec la robe de mariée de Lindsay.

Sa mère était-elle allée faire les boutiques seule, elle aussi ? Sa fille lui manquait-elle ?

Certainement…

A l'évidence, ses parents étaient persuadés que Patrick n'était pas l'homme qu'il lui fallait. Et, en toute honnêteté, elle commençait à se poser la question. Elle n'avait pas eu conscience de la quantité de voyages qu'il effectuait et du temps qu'elle passerait seule.

Aimer cet homme n'allait pas être facile. Il serait souvent absent, en train de rencontrer de nouvelles personnes et de faire des choses excitantes. Il y aurait de nombreux moments importants auxquels il ne pourrait pas être présent — les anniversaires, les anniversaires de mariage, les jours où elle ne se sentirait pas bien et aurait besoin d'être dorlotée.

Qui serait là pour elle ?

Pas ses parents — elle avait coupé les liens avec eux. Elle avait abandonné les deux relations les plus importantes dans sa vie pour être avec un homme qui n'était pratiquement jamais là. Un homme qui croyait seulement être en train de tomber amoureux d'elle.

Sur le trajet jusqu'à l'agence, elle se demanda si elle avait commis une erreur. Elle avait complètement perdu le contrôle sur sa vie, autrefois si normale et confortable.

Et pourtant, la simple pensée de vivre sans Patrick, de ne jamais le revoir, de ne plus jamais être dans ses bras, était suffisante pour lui donner des sueurs froides. Elle n'avait pas besoin de s'interroger sur la question — elle savait qu'elle était amoureuse de lui.

Elle s'attendait à être seule à l'agence en y arrivant, mais Tamara était déjà là, occupée à préparer du café.

Elle accrocha son manteau et la rejoignit.

— Avez-vous eu des nouvelles de Lindsay ou de Nathan ? Comptent-ils venir travailler aujourd'hui ?

Elle n'était pas certaine de savoir de quelle manière elle allait remplir sa journée. Elle en profiterait peut-être simplement pour classer des dossiers et réorganiser son meuble de rangement.

— Ils sont dans la salle de conférences, en train de vérifier des détails de dernière minute pour le mariage, l'informa Tamara en roulant des yeux.

Se retenant de froncer les sourcils, Nadine se dirigea vers la salle de conférences. Elle frappa légèrement à la porte avant de l'ouvrir.

— Est-ce que vous avez besoin d'aide ? s'enquit-elle.

Lindsay avait l'air paniquée.

— Nadine, Dieu merci. Je deviens folle et Nathan ne m'aide pas du tout.

Elle indiqua du doigt son fiancé, confortablement installé avec les pieds calés dans le fauteuil voisin du sien, et en train de manger un bagel.

— Quelle raison y a-t-il de stresser ? Nous avons délibérément opté pour un mariage simple, fit-il remarquer. Nous possédons la licence de mariage, l'officiant est réservé, de même que le restaurant. Tu as ta robe et j'ai mon costume.

— Nous n'avons pas donné au restaurant le nombre final d'invités. N'étions-nous pas supposés le faire avant Noël ?

— Je ne crois pas qu'il y ait eu de changements — Kate, Jay, leur fille Alice…

Lindsay l'interrompit et se mit à énumérer les noms notés dans son carnet.

— Alice ne compte pas, elle n'a pas besoin de chaise.

— Vient ensuite la famille — ma sœur, mon neveu et ta sœur. Puis Nadine et Patrick.

— Juste moi, rectifia Nadine.

— Vous n'avez pas pu le convaincre de rentrer ? demanda Lindsay.

— J'ai essayé, mais sans succès. Il ne sera pas de retour à New York avant la mi-janvier.

Lindsay fronça son nez avec compassion, puis raya le nom de sa liste.

— C'est dommage.

Tamara, qui se tenait près de la porte ouverte et avait apparemment entendu toute la conversation, lança :

— Si vous avez une place supplémentaire, je suis libre ce soir-là.

Le lendemain, la journée fut meilleure à l'agence. Deux clients appelèrent pour prendre rendez-vous et, comme Lindsay et Nathan étaient distraits par leur mariage, Nadine parvint à les convaincre de lui confier les deux affaires.

Soudain, elle eut plus de travail que de temps, et en fut ravie. Elle était fatiguée de rester chez elle à ne rien faire, à penser à Patrick. Si elle ne pouvait pas être avec l'homme qu'elle aimait, elle pouvait au moins occuper son temps de manière productive, à aider les autres.

Trois jours avant le mariage, elle était assise devant son ordinateur, chez elle, en train de rédiger un rapport, quand Patrick téléphona.

Comme toujours, son ventre se serra d'excitation au son de sa voix. Leurs appels téléphoniques durant généralement une heure, voire plus, elle s'installa sur le sofa afin d'être à l'aise.

— Comment vas-tu ? demanda-t-il.

— Mieux. Je travaille sur deux nouvelles affaires, ça me tient occupée. Et toi ?

Il poussa un profond soupir.

— Tu n'imagines pas à quel point je commence à être fatigué de donner la même représentation encore et encore, de rencontrer de nouvelles personnes tous les jours, de tenter de me rappeler des noms et de les associer aux bons visages.

Elle se sentit presque désolée pour lui, mais, après tout, c'était son choix. Personne ne l'avait forcé à faire cette tournée de promotion.

— Vends-tu beaucoup de livres ?

— Oui, répondit-il, mais cela ne compense pas le fait que tu n'es pas ici.

— Je sais.

Bien qu'elle soit contente d'être occupée à l'agence, cela ne remplissait pas le vide laissé par l'absence de Patrick.

— J'ai eu une idée, dit-il. J'espère que tu ne trouveras pas ça trop insensé…

Elle se redressa, soudain pleine d'espoir. Avait-il changé d'avis au sujet du mariage ?

— Je serai à Seattle demain. Tu pourrais peut-être

attraper le premier vol et venir me retrouver. Je sais que tu dois être de retour à temps pour le mariage, mais nous pourrions fêter la Saint-Sylvestre un soir plus tôt. Qu'en dis-tu ?

Sa déception fut tellement forte qu'elle put à peine parler.

— Tu veux que je traverse le pays pour un soir ?

— Ce n'est pas aussi insensé. Tu as suggéré que je fasse la même chose pour assister au mariage.

— Ce n'est pas pareil.

— Je ne vois pas la différence. Cela me paraissait être une super idée.

Elle ne se mettait pas en colère facilement. Mais cette fois-ci, c'en était trop.

— Bien sûr, tu crois que c'est une super idée. Parce que tu n'es pas dérangé le moins du monde, pas vrai ?

— Nadine…

— Tu veux que je prenne une journée de congés — alors que je viens de te dire que j'étais extrêmement occupée — et que je traverse le pays simplement pour passer une soirée avec toi. Mais tu n'es pas prêt à faire la même chose pour fêter la Saint-Sylvestre et assister au mariage de mes amis, avec moi.

— Ce n'est pas que je ne suis pas prêt. J'ai un planning que je me suis engagé à respecter. Si j'avais le choix…

— Tu essaies de vendre des livres, Patrick, pas de négocier la paix au Moyen-Orient. Je crois que je commence à comprendre pourquoi June ne t'a pas dit qu'elle était enceinte.

— Quoi ?

C'était un coup bas, mais elle n'avait aucune intention de s'excuser. Elle en avait assez de cet homme qui croyait être en train de tomber amoureux d'elle et qui s'attendait ensuite à ce qu'elle bouleverse sa vie pour passer une journée en sa compagnie.

— Je dois te laisser, annonça-t-elle. Demain, j'ai

rendez-vous tôt avec un client et je dois terminer mon rapport. Bonne nuit, Patrick.

Elle raccrocha d'une main tremblante, écœurée et triste. Comment avait-il pu lui demander ça ? Ne comprenait-il vraiment pas ce à quoi elle avait renoncé pour lui ?

Le téléphone se remit à sonner presque immédiatement. C'était encore lui. Mais cette fois-ci, elle ne répondit pas.

Le lendemain, Patrick reçut un mail de Stephen. Affalé sur le lit d'une chambre d'hôtel impersonnelle, avec son ordinateur portable ouvert devant lui, il était en train de vérifier ses messages avec l'espoir d'en avoir un de Nadine.

Il avait tenté de lui téléphoner une dizaine de fois environ depuis qu'elle lui avait raccroché au nez, mais sans succès. Il avait même essayé de la joindre à l'agence, mais Tamara lui avait répondu qu'elle était trop occupée pour lui parler.

Le message de Stephen avait une pièce jointe. Ce ne fut que lorsqu'il l'ouvrit et lut les premiers mots qu'il reconnut son importance.

C'était la lettre de June.

Il prit son verre de whisky posé sur la table de nuit, le termina d'un trait, puis commença à lire.

« Cher Stephen,

» T'écrire cette lettre est la chose la plus difficile que j'ai jamais eu à faire, parce que, lorsque tu la liras, je ne serai plus là. Je ne m'inquiète pas pour moi. Ce qui me rend triste, c'est de savoir que tu seras seul.

» Je sais que tu pourras compter sur tante Diane et oncle Reggie, mais ce n'est pas la même chose qu'un parent, pas vrai ? Et c'est la raison pour laquelle j'ai décidé, après toutes ces années, de te révéler la vérité sur ton père.

» Patrick O'Neil et moi sommes sortis ensemble durant

notre dernière année de lycée. Nous aimions tous les deux faire du ski et allions dans les montagnes à chaque occasion possible. Je crois que nous étions plus de bons amis qu'autre chose, raison pour laquelle, quand je suis tombée enceinte, je n'ai même pas envisagé que nous puissions nous marier, ou même te partager.

» Ton père est un homme bien, très drôle et très athlétique, mais il est aussi plutôt égoïste. Au fond, il a toujours fait ce qu'il avait envie de faire quand il en avait envie. Il rêvait de voyager — pas seulement d'aller un été en Europe ou en Thaïlande —, il voulait passer sa vie ainsi. Il avait soif de découvrir des endroits nouveaux et de vivre des expériences nouvelles. Je n'ai jamais connu quelqu'un de plus aventureux.

» Je n'arrivais pas à imaginer Patrick en père responsable et j'ai voulu t'épargner — à moi aussi, en toute honnêteté — la souffrance d'années de déception.

» Voilà pourquoi je t'ai dit que ton père était parti. Tu as supposé que cela signifiait qu'il était mort, et je n'ai jamais eu le courage de te corriger.

» Ton père et moi n'avons pas été en contact depuis plus de dix ans. Néanmoins, j'ai suivi sa carrière et il a fait exactement ce qu'il avait dit qu'il ferait. Il a visité chaque continent et écrit des livres de récits de voyages pour les personnes qui partageaient son amour de l'exploration.

» Pendant toutes ces années, j'ai suivi sa carrière de loin, dans l'attente d'un signe indicateur qu'il pourrait changer et se lasser de cette vie vagabonde. Mais il est resté le même et j'ai eu le sentiment d'avoir pris la bonne décision en vous tenant éloignés l'un de l'autre.

» Cependant, maintenant que je suis malade, je doute. Je me dis qu'un père à mi-temps et sur qui l'on ne peut pas vraiment compter vaut peut-être mieux que rien.

» En tout cas, je ne peux pas partir sans te laisser le choix. Si tu lis cette lettre aujourd'hui, c'est que ton père se préoccupait assez de toi pour te retrouver. Vois-tu, je lui ai également écrit une lettre, que j'ai demandé à une amie et collègue de travail d'envoyer après ma mort. J'imagine qu'il sera choqué d'apprendre qu'il a un fils. Et je m'attends à ce qu'il soit un peu en colère contre moi d'avoir gardé ce secret.

» Peut-être que tu le seras également.

» Mais j'espère que tu finiras par me pardonner et que tu prendras le risque d'apprendre à connaître ton père. J'aimerais savoir qu'il veille sur toi et je choisis de croire que c'est ce qui arrivera.

» Stephen, mon corps me lâchera bientôt, mais plus j'approche de mon dernier jour, plus je suis certaine qu'une chose ne mourra jamais, c'est mon amour pour toi. Sois fort, mon fils, et, plus important encore, sois heureux. »

21

Patrick avait le ventre qui lui brûlait. Les paroles de June ne lui étaient pas destinées, mais elles étaient néanmoins douloureuses.

Comment osait-elle le condamner, lui et son mode de vie ? Ce n'était certainement pas égoïste de poursuivre ses rêves et de vivre pleinement. Puisqu'il n'était pas au courant pour le bébé, quelle importance s'il avait fait exactement ce dont il avait envie ? Il n'avait eu aucune obligation, aucun lien.

Il descendit du lit, alla jusqu'à la fenêtre et tira les rideaux. L'espace d'un instant, il avait oublié où il se trouvait. Seattle, reconnut-il en apercevant le Space Needle à l'extérieur.

Il songea à Nadine et à son refus de venir le rejoindre. Toute la journée, il avait espéré qu'elle changerait d'avis. Qu'en rentrant le soir à l'hôtel il la trouverait en train de l'attendre.

Mais son souhait n'avait pas été exaucé. Comme June, elle le jugeait égoïste. Seulement, tous les métiers n'avaient pas des horaires fixes de 9 heures à 17 heures.

Les tournées de promotion étaient une souffrance, mais elles permettaient d'améliorer les ventes de ses livres, et cet argent servait à financer ses voyages. Ce n'était pas un péché de consacrer sa vie à un travail qui vous rendait heureux.

Non, mais qu'en était-il de l'équilibre ? Qu'en était-il

de prendre en considération les besoins des personnes que l'on aimait ?

Lorsqu'il était plus jeune, ce n'était peut-être pas un problème de se concentrer sur ses propres besoins. Mais il avait trente-six ans, un fils et une femme qu'il aimait.

Il n'avait jamais ressenti pour personne ce qu'il éprouvait pour Nadine.

S'il l'aimait vraiment, la rendre heureuse ne devrait-il pas être la chose la plus importante ?

Le seul aspect conventionnel du mariage de Nathan et de Lindsay était la robe de mariée de cette dernière. Nadine caressa la soie blanche, aussi douce que la peau du bébé de Kate.

— Je ne peux pas faire ça ! s'exclama Lindsay.

— Bien sûr que si, lui assura Meg, sa sœur.

— Je n'ai rien d'emprunté, et rien de bleu. Je savais que j'allais oublier quelque chose.

— Je n'imaginais pas que tu te souciais autant de ces vieilles coutumes ridicules, dit Meg de son meilleur ton d'avocate.

Les traits de son visage étaient plus fins que ceux de sa sœur aînée. Elle était également plus mince et plus délicate. C'était de son cabinet réputé, situé en centre-ville, que venait un grand nombre des clients de l'agence.

— J'ai la situation en main, intervint Nadine calmement. Comme Meg, elle n'aurait pas imaginé que Lindsay puisse s'inquiéter de détails aussi subtils. Néanmoins, juste au cas où, elle avait apporté un mouchoir en dentelle bleu qui appartenait à sa mère.

Elle l'avait trouvé dans la boîte en cèdre que celle-ci avait remplie pour elle lorsqu'elle avait emménagé dans son appartement. Elle était censée le porter à son propre mariage, mais elle doutait sérieusement que ce jour arrive.

Elle n'imaginait pas aimer un autre homme que Patrick, et ne voyait aucun avenir avec lui non plus.

Ce n'était pas sain d'être toujours celle qui donnait et faisait des compromis. Elle avait beau avoir besoin de lui, elle ne se lancerait pas dans une relation déséquilibrée.

Le lendemain de leur horrible dispute, il avait tenté de la joindre à de nombreuses reprises. Mais, moins de vingt-quatre heures plus tard, il avait complètement cessé d'appeler.

Avait-il rencontré quelqu'un d'autre ? Ce ne serait pas impossible étant donné la vie qu'il menait.

— C'est parfait, Nadine ! s'exclama Lindsay. Mais où vais-je le mettre ?

Sa robe de mariée était sans bretelles et collait à son corps comme une seconde peau.

— Rentrons-le à l'intérieur de votre gant, suggéra Nadine, en joignant le geste à la parole. Voilà. Vous êtes magnifique.

Lindsay jeta un coup d'œil à son reflet dans le miroir.

— Pas mal.

— Et le timing est parfait.

Meg vérifia sa montre.

— La limousine doit être en train d'attendre en bas.

Il était presque 20 heures lorsqu'ils arrivèrent au Garden Restaurant, situé tout en haut d'un bâtiment de quarante étages et qui offrait une vue fabuleuse sur la ville.

La cérémonie était censée consister en un simple échange de vœux et d'alliances. Pas de musique, ni de cortège ou de demoiselles d'honneur.

Une longue table rectangulaire était installée dans un coin de la pièce qui leur avait été réservée pour le repas. Nathan et l'officiant étaient en grande discussion près de la fenêtre, pendant que les autres invités grouillaient autour du bar.

— Kate et Alice sont juste derrière moi, annonça Nadine à Jay tandis qu'elle arrivait à sa hauteur.

— Et Lindsay ? s'enquit Nathan lorsqu'il les rejoignit.

— Meg met la dernière touche finale à son maquillage. Elle sera là d'une seconde à l'autre.

Remarquant les coupes de champagne que les invités avaient à la main, Nadine se dirigea vers le bar pour en prendre une.

Elle s'approcha d'une femme, aux cheveux bruns et bouclés, et avec un sourire chaleureux aux lèvres.

— Vous devez être la sœur de Nathan.

— Oui, Mary-Beth. Et vous devez être Nadine. Je suis ravie de vous rencontrer. Et lui, c'est mon fils, Justin, dit-elle en posant une main sur la tête blonde d'un bambin.

Nadine s'accroupit pour lui dire bonjour. Puis, tandis qu'elle se redressait, elle prit conscience d'une présence au fond de la pièce, dans l'ombre…

— Oh, mon Dieu !

Ça ne pouvait pas être lui, si ?

Il sourit alors et elle n'eut plus le moindre doute.

Patrick. D'une manière ou d'une autre, il avait réussi à venir au mariage.

Dès l'instant où Nadine le reconnut, Patrick sut que toute l'organisation de ce voyage, les coups de téléphone et les supplications pour obtenir des changements d'horaires de son planning avaient valu la peine.

— J'espère que tu ne m'en veux pas de t'avoir fait la surprise. Je n'étais pas sûr de réussir à arriver à temps. Ma correspondance était vraiment serrée. Puis mon vol pour New York a été retardé de pratiquement une heure. Je craignais que tous mes plans ne tombent à l'eau.

— Je n'arrive pas à croire que tu sois vraiment là.

Timidement, elle posa une main sur la manche de sa veste.

A l'éclat de son visage, il devina combien elle était heureuse de le voir.

Il l'attira contre son torse et l'embrassa.

— C'est tellement merveilleux d'être ici.

— Qu'est-ce qui t'a décidé à venir ?

— J'ai compris qu'il s'agissait d'un événement important et que je devais être ici pour le partager avec toi. Je veux partager tous tes événements importants, Nadine. Et ceux qui le seront moins, également.

— Dois-je comprendre que tu n'es plus « en train » de tomber amoureux… mais que tu l'es vraiment ?

Il fallut une minute à Patrick pour comprendre à quoi elle faisait allusion. Il aurait dû s'exprimer de manière moins embrouillée la première fois.

— Je suis tombé amoureux de toi pratiquement dès l'instant où je t'ai vue.

Elle saisit les revers de sa veste et l'attira plus près d'elle.

— Je t'aime aussi, Patrick. A la folie.

La lumière qui brillait au fond de ses yeux diminua légèrement.

— Combien de temps as-tu avant de repartir ? demanda-t-elle.

— Seulement vingt-quatre heures, répondit-il. Et, après la tournée, je n'aurai qu'un mois avant de devoir me rendre au Canada. Néanmoins, j'ai décidé que mon prochain livre serait le dernier. J'envisageais de faire annuler mon contrat, puis j'ai pensé que je ne pouvais pas manquer cette occasion de passer du temps avec Stephen pendant que j'effectuerai mes recherches.

— Que veux-tu dire par dernier livre ?

— Je veux dire que je n'ai pas envie de passer la majeure

partie de l'année loin de toi. Mes contacts dans le monde de l'édition devraient m'aider à trouver un travail normal.

— Vraiment ? Ce serait tellement merveilleux… Mais seras-tu heureux ? Les voyages et l'aventure ne te manqueront-ils pas ?

— Voyager autant n'est plus de mon âge. Par ailleurs, je me dis que créer une nouvelle vie pourrait être une aventure suffisante. Qu'en dis-tu, ma chérie ? Es-tu partante pour relever le défi de m'avoir à tes côtés matins et soirs, et à temps plein tous les week-ends ?

— Patrick, cela ressemble beaucoup à une…

— A une demande en mariage ? Oui, c'est exactement de cela qu'il s'agit. Enfants inclus, si tu es d'accord.

— Ce serait merveilleux.

— Avec un peu de chance, d'ici là, j'aurai conquis tes parents.

— Je l'espère aussi. Mais, quoi qu'il arrive, tu m'as déjà conquise.

C'était le moment le plus heureux de toute sa vie, et il espérait grandement qu'il y en aurait d'autres. Mais quelqu'un d'autre occupait le devant de la scène pour l'instant.

Il se pencha et murmura à l'oreille de Nadine :

— La mariée vient de faire son entrée dans la pièce. Je crois que nous ferions bien de lui accorder notre attention pendant un petit moment.

Patrick savait que sa propre joie colorait sa perception de la cérémonie, mais ce mariage lui parut être le plus parfait auquel il ait jamais assisté.

*
* *

Après l'échange des vœux et des alliances, Nathan porta un toast en l'honneur de son épouse, puis Lindsay lui rendit la pareille.

— A présent, le moment est venu de savourer de la bonne nourriture, du bon vin et de passer un bon moment, conclut-elle avec un petit rire.

Bras dessus, bras dessous, Nathan et elle invitèrent tout le monde à s'asseoir.

Tandis que les invités faisaient le tour de la table d'une démarche traînante à la recherche de leur place, une femme s'approcha de Patrick.

— Etes-vous Patrick O'Neil ?

— Oui. Pourquoi ?

Elle installa son fils dans son siège rehausseur, puis balaya une mèche de cheveux de ses yeux.

— Le monde est vraiment petit. J'ai enseigné à Columbia University avec une personne que vous connaissiez, qui était une très bonne amie à moi, et qui est hélas décédée depuis peu.

Le visage de Patrick se vida de ses couleurs.

— Vous connaissiez June Stone ?

— Oui. C'est moi qui vous ai envoyé les lettres.

Il resserra ses doigts autour de la main de Nadine, qui était aussi stupéfaite par la déclaration de Mary-Beth que lui.

— Quelle coïncidence de nous rencontrer de cette façon, lança-t-il.

— Cela n'en est pas une du tout, fit remarquer Nadine. Mary-Beth est la sœur de Nathan, et June t'avait conseillé de le contacter si tu avais besoin d'aide pour retrouver Stephen.

— J'en déduis que vous avez fini par localiser votre fils ?

— Ça n'a pas été facile.

Il tourna la tête vers Nadine et lui sourit.

— J'y suis parvenu grâce à Nadine.

— Je suis ravie que vous ayez décidé de faire partie de sa vie, répondit Mary-Beth avec chaleur.

— Franchement, j'aurais aimé avoir l'occasion de le faire plus tôt.

Même s'il ne niait pas être parfois égoïste, comme le pensait June, il aimait croire qu'il aurait répondu à cette paternité imprévue avec davantage de maturité qu'elle lui en avait donné crédit.

Mary-Beth soupira.

— Etre mère célibataire n'est pas simple. Ne soyez pas trop en colère contre June.

Patrick ne pouvait qu'imaginer les sacrifices qu'elle avait dû faire.

Il tira une chaise pour Nadine et une autre pour lui, pendant que Mary-Beth s'installait à son côté.

— Vous savez, June a failli changer d'avis au sujet des lettres. J'étais auprès d'elle le jour où elle nous a quittés et je suis parvenue à la convaincre qu'elle faisait la chose juste.

— Je suis content que vous l'ayez fait.

Non seulement les lettres de June lui avaient permis d'entrer en contact avec son fils, mais elles l'avaient également conduit jusqu'à sa future épouse, songea-t-il en regardant Nadine mettre une mèche de cheveux derrière ses oreilles et se pencher pour lire le menu.

Finalement, les choses se passaient peut-être exactement comme prévu.

Le 1er juillet

Black Rose n°259

Disparition à Coral Cove - Carol Ericson

Série *Enigmes à Coral Cove 3/4*

Jamais plus elle ne remettrait les pieds à Coral Cove. Kylie se l'était juré en quittant la ville, dix ans plus tôt. Aussi est-elle bouleversée lorsque la mère de la jeune Bree Harris lui demande d'y retourner pour enquêter sur la disparition de sa fille, survenue lors d'un festival de musique. D'abord réticente, Kylie finit par balayer ses états d'âme. Mais une fois sur place, elle est plus désemparée que jamais. Confrontée aux démons de son passé, elle doit également faire face à Matt Conner, le bad boy dont elle était éperdument amoureuse au lycée... Matt, aujourd'hui devenu détective privé et qui enquête sur la même affaire qu'elle...

La clé du secret - Julie Miller

Retrouver le tueur en série qui a assassiné sa sœur et lui faire payer son crime. Tel est l'objectif que s'est fixé l'agent du FBI Sam O'Rourke. Mais pour atteindre son but, il n'a qu'un moyen : approcher Jessica Taylor, la seule rescapée des forfaits macabres de ce détraqué... Seulement, Sam comprend qu'il est dans une impasse : traumatisée par l'agression dont elle a été victime, Jessica est devenue partiellement amnésique et refuse tout contact avec les hommes... Une méfiance que Sam est bien décidé à faire tomber patiemment...

Black Rose n°260

Unis par le danger- Melissa Cutler

Camille a toujours détesté Aaron Montgomery. Trop beau, trop sûr de lui : il est exactement le genre d'hommes qu'elle fuit, et s'il n'avait pas été le meilleur ami de sa sœur, jamais elle ne lui aurait adressé la parole. Elle change d'avis le jour où, kidnappée par le gang de trafiquants de drogue sur lequel elle enquête, elle se retrouve ligotée... tout contre Aaron. Comment s'est-il retrouvé là ? Elle l'ignore. Ce qu'elle sait, en revanche, c'est que sa présence lui redonne de l'espoir. Aaron est bâti comme un roc et, en s'alliant, ils peuvent espérer échapper à leurs dangereux ravisseurs...

Une impossible révélation - Linda Conrad

Summer est habitée par une haine tenace. Elle n'a plus qu'une raison de vivre : tuer Brian Hoss, l'assassin qui lui a volé son bonheur. En se faisant embaucher comme gouvernante chez Travis Chance, le propriétaire d'un ranch situé à quelques pas de la demeure de Hoss, elle croit trouver le repaire idéal : d'ici, elle pourra observer sa cible en toute discrétion, avant de passer à l'acte. Mais sa stratégie se retourne contre elle ; des actes de vandalisme sont commis sur la propriété de Travis. A qui s'adresse l'avertissement, à elle... ou bien à Travis qui ignore pourtant tout de son projet ?

Sous l'identité d'une autre - Amy Frazier

Qui est vraiment Samantha Weston, la mystérieuse inconnue qui s'est installée à Applegate ? Garrett McGuire veut le découvrir. En temps normal, il l'aurait laissée vaquer à l'exploitation de la ferme qu'elle vient d'acheter. Mais voilà que Rody, son fils de douze ans, qui rêve de devenir vétérinaire, s'est mis en tête d'aider Samantha à soigner ses animaux. Or, son instinct de shérif souffle à Garrett que la discrétion extrême dont Samantha fait preuve cache quelque chose...

Un rôle trop dangereux - B.J. Daniels

Faith ose à peine croire à sa chance. Le célèbre et séduisant cascadeur Jud Corbett vient de l'engager sur le film qu'il tourne à Lost Creek ! Elle, qui s'entraîne en secret depuis des années pour exécuter les figures les plus périlleuses, se voit offrir son rêve sur un plateau d'argent... Un rêve qui tourne hélas au cauchemar quand, sur le tournage, Jud et elle sont victimes d'une série d'accidents suspects. Qui cherche à leur faire peur ? Résolue à le savoir, Faith décide de mener sa propre enquête. Quitte à désobéir à Jud, qui lui a ordonné de rentrer chez elle...

BLACK ROSE

Black Rose n°262

Le doute au cœur - Adrianne Lee

Desire est prête à tout pour prouver que sa sœur jumelle n'est pas morte par accident comme l'a conclu l'enquête de police. Pourquoi, sinon, aurait-elle retrouvé des lettres de menaces dans les affaires de celle-ci ? Le même genre de lettres qu'elle-même reçoit depuis plusieurs jours... A n'en pas douter, sa jumelle était harcelée et le tueur vient de choisir sa nouvelle cible. Terrifiée, Desire comprend qu'elle n'a plus le choix : si elle veut échapper au pire, elle doit demander son aide à l'inspecteur Nick Rossetti, l'ex-mari de sa sœur, avec qui elle a toujours eu des relations difficiles...

Cet enfant à protéger - Jacqueline Diamond

Dès l'instant où elle pose les yeux sur Ben, son neveu, Holly se fait la promesse de le protéger. Ce bébé a déjà connu tant de bouleversements en quelques jours ! Comment Jasmine, sa sœur, qui a disparu deux semaines plus tôt, a-t-elle pu abandonner son nouveau-né ? Pour Holly, toute cette histoire demeure incompréhensible... Voilà pourquoi elle se tient sur ses gardes quand le cheikh Sharif Al-Khalil vient la trouver et affirme être le père de Ben. S'il dit vrai, il devra le lui prouver, avant de lui expliquer où est passée Jasmine...

A paraître le 1er mai

Best-Sellers n°559 • suspense

Un tueur dans la nuit - Heather Graham

Un corps atrocement mutilé, déposé dans une ruelle mal éclairée de New York en une pose volontairement suggestive…

En s'avançant vers la victime – la quatrième en quelques jours à peine –, l'inspecteur Jude Crosby comprend aussitôt que le tueur qu'il traque vient une fois de plus d'accomplir son œuvre macabre. Qui est ce déséquilibré, qui semble s'ingénier à imiter les crimes commis par Jack l'Eventreur au 19e siècle ? Et comment l'identifier, alors que le seul témoin à l'avoir aperçu n'a distingué qu'une ombre dans la nuit, vêtue d'une redingote et d'un chapeau haut de forme ? Se pourrait-il, comme le titrent les médias, déchaînés par l'affaire, qu'il s'agisse du fantôme du célèbre assassin, ressuscité d'entre les morts pour venir hanter le quartier de Wall Street, désert la nuit ? Une hypothèse qui exaspère Jude, lui qui sait bien qu'il a affaire à un homme en chair et en os qu'il doit arrêter au plus vite. Quitte pour cela à accepter de collaborer avec la troublante Whitney Tremont, l'agent du FBI qui lui a été envoyé pour l'aider à résoudre l'affaire. Même si Jude ne croit pas un seul instant au don de double vue qu'elle prétend posséder…

Best-Sellers n°560 • suspense

L'ombre du soupçon - Laura Caldwell

Après des mois difficiles durant lesquels elle a été confrontée à la perte d'un être cher ainsi qu'à une déception amoureuse, Izzy McNeil, décidée à ne pas se laisser aller, accepte sans hésiter de devenir présentatrice d'une nouvelle chaîne de télévision. Mais si la chance semble lui sourire à nouveau, il lui reste encore à retrouver sa confiance en elle et à remettre de l'ordre dans sa vie sentimentale. Pourtant, tout cela passe d'un seul coup au second plan quand elle retrouve Jane, sa meilleure amie, sauvagement assassinée. Anéantie, Izzy doit en outre affronter les attaques d'un odieux inspecteur de police qui la soupçonne du meurtre de son amie. Comment se défendre face à ces accusations quand des coïncidences incroyables la désignent comme la coupable idéale – tandis que de sombres secrets que Jane aurait sans doute voulu emporter dans la tombe commencent à remonter à la surface ? Désormais, Izzy le sait, elle est la seule à pouvoir dissiper l'ombre du soupçon.

Best-Sellers n°561 • thriller

L'hiver assassin - Lisa Jackson

Ne meurs pas. Bats-toi. Ne te laisse pas affaiblir par le froid et la morsure du vent. Oublie la corde et l'écorce gelée. Bats-toi. C'est la quatrième femme morte de froid que l'on retrouve attachée à un arbre dans le Montana, un étrange symbole gravé au-dessus de la tête. Horrifiées par cette série macabre, Selena Alvarez et Regan Pescoli, inspecteurs de police, se lancent dans une enquête qui a tout d'un cauchemar, au cœur d'un hiver glacial et de jour en jour plus meurtrier à Grizzly Falls. Au même moment, Jillian Rivers, partie à la recherche de son mari dans le Montana, se retrouve prisonnière d'une violente tempête de neige. Un homme surgit alors pour la secourir avant de la conduire dans une cabane isolée par le blizzard. Malgré son soulagement, Jillian éprouve instinctivement pour cet être taciturne un sentiment de méfiance. Et si ses intentions n'étaient pas aussi bienveillantes qu'il y paraissait ? Et s'il se tramait quelque chose de terrible ? Pour Selena, Regan et Jillian, un hiver assassin se profile peu à peu dans ces forêts inhospitalières…

Best-Sellers n°562 • thriller

Et tu périras par le feu - Karen Rose

Hantée par une enfance dominée par un père brutal – que son entourage considérait comme un homme sans histoire et un flic exemplaire –, murée dans le silence sur ce passé qui l'a brisée affectivement, l'inspecteur Mia Mitchell, de la brigade des Homicides, cache sous des dehors rudes et sarcastiques une femme secrète, vulnérable, pour qui seule compte sa vocation de policier. De retour dans sa brigade après avoir été blessée par balle, elle doit accepter de coopérer avec un nouvel équipier, le lieutenant Reed Solliday, sur une enquête qui s'annonce particulièrement difficile : en l'espace de quelques jours, plusieurs victimes sont mortes assassinées dans des conditions atroces. Le meurtrier ne s'est pas contenté de les violer et de les torturer : il les a fait périr par le feu…Alors que l'enquête commence, ni Mia ni Reed, ne mesurent à quel point le danger va se rapprocher d'eux, au point de les contraindre à cohabiter pour se protéger eux-mêmes, et protéger ceux qu'ils aiment…

Best-Sellers n°563 • roman

La vallée des secrets - Emilie Richards

Si rien ne changeait, le temps aurait raison de son mariage : telle était la terrible vérité dont Kendra venait soudain de prendre conscience. Blessée dans son amour, elle part s'installer dans un chalet isolé au cœur de la Shenandoah Valley, en Virginie. Une demeure héritée par son mari, Isaac, d'une grand-mère qu'il n'a jamais connue, seule trace d'une famille qui l'a abandonné après sa naissance. Dans ce lieu enchanteur et sauvage, elle espère se ressourcer et faire le point sur son mariage. Mais c'est une autre quête qui la passionne bientôt : celle du passé enfoui et mystérieux des ancêtres d'Isaac. Une histoire intimement mêlée aux secrets de la vallée, précieusement protégés par les habitants qui en ont encore la mémoire. Mais qu'importe : Kendra, qui n'a rien oublié de son métier de journaliste, est prête à relever le défi. Car, elle en est persuadée, ce n'est qu'en sachant enfin d'où il vient qu'Isaac pourra construire avec elle un avenir serein…

Best-Sellers n°564 • roman

Un automne à Seattle - Susan Andersen

Quand elle apprend qu'elle hérite de l'hôtel particulier Wolcott, près de Seattle, Jane Kaplinski a l'impression de rêver. Car avec la demeure, elle hérite aussi de la magnifique collection d'art de l'ancienne propriétaire ! Autant dire une véritable aubaine pour elle, conservatrice-adjointe d'un musée de Seattle. Mais à son enthousiasme se mêlent des sentiments plus graves : de la peine, d'abord, parce qu'elle adorait l'ancienne propriétaire de Wolcott, une vieille dame excentrique et charmante qu'elle connaissait depuis l'enfance. Et de l'angoisse, ensuite, parce qu'elle redoute de ne pas être à la hauteur de la tâche. Heureusement, elle peut compter sur l'aide inconditionnelle

de ses deux meilleures amies, Ava et Poppy, qui ont hérité avec elle de Wolcott. Et sur celle, quoique moins chaleureuse, de Devlin Kavanagh, chargé de restaurer la vieille bâtisse. Un homme très séduisant, très viril et très sexy, mais qui l'irrite au plus haut point avec son petit sourire en coin, et son incroyable aplomb. Mais comme il est hors de question qu'elle réponde à ses avances à peine voilées, elle n'a plus qu'à se concentrer sur son travail. Sauf que bien sûr, rien ne va se passer comme prévu…

Best-Sellers n°565 • historique
La maîtresse du roi - Judith James
Cressly Manor, Angleterre, 1662
Belle, sensuelle et déterminée, Hope Matthews a tout fait pour devenir la favorite du roi d'Angleterre, quitte à y laisser sa vertu. Pour elle, une simple fille de courtisane, cette réussite est un exploit, un rêve inespéré auquel elle est profondément attachée. Malheureusement, son existence dorée vole en éclats lorsque le roi lui annonce l'arrivée à la cour de la future reine d'Angleterre. Du statut de maîtresse royale, admirée et enviée de tous, elle passe soudainement à celui d'indésirable. Furieuse, Hope l'est plus encore lorsqu'elle découvre que le roi a mis en place un plan pour l'éloigner de Londres : sans la consulter, il l'a mariée à l'ombrageux et séduisant capitaine Nichols, un homme arrogant qui ne fait rien pour dissimuler le mépris qu'il éprouve pour elle…

Best-Sellers n°566 • historique
Princesse impériale - Jeannie Lin
Chine, 824.
Fei Long n'a pas le choix : s'il veut sauver l'honneur de sa famille, il doit à tout prix trouver une remplaçante à sa sœur fugitive, censée épouser un seigneur khitan sur ordre de l'empereur. Hélas ! à seulement deux mois de la cérémonie, il désespère de rencontrer la candidate idéale. Jusqu'à ce que son chemin croise celui de Yan Ling, une ravissante servante au tempérament de feu. Bien sûr, elle n'a pas l'élégance et le raffinement d'une princesse impériale, mais avec un peu de volonté – et beaucoup de travail –, elle jouera son rôle à la perfection, Fei Long en est convaincu. Oui, Yan Ling est la solution à tous ses problèmes. A condition qu'il ne tombe pas sous son charme avant de la livrer à l'empereur…

Best-Sellers n°567 • érotique
L'emprise du désir - Charlotte Featherstone
Parce qu'il croit avoir perdu à jamais lady Anaïs, la femme qu'il désire plus que tout au monde, lord Lindsay s'est laissé emporter entre les bras d'une autre maîtresse, aussi voluptueuse mais autrement dangereuse : l'opium. Semblables à de langoureux baisers, ses volutes sensuelles caressent son visage et se posent sur ses lèvres, l'emportant vers des cimes inexplorées. Et quand survient l'extase, le rideau de fumée se déchire, et, le temps d'un rêve, il possède en imagination la belle Anaïs. Hélas, pour accéder encore et encore à cet instant magique, Lindsay a besoin de plus en plus d'opium, qui devient vite pour lui une sombre maîtresse, exigeante, insatiable. Alors, le jour où lady Anaïs resurgit dans sa vie, encore plus troublante, encore plus désirable, il comprend qu'il va devoir faire un choix. Car il ne pourra les posséder toutes les deux…

OFFRE DE BIENVENUE

2 romans Black Rose gratuits et 2 cadeaux surprise !

Vous êtes fan de la collection Black Rose ? Pour prolonger le plaisir, recevez gratuitement **2 romans Black Rose** (réunis en 1 volume) **et 2 cadeaux surprise !**

Une fois votre colis de bienvenue reçu, si vous souhaitez continuer à recevoir nos romans Black Rose, cela se fera automatiquement. Vous recevrez alors chaque mois 3 volumes doubles inédits de cette collection au prix avantageux de 6,84€ le volume (au lieu de 7,20€) auxquels viendront s'ajouter 2,95€* de participation aux frais d'envoi.

*5,00€ pour la Belgique

▶ **Vous n'avez aucune obligation d'achat et cette offre est sans engagement de durée !**

Les bonnes raisons de s'abonner :

- Aucun engagement de durée ni de minimum d'achat.
- Vos romans en avant-première.
- - 5% de réduction systématique sur vos romans.
- La livraison à domicile.

Et aussi des avantages exclusifs :

- Des cadeaux tout au long de l'année qui récompensent votre fidélité.
- Des réductions sur vos romans par le biais de nombreuses promotions.
- Des romans exclusivement réédités pour nos abonné(e)s notamment des sagas à succès.
- L'abonnement systématique à notre magazine d'actu ROMANCE.
- Des points cadeaux pouvant être échangés contre des livres ou des cadeaux.

Rejoignez-nous vite en complétant et en nous renvoyant le bulletin !

IZ3F09
IZ3FB1

N° d'abonnée (si vous en avez un) ☐☐☐☐☐☐☐☐

Nom : .... Prénom : ....

Adresse : ....

CP : ☐☐☐☐☐ Ville : ....

Pays : .... Téléphone : ☐☐☐☐☐☐☐☐☐☐

E-mail : ....

☐ Oui, je souhaite être tenue informée par e-mail de l'actualité des éditions Harlequin.

☐ Oui, je souhaite bénéficier par e-mail des offres promotionnelles des partenaires des éditions Harlequin.

__Renvoyez cette page à__ **: Service Lectrices Harlequin – BP 20008 – 59718 Lille Cedex 9 - France**

Date limite : **31 décembre 2013**. Vous recevrez votre colis environ 20 jours après réception de ce bon. Offre soumise à acceptation et réservée aux personnes majeures, résidant en France métropolitaine et Belgique. Offre limitée à 2 collections par foyer. Prix susceptibles de modification en cours d'année. Conformément à la loi Informatique et libertés du 6 janvier 1978, vous disposez d'un droit d'accès et de rectification aux données personnelles vous concernant. Il vous suffit de nous écrire en nous indiquant vos nom, prénom et adresse à : Service Lectrices Harlequin - BP 20008 - 59718 LILLE Cedex 9. Harlequin® est une marque déposée du groupe Harlequin. Harlequin SA – 83/85, Bd Vincent Auriol – 75646 Paris cedex 13. SA au capital de 1 120 000€ - R.C. Paris. Siret 31867159100069/ APE5811Z

Composé et édité par les

éditions HARLEQUIN

Achevé d'imprimer en France (Malesherbes)
par Maury-Imprimeur
en mai 2013

Dépôt légal en juin 2013
N° d'imprimeur : 181109